岩波講座　世界歴史　22

冷戦と脱植民地化 I

二〇世紀後半

岩波講座

世界歴史

22

冷戦と脱植民地化 I

二〇世紀後半

岩波書店

第22巻【責任編集】木畑洋一
中野　聡

目次

コラム｜*Column*

展　望 | *Perspective*

はしがき

第二二巻は、第二三巻とともに、二〇世紀後半——おおむね第二次世界大戦の終結(一九四五年)から二〇世紀末まで——の世界史を扱う。本巻は主として政治的領域を扱い、第二三巻は社会・経済・文化領域を扱うが、所収した各論考の問題意識は言うまでもなく超領域的であり、二〇世紀後半の世界をそのような二分法が許されない時代として人々は生きてきた。あくまで両巻を合わせた諸論考をもって本講座における二〇世紀後半の世界歴史であることを述べておきたい。以下、本巻の構成・概要を紹介する。

第二二巻「展望」論文「自律と連帯——冷戦時代の熱い戦争を超えて」(峯陽一)は、民族の自律を求める脱植民地化の動きが前進し、グローバルな連帯を体現するシステムとしての国際連合が成立する一方で、体制選択を迫る冷戦と結びついた暴力が新興国家に苦難を強いた過程に焦点をあてつつ、二〇世紀後半の世界史を、第三世界・周辺・人間(人権)の視点から大胆に見直す視点を提示する。

「問題群」には、「国際関係史としての冷戦史」(青野利彦)、「脱植民地化のアポリア」(難波ちづる)、「地域統合の進展」(川嶋周一)の三論考を収める。

青野は、冷戦後に公開され始めた各国の政府文書などに基づく近年の研究をふまえて、米外交文書に依存して米国外交・米ソ関係中心に叙述されがちであった冷戦史を乗りこえ、多様な諸国家・政治主体の相互関係を捉える「国際関係史」としての冷戦史像を示し、その起源から終焉までを俯瞰し、論点を提示する。

難波は、狭義には植民地の政治的独立を意味する脱植民地化が、実際には冷戦期の国際環境や内戦、民族・宗教対立、旧宗主国の介入などが絡みあう極めて複雑な展開を辿ったとして、アジア・アフリカを中心にその見取り図を描き、困難と波乱に満ちた脱植民地化が今日の世界に残す深い刻印を明らかにする。

川嶋は、二〇世紀に進展した地域統合のなかでも、欧州が経済・通貨・国境管理などで無二の高度な統合を実現した背景を、両大戦間期の「欧州理念」に遡って検討し、冷戦の申し子としてアメリカに支持された大西洋欧州としての統合が、紆余曲折と冷戦終焉の衝撃を経てEUに到った経緯を俯瞰する。

本巻「焦点」には、七論考を収める。

「さまざまな社会主義」(南塚信吾)、「中国のソ連型社会主義——毛沢東の時代」(久保亨)は、冷戦において体制選択の一方の柱であった社会主義諸国の模索に、それぞれ焦点をあてる。南塚は、社会主義を標榜して資本の自由な機能を停止・規制した体制である「現存社会主義」が、アジア・東欧・アフリカ・ラテンアメリカにおいて辿った盛衰とその背景を論じる。久保は、戦後中国の出発から一九八九年の天安門事件までの歴史と重ね合わせて、中国がソ連型社会主義をなぜ、どのように採用したのか、そしてなぜそこから比較的に順調に離脱できたのかを、国際環境や中国における展開の独自性に注目して論じる。なお、本巻で個別には直接論じられていないソ連については、第二三巻松井康浩論文および「展望」が考察を加えていることをつけ加えておく。

「アフリカ諸国の「独立」とアフリカ人エリート」(砂野幸稔)、「イスラエルの建国とパレスチナ問題」(臼杵陽)は、難波が指摘する脱植民地化の困難と混乱、歴史への刻印を代表する事例とも言える問題に、それぞれ焦点をあてる。砂野は、サハラ以南のアフリカ諸国がなぜ独立後の国民国家形成や開発に躓き、貧困・飢餓・内戦などに苦しみ続けたのかを問い、自らの特権が蓄積する都市と貧困に喘ぐ農村との社会的分裂をアフリカ人エリートが克服できなかったことや、状況を増悪させた冷戦の影響などを論じる。臼杵は、イスラエルの建国とパレスチナ問題・解放闘争が、第二次中東戦争(一九五六年)までは大英帝国下の脱植民地化と絡み合い、その後は冷戦思考からアラブ・ナショナリズムに無理解なアメリカの介入を受けるなかで展開した経緯を、オスロ合意まで俯瞰する。

「ベトナム戦争論」(藤本博)は、冷戦期における最大・最長の熱戦として世界に衝撃を与えたベトナム戦争について、アメリカの冷戦論理への固執と軍事力への過信が破壊的戦争を招くとともに、その敗北により軍事力の限界をも示した歴史的意義と、グローバルに人間の良心を喚起して史上最大規模で展開したベトナム反戦運動の思想的遺産の意義を論じる。

「オセアニアから見つめる「冷戦」――「核の海」太平洋に抗う人たち」(竹峰誠一郎)、「沖縄と現代世界」(戸邉秀明)は、脱植民地化の時代としての二〇世紀後半にむしろ植民地状況と対峙せざるを得なかった太平洋島嶼・沖縄の経験と、地域の人々の抗議の歴史にそれぞれ焦点をあてる。竹峰は、太平洋島嶼地域の人々が、核実験による被爆被害の拡大という「核植民地主義」の犠牲となる一方で、冷戦に対抗して国連や太平洋地域の協働を通じて非核制度を生み出してきた歴史を論じる。戸邉は米軍占領期から現在に至る沖縄現代史を俯瞰しつつ、冷戦下で米軍基地が沖縄にもたらした変化を国際関係から社会史的な次元まで多層的に捉えるとともに、軍事占領に抗した復帰運動の屈折に満ちた道程を辿り、脱軍事化・脱開発をめざす「琉球弧の住民運動」として現在まで受け継がれてきた意義を論じる。

「コラム」には、「「現在」から問い直す人権理念と世界秩序」(小阪裕城)、「脱植民地化と史料の破棄・隠匿」(佐藤尚平)、「三八度線で分断された朝鮮半島――その歴史と未来」(大沼久夫)、「アジアを変えた九・三〇事件」(倉沢愛子)、「一九六八年の世界」(井関正久)の五本を収める。いずれも、所収論文では論じることができなかった問題・視点から二〇世紀後半史を照射する。

(中野 聡)

自律と連帯
——冷戦時代の熱い戦争を超えて

峯 陽一

はじめに

第二次世界大戦後、ヨーロッパの帝国がアジア・アフリカの植民地を支配する政治秩序は崩れ去り、二〇世紀末までに、大小の国民国家が地表をほぼ覆い尽くすようになった。木畑洋一は、一八七〇年代から一九九〇年代初頭までを「長い二〇世紀」と呼んでいる。帝国の版図が世界を覆った後、その支配が徐々に浸食され、新しい世界秩序に取って代わられたダイナミックな世紀である（木畑 二〇一四）。本稿では、このような二〇世紀の再定義をふまえつつ、第二次世界大戦後の植民地の独立、国際連合秩序の形成、そして多くの新興国家に苦難を強いた冷戦の暴力性に力点を置いて、「長い二〇世紀の後半部」の世界史を展望してみたい。

西アフリカのガーナの初代首相クワメ・ンクルマは、一九五七年三月の独立宣言でこう語った。ガーナ人は「闘いに勝った。しかし、アフリカの他の国ぐにを解放する闘いに、みずからをもう一ど献げなければならないのだ。アフリカ大陸全部の解放とむすびつかなければ、われわれの独立は意味のないものとなるからだ」（エンクルマ 一九六二：一二六頁）。ンクルマは祖国ガーナに続いて、他の植民地も帝国の鎖から次々と解放されることを願っていた。二〇世紀後半、様々な国民の共同体が想像され、それぞれが自己決定を求めた結果、アジア・アフリカの諸国民は脱植民地化を完遂していく。ンクルマの夢は現実のものとなった。

このような民族の自律(autonomy)を求める行動は、互いに孤立していたわけではなかった。私たちは、連帯(solidarity)という言葉を知っている。これはラテン語のソリドゥス(堅い、強い)に由来し、第三世界との連帯、労働者の連帯といった使われ方をしてきた。社会主義運動の用語であるだけでなく、カトリックの社会教説の諸原理のひとつでもあり(教皇庁正義と平和評議会 二〇〇九)、二〇〇〇年に公布された欧州連合(European Union, EU)の基本権憲章にも盛り込まれている。もともと連帯は、尊厳を有する人間ひとりひとりを結びつける心の絆を指し示す言葉だったが、共感にもとづく人間の振る舞いや相互扶助をも意味するようになっていった。

連帯の力による解放の連鎖の夢は、人びとを鼓舞した。グローバルな帝国の支配を崩し、脱植民地化を成し遂げていくことは、帝国のオルターナティブとしての新たな世界形成(world-making)を目指すプロジェクトであった(Getachew 2019)。この脱植民地化の歴史をさらに詳しく検討しようとすれば、私たちは、植民地の人びとが何を求め、どのように行動したかを、それぞれのコンテクストのもとで見ていく必要がある(Rothermund 2006)。そこで焦点となるのは、やはり国家建設(nation-building)であろう。自己統治の単位は帝国の規模では大きすぎる。二〇世紀後半、アジアとアフリカに新たに誕生した諸国民は、各自の国づくりを進め、その基礎の上に立って水平的な協力の枠組みを作り出していった。独立を達成した国々は、グローバルな連帯を体現する国連システム(明石 二〇〇六、植木 二〇一八)を通じて、集合的な存在感を強めていくことになる。

その一方、二〇世紀後半という時代は、旧植民地の多くの人びとにとって、予想外の内部対立や裏切り、暴政、外部からの介入に直面し、夢が破れていく時代でもあった。世界大戦が終結した後にもなお、アジアとアフリカの各地で大勢の無辜の人びとが死に追いやられていった。暴力的な対立の多くは、独立国家が「資本主義か社会主義か」という冷戦下の体制選択を迫られる過程で生じている。大規模な殺戮が終わらなかった以上、長い二〇世紀の後半は平和の時代だったと考えることはできない。本稿では、この時代の「戦争の持続」にも注意を払うことにする。

一、世界大戦の終わり方

国連の植民地的起源

この世界に国連がなかったら、人類は国連に近い国際機関をつくりだしていただろう。ただし、その姿は、私たちが知っている国連とはかなり異なっていたかもしれない(ケネディ 二〇〇七：xi頁)。現在の国連組織にはいくつか目立った特徴があるが、その核心部分は、第一次世界大戦後に成立した国際連盟に起源を求めることができる(1)。国際連盟の骨組みをデザインした中心人物は、後にアパルトヘイト(人種隔離)体制で知られることになる南アフリカの政治家ヤン・スマッツであった。アジアの歴史研究では「戦争責任」が問われてきたが、脱植民地化の倫理を問うものとして、戦争責任よりも射程が長い「植民地責任」の概念が提案されている。ヨーロッパとアメリカの帝国史研究では、奴隷貿易、奴隷制の時代にまでさかのぼり、構造的な不正の長期持続に向き合うことが議論され始めたのである(永原 二〇〇九)。この文脈で考えるとき、「人類の議会」の発明者が、ヨーロッパ帝国の植民地責任を負うべき白人男性の政治家だったという事実は、私たちを当惑させる(Marks 2001; Dubow 2008)。

南アフリカで生まれたスマッツは、オランダ系移民の子孫(アフリカーナー)である。彼らは一九世紀のイギリス帝国による南アフリカ支配に反発し、武装してイギリス軍に抵抗した。一八九九年から一九〇二年の南アフリカ戦争では、イギリスが強制収容所を設置し、疾病が広がり、巻き添えになった黒人住民を含めて数万人の死者が出た。ケンブリッジ大学で法学を学んだスマッツは、南アフリカに戻り、反英ゲリラ部隊を率いて遊撃戦の才能を示す。イギリス軍の従軍記者として捕虜になったウィンストン・チャーチルにも出会っている。だが、アフリカーナーが敗北すると、スマッツは方向を転換し、イギリスとの和解と連合を追求していく。第一次世界大戦ではイギリス軍司令官に迎えられ、南西アフリカや東アフリカで戦い、チャーチルの盟友としてイギリス戦時内閣の一員となった。

第一次世界大戦後、一九二〇年に国際連盟が成立する。交渉の主導権をとったのはアメリカ大統領ウッドロウ・ウィルソンだった。世界の平和維持に専心する単一の機関が成立したのは、人類史上初めてのことである(篠原 二〇一〇)。国際連盟は、理事会、総会、事務局で構成され、その外部に常設国際司法裁判所、専門機関が設置された。少数の大国が集団安全保障の原理にもとづいて決断を下す理事会(行政府に相当)に、多数の国家の幅広い参加を保証する総会(議会に相当)を組み合わせるという二層の仕組みは、スマッツが著書『国際連盟——実践的提案』(Smuts 1918)において提案し、ウィルソン大統領に支持され、連盟の設立交渉で受け入れられたものである。この二階建て構造は、後の国際連合にそのまま引き継がれていく。さらに連盟には、委任統治制度も導入されたが、太平洋やアフリカの植民地に適用されることは想定されなかった。スマッツによれば、これらの場所には「野蛮人が暮らしている」からである(*Ibid*.: 15)。

連盟成立後のスマッツは南アフリカに戻り、人種隔離体制を築いていく。南アフリカ連邦の首相として、一九二二年には白人鉱山労働者のストライキを鎮圧し、四六年には黒人鉱山労働者のストライキを鎮圧した。その間に、「全体は部分の総和以上のものである」というホーリズムの概念を確立した科学哲学の重要な著作を発表している(Smuts 1926)。人種差別国家を率いたスマッツは、後で述べるように、国際連合憲章前文の起草者でもある。「人種的優越の提唱者で、白人によるアフリカ大陸の支配を正しいと信じていたスマッツ」が国連の背骨を形づくったことは、その生誕に「得体の知れない影」を投げかけている(マゾワー 二〇一五a:二一頁)。

それはその通りなのだが、スマッツを悪魔化することで、同時代の諸帝国の権力者を免罪してはならないだろう。

チャーチルの人種差別的な言説も並外れたものだった。一九四三年に勃発したベンガル大飢饉に際して、チャーチルは、インド人は「兎のように」繁殖するとうそぶいていたという(木畑 二〇一六：六九頁)。南アフリカと同類の人種隔離制度は、イギリス帝国の版図のカリブ海でも、熱帯アフリカやアジアの植民地でも、そしてアメリカ南部でも公然と実践されていた。南アフリカが他の植民地とは質的に異なる白人至上主義体制へと向かい始めたのは、スマッツが政界から引退した一九四八年からであり(トンプソン 二〇〇九：二七八、三八九頁)、アパルトヘイト体制を確立する方向が明確に固まったのは一九六〇年前後のことである。第二次世界大戦期までのスマッツの悪は、他のヨーロッパ人の帝国主義者と変わらない「凡庸な悪」であった。

第二次世界大戦と国際連合の成立

工夫をこらした国際連盟も、第二次世界大戦を防ぐことはできなかった。二度目の世界大戦の最大の特徴は、おそるべき人的犠牲であった。大戦の過程で、軍関係の死者だけで二〇〇〇万人以上、民間人を加えると五〇〇〇万人以上、疾病や飢饉などの関連死を含むと七〇〇〇万人から八五〇〇万人が命を落としたとされる。国別に見ると、ソ連の二〇〇〇万人から二七〇〇万人、および中国の一五〇〇万人から二〇〇〇万人という死者数が突出している。(2) 武器の技術的進化もすさまじく、その最大のものが原子爆弾の実用化と、広島と長崎での使用であった。

次なる国際連合の構想は、第二次世界大戦の初期段階——ドイツや日本が緒戦で勝利を収めていた頃——から周到に議論されていた。一九四一年八月、アメリカのフランクリン・ローズヴェルト大統領とイギリスのチャーチル首相は、洋上の戦艦で会談し、大西洋憲章に合意した。領土不拡大、自由貿易、平和主義など、戦後体制の理念を八つの項目にまとめて高らかに謳った文書であるが、とりわけ画期的だったのは、その第三条に民族自決権(人民による体制選択権)の原則が盛り込まれたことである。植民地帝国を経営するチャーチルは不満だったが、広大な植民地の民衆を連合国の側に引きつけるためには必要な原則であり、民族解放戦争という第二次世界大戦の一側面(木畑 二〇〇八：第六章)を補強する効果をもった。この憲章にはソ連等も賛同し、四二年一月、憲章の文言にもとづいて連合国(United Nations)共同宣言が発出された。

その後は、国際連合(英語では連合国と同じUnited Nations)の内容とりわけ意思決定の方法に関する話し合いが繰り返された。米英ソ中の「四人の警察官」で世界の平和と安全を守ること、多数決を覆す「拒否権」をそれぞれに与えること、そこにフランスを含めることなどで、大国の合意が成立した。一九四五年四月から六月にサンフランシスコで開催された連合国の会議において、国際連合憲章が正式に起草され、規定が詰められた。ドイツは五月に敗北したが、太平洋では日本の「本土防衛」のための沖縄戦が激化していた頃である。国連憲章前文には、第三次の世界大戦を防ぎ、基本的人権と人間の尊厳を擁護し、中小国も含めて国家主権を尊重し、国際法を遵守し、社会と経済の発展を促進する理想が謳われているが、この格調高い文章を起草したのも、南アフリカ首相として会議に参加していたヤン・スマッツである。世界大戦を終わらせる会議に二つとも参加した国家元首は、スマッツだけだった。国際連盟の機構を踏襲する形で、安全保障理事会(常任理事国と非常任理事国で構成される)、総会、事務局、国際司法裁判所、経済社会理事会、信託統治理事会、各種の専門機関という構成が確立した。一九四五年九月二日に日本は降伏文書に調印し、大戦は終了した。同年一〇月二四日、国際連合が正式に発足した。

国際連合の姿は国際連盟とよく似ているが、連盟の崩壊の失敗を繰り返さないための新たな工夫があった。連盟の最大の汚点はアメリカが参加しなかったこと、日本などの脱退を防げなかったことだった。大国をつなぎとめ、国際の平和と安全を効果的に守ることができるように、国連では安全保障理事会の決議に加盟国を拘束する強制力を持たせることになった。しかし、超大国自身は、自らの決定が多数決によって縛られることを嫌う。そこで、安保理の常任理事国だけに特権的な拒否権が与えられた。拒否しさえすれば決議は成立しないのだから、不同意を示すために組織から脱退する必要はなく、安保理は簡単には崩壊しないだろう。拒否権の規定は、少数派になりがちなソ連をつなぎとめるのに有効だと考えられた。国連本部はニューヨークに置かれることになり、用地はロックフェラー財閥が寄付した。本部が置かれると、アメリカも簡単には逃げられない。

戦後の国際社会の理念を昇華させた文書として、一九四八年一二月、総会は、「すべての人間は、生れながらにして自由であり、かつ、尊厳と権利とについて平等である」(第一条)という力強い表現で知られる世界人権宣言を採択した。この宣言の起草の中心は、エレノア・ローズヴェルトだった。亡くなった大統領の夫人であるが、共感力と行動力をそなえ、アメリカの内外で敬意を集めていた。委員会では中国の張彭春、レバノンのチャールズ・マリクなどが哲学論争を繰り広げたが、「西の個人主義と東の集団主義」を総合することで、普遍的な価値に到達しようとする姿勢は共通していた。フランスの法学者ルネ・カサンが文言を練り上げた(Glendon 2001)。

総会のもとに設置された経済社会理事会は、国際労働機関(International Labour Organization, ILO)、国連食糧農業機関(Food and Agriculture Organization, FAO)、国連児童基金(United Nations Children's Fund, UNICEF／ユニセフ)、国連教育科学文化機関(United Nations Educational, Scientific and Cultural Organization, UNESCO／ユネスコ)、世界保健機関(World Health Organization, WHO)などの活動を調整した。一九四四年七月のブレトン・ウッズ会議では、国際通貨基金(International Monetary Fund, IMF)と、世界銀行すなわち国際復興開発銀行(International Bank for Reconstruction and Development, IBRD)というふたつの国際金融機関が設置された。これらも国連の専門機関であるが、本部はワシントンに置かれ、経済力に応じて拠出される西側諸国の出資金によって運営されることになり、ガバナンスの独立性が強い制度デザインが採用された。四七年一〇月には関税・貿易に関する一般協定(General Agreement on Tariffs and Trade, GATT)が成立した(九五年に世界貿易機関(World Trade Organization, WTO)に発展改組)。本部はジュネーヴに置かれた。

国際連盟の委任統治を引き継ぐ制度として、国連は信託統治制度を導入した。一九四五年二月のヤルタ会談では、ローズヴェルト大統領とソ連のヨシフ・スターリンの二者会談が行われている。そこではソ連の対日参戦について議論した後、ローズヴェルトが、テヘラン会談の議論をふまえ、朝鮮半島をソ米中の国連信託統治領とすることを提案し、スターリンは同意した。ローズヴェルトは、フィリピンの自治を用意するのに五〇年かかったので、朝鮮のケースは「二〇ないし三〇年かかるかもしれない」と述べ、スターリンは「期間は短ければ短いほどよい」と応答している(バトラー 二〇一七:一七四―一七五頁)。この秘密会談では、植民地支配を復活させようとするチャーチルとフランスのシャルル・ド・ゴールに対して、米ソの巨頭が意気投合して突き放した評価を下しているのが興味深い。

アジア諸国の独立

第二次世界大戦は、主としてヨーロッパ戦線(独伊と連合国)とアジア太平洋戦線(日本と連合国)の二つの側面で戦われた。一九四五年にナチスの脅威から解放された西ヨーロッパ諸国では、レジスタンス運動が正統性を獲得した。ウェストファリア体制の誕生の地である大陸ヨーロッパでは、やがて東西の分断が固定化することになるが、統治の形としてはおおむね主権国家体制の「原状回復」が行われた。

戦後すぐに大西洋憲章の原理に従って民族の自決を求める動きが前面に出たのは、アジア地域である(3)。日本の軍政が崩壊すると、各地で脱植民地化と民族自決の波がせり上がっていく。中国では一九四六年に国民党と共産党の国共内戦が再開したが、中国共産党が勝利し、四九年一〇月に毛沢東を主席、周恩来を首相とする中華人民共和国が成立した。毛は天安門広場を埋めた群衆の前で建国を宣言した。内戦に敗れた蔣介石は国民党を率いて台湾に渡り、中華民国を維持した(国連では七一年まで、台湾が中国を代表し続けた)。東アジアにおいては、一一年に始まる中国の内戦が底流にあり、そこに三一年の満洲事変に始まる長い日中戦争、さらに第二次世界大戦が覆い被さる形で多重的な戦争が進行していたとも解釈される。数十年にわたるユーラシア大陸東部の多次元的な戦争状態に、四九年、とりあえず決着がついたのである(ペイン 二〇一二)。

朝鮮半島も一九四五年に日本の支配から解放されたが、米ソが非公式に合意していた国連信託統治は実現しなかった。米軍による軍政下の四八年五月、南の韓国において単独の総選挙が行われたが、済州島では南北分断を固定化するとして反対が強く、当局や民間右翼が地元住民を迫害した四・三事件が起きた。あわせて三万人近くが殺害され、日本とりわけ大阪に逃れた住民も多かった(文 二〇〇八)。同年、北には金日成を首相とする朝鮮民主主義人民共和国(北朝鮮)が、南には李承晩を大統領とする大韓民国(韓国)が成立し、国民は分断された。中国国民党の拠点となった台湾においては、本土出身の外省人が戦前から台湾で暮らす本省人を迫害した。四七年の二・二八事件ではおよそ二万人から三万人が殺害され、その後は戒厳令が長期化した(何 二〇一四)。

東南アジアでは、まず一九四六年七月にフィリピンがアメリカから独立した。アメリカは三四年に独立を約束する立法化を行い、日本の敗北の後、すぐに独立を実現させた。アメリカとフィリピンは、政治的な同盟関係のみならず在米フィリピン人の存在感もあり、複雑で濃厚な歴史文化的な関係を維持している(中野 二〇〇七)。他方、ヨーロッパ帝国のオランダ、フランス、イギリスは植民地を簡単には手放そうとしなかった。四八年一月にはビルマがイギリスから独立した。インドネシアではスカルノが日本の敗戦とともに独立を宣言したが、オランダ軍が介入し、植民地の再建を試みた。激しい独立戦争と国連の調停を経て、四九年、オランダもようやくインドネシアの独立を認めた。ベトナムでは四五年九月にホー・チ・ミンがベトナム民主共和国の建国を宣言したが、旧宗主国フランスはこれを認めず、四六年にインドシナ戦争が始まった。マレー半島では五七年八月、マラヤ連邦がイギリスから独立し、六三年にボルネオ島北部を加えてマレーシア連邦となったが、六五年、そこから中国系住民が多数派を占めるシンガポールが分離・独立する。イギリスは、オランダやフランスよりも穏健な路線をとり、植民地の独立には好意的だったと見なされる傾向があるが、マラヤでの共産党への弾圧は熾烈なものであった(木畑 一九九六)。

アジア太平洋では、米ソが面として影響力を広げていく前に日本の支配が崩壊することで政治的空白が生まれ、そこに独立国家――初めての主権国家――がモザイク的に林立していく。抗日時代の抵抗運動も、ヨーロッパの宗主国・連合国と結びついたり、共産主義者の指導を受けたり、もとは日本軍に創設された組織だったり、民衆の自発的な動きであったりと、その性格は多様であった(後藤 二〇一四:四一-四二頁)。アジアの諸民族の場合、ヨーロッパと比べると体制選択権を行使する余地が相対的に大きかったから、脱植民地化を重大な岐路として、民主制と独裁の制度生成のパターンを比較するアプローチも成立しうる(粕谷 二〇二二)。東西のブロックに地域がまるごと二分されたヨーロッパの戦後史については、このような多元的な経路比較は考えにくい。

イギリスは、大戦後にはインドに完全独立を認めざるをえないと認識していた。しかし、独立を控えて現地では国民会議派とムスリム連盟の対立が激化し、一九四七年八月、ヒンドゥー教徒が主体のインド連邦と、ムスリムを主体とするパキスタンとに分裂して独立することになった。その際、共存していた隣人たちの間に激しい宗教対立が持ち込まれ、ヒンドゥー教徒やシク教徒はパキスタン側からインド側へ、ムスリムはインド側からパキスタン側へと、流浪を余儀なくされる難民が大量に発生した。国連の介入で停戦が行われたが、印パ国境地帯のカシミールは帰属が決まらなかった。諸民族の融和を唱えたモハンダス・ガーンディー(敬意を込めてマハートマー(偉大なる魂)と呼ばれる)は、四八年にヒンドゥー至上主義者に暗殺された。

西アジアと北アフリカでも独立が相次いだ。レバノン、ヨルダン、シリア、エジプト、イラク、サウジアラビア、イエメンは、一九四五年にアラブ連盟を結成した。パレスチナは国際連盟の時代はイギリスの委任統治領だったが、四七年の国連総会でユダヤ人の土地とアラブ人の土地に分割することが決議され、四八年五月にイスラエルが建国を宣言した。ただちに第一次中東戦争が勃発し、パレスチナ人は村を追われ、周辺のアラブの国々、そして世界中に離散した。突然のイスラエルの建国でパレスチナ人の日常生活が崩れ去った大事件を、パレスチナ人たちはナクバ(大災厄)と呼び、イスラエル人の歴史家イラン・パペは、痛みをもって「民族浄化」と位置づける(パペ 二〇一七)。国連は四九年にパレスチナ難民救済事業機関(United Nations Relief and Works Agency for Palestine Refugees in the Near East, UNRWA)を設置した。五〇年には国連難民高等弁務官事務所(Office of the United Nations High Commissioner for Refugees, UNHCR)が誕生し、グローバルな規模で難民支援に取り組んでいくことになる。

第二次世界大戦はアフリカも巻き込んだ。北アフリカは戦車戦の舞台となった。連合国はアフリカ各地の植民地から、兵士、軍属を動員した。戦争の需要で経済が活性化したところでは、農村から都市に移住する者も増えていった。南アフリカのネルソン・マンデラが鉱山の守衛になり、法律を学び、政治意識を獲得していったのも、大戦期のことである。マンデラが参加したアフリカ民族会議(African National Congress, ANC)は、大西洋憲章の理想、マルクス主義思想、汎アフリカ主義、ガーンディーの非暴力不服従運動の影響を受けた複合的政治勢力だった(マンデラ 一九九六：第二・三章)。

多数派の代表権

国際連合の一九四五年一〇月発足時点の五一の原加盟国は、ヨーロッパ、南北アメリカ、オセアニアの国々が多く、アジア・アフリカの独立国、独立が確実な国々の参加は一三カ国、つまり四分の一にすぎなかった(中国、フィリピン、インド、イラン、イラク、シリア、レバノン、トルコ、サウジアラビア、エジプト、エチオピア、リベリア、南アフリカ)［図1］。これは道義的に正当化できない状態だった。国連経済社会局人口部の人口統計によれば、一九五〇年の時点で、アジアとアフリカをあわせた人口は世界の六四％、これに中南米を加えると合計で七一％を占めていた(二〇〇〇年の時点では、それぞれ七四％、八二％になる)。国連の発足時には、世界の人口の多数派が隅に追いやられていたことになる。

エリック・ホブズボームが二〇世紀の歴史を俯瞰して述べたように、人口の増加は「第三世界の存在にとって中心的な事実」である(ホブズボーム 一九九六：九一頁、峯 二〇一九：第一章)。世界人権宣言が高らかに謳うように、この世に生まれた者は尊厳と権利において平等であり、どこで生まれようと、人間の生の重みは変わらない。この前提を認めるならば、地球の住人の三分の二から四分の三を占める第三世界(この用語は後で説明する)の人びとの考え方が国際社会の意思決定に反映されることは、当然である。ところが、植民地で暮らす人びとはどこにも代表権を認められていなかった。正統性をもって法を執行する国民国家の水準の意思決定は認められておらず、したがって、国家を通じて国際社会の水準の問題解決に参画する回路も閉ざされていた。国連成立前の世界はそのような状態だったが、これは、アパルトヘイト時代の南アフリカの状態に近かった。南アフリカの人口に占める黒人の割合は、一九五一年に六八%、一九八〇年に七二%、一九九六年に七七%であった(Davenport and Saunders 2000)。住民の三分の二から四分の三もの人びとが肌の色を理由として参政権も与えられない状況は、国連では「人類に対する犯罪」と呼ばれることになる。

とはいえ、地球規模のガバナンスの意思決定において、各国の票にどのように重みづけするかというのは、難しい問題である。国際連盟を構想したスマッツは、「人口については、中国が連盟のなかで最も影響力がある加盟国かもしれない。豊かさについてはアメリカが一番だろう。領土についてはイギリス帝国がたやすく一位になるだろう」(Smuts 1918: 34)としたうえで、国力の原理と主権平等の原理の妥協の産物として、理事会と総会が牽制しあ

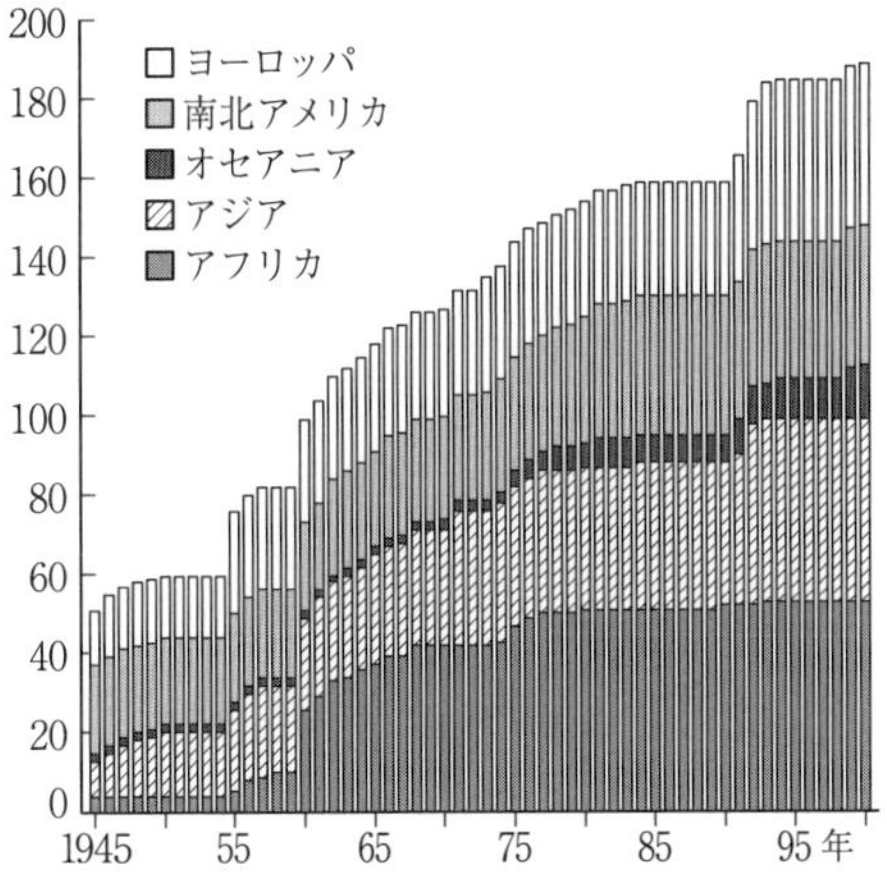

図1 国連加盟国の増加(1945-2000年)

出典：国連資料より作成(http://www.un.org/en/about-us/growth-in-un-membership)

うシステムを提案したのだった。理事会が重要事項の意思決定を行うのに対して、総会は国際世論を形成する「教育的」な役割を果たすことが想定されていた。すでに述べたように、この国際連盟のシステムは国際連合でも踏襲されたが、四五年のサンフランシスコ会議での中小諸国の要求をふまえ、国連では総会の実質的な権限が強化された。総会は、様々な「討議と勧告」に加えて、予算を承認し、事務総長を任命し、国際法の法典化を行う。経済社会理事会、信託統治理事会も、総会の下で活動する形式になった。そして**図1**が示すように、大戦後の脱植民地化とともに総会に出席する国々は拡大し、その顔触れは大きく変わっていくことになる。

強制力をもつ法を執行するのは個々の国家であるが、国家間に深刻な紛争が発生した場合は主権を制限し、上位の組織が介入することが必要になる。そのような役割を果たす集団安全保障の機構として設置されたのが、安全保障理事会だった。しかし、拒否権という大きな力を有する常任理事国は、米ソを中心とする五カ国に限定された。アジアを代表する常任理事国は中国(当初は中華民国政府)のみであり、アフリカや中南米の声を代表する国は入っていなかった。総会が別途六カ国(一九六五年から一〇カ国)の非常任理事国を選出したが、拒否権は与えられず、格差は明白だった。

以上のような地球規模のガバナンスの問題点をふまえて、一九四五年に戻ろう。脱植民地化と並び、戦後の世界政治史を規定する重要な動きがあった。ヨーロッパにおける冷戦の開始である。

二、冷戦の暴力と民族自決

鉄のカーテンの成立と拡大

第二次世界大戦後すぐ、植民地アジアは民族独立の波に洗われた。そこで問われたのは新たな国家の建設であった。

他方、ヨーロッパにおいては、ナチスの侵攻を受ける前からおおむね国民国家の枠組みが存在していた。アジアの多くの場所では国民国家という「箱」をつくるところから始まったが、ヨーロッパでは国境を整え、国家装置の機能を回復させたうえで、西に所属するか、東に所属するかが問われたのである。

一九四五年四月、東西からドイツ軍を撃破した米軍とソ連軍がドイツのエルベ河で出会った際は、両軍兵士が抱き合って勝利を祝賀したが、友好は長続きしなかった。ソ連は単独で東ヨーロッパを勢力圏とし、アメリカは単独で日本を占領した。ソ連を戦後体制に取り込むことを重視したローズヴェルト亡きあと、副大統領から昇格したハリー・S・トルーマン大統領は、ソ連に厳しかった。総選挙で敗北して下野したチャーチルは、四六年三月、トルーマンの故郷のミズーリで演説し、(バルト海からアドリア海まで)「鉄のカーテンが下ろされている」と述べて、米英の反共同盟を呼びかけた。とりわけ、東西陣営への帰属が明確でなかったギリシア、トルコの位置づけをめぐって、緊張が強まった。一九四七年、トルーマン大統領は自由主義か社会主義か(新しいアメリカの共和主義か古いヨーロッパの君主制か、とも言われた)の体制選択を突きつけ、西側の団結を訴えるトルーマン・ドクトリンを発表した。これに続いて、ヨーロッパの経済復興を目指す援助計画であるマーシャル・プランが発表された。アメリカはソ連が自発的に抜けることを期待しながら、参加の誘いだけはかける形にしておいた。対米従属を恐れたスターリンは期待通りに枠組みから離脱し、東ヨーロッパ諸国の参加も認めなかったので、アメリカは西ヨーロッパだけに「命綱」を投げて、その復興支援に集中することができた。

マーシャル・プランは、戦後の地域協力のモデル、すなわちヨーロッパ統合の淵源となった。しかし、スターリンはマーシャル・プランを、西ヨーロッパにおいてアメリカの軍事的・経済的なプレゼンスを永続化させようとする戦略の一部――しかもソ連に侵攻したドイツが復興の中心となる――と解釈し、ますます態度を硬化させた(スティル二〇二〇)。東ヨーロッパでは戦後すぐには共産党と非共産党の連立が進められたが、ソ連共産党が東ヨーロッパ諸国の共産党を巻き込んでコミンフォルム(共産党情報局)をつくるなど、一九四七年を転換点として画一的なスターリン主義が浸透するようになった(マゾワー 二〇一五b：第八章)。

一九四八年六月、戦後の東西対立を決定づける事件が起きた。敗戦国ドイツは米英仏ソによって分割占領され、ソ連の占領地に位置する首都ベルリンの西部は西側が管理していたが、通貨をめぐる対立から、ソ連が西ベルリンへの交通を遮断したのである(ベルリン封鎖)。西側は、取り残された市民向けに物資を空輸して対抗した。翌四九年一月、ソ連と東ヨーロッパ諸国は、経済相互援助会議(コメコン)を結成して結束を強めた。同年四月、アメリカ、カナダと西ヨーロッパ諸国は北大西洋条約機構(North Atlantic Treary Organization, NATO)を結成し、九月にはドイツ連邦共和国(西ドイツ)、一〇月にドイツ民主共和国(東ドイツ)が分断国家として成立した。五五年、西ドイツがNATOに加わると、ソ連は東欧諸国とともにワルシャワ条約機構を結成して対抗した。スターリンは反体制派を容赦なく弾圧したが、五〇年代の米国でも——ソ連への対抗のみならず中華人民共和国の建国の衝撃もあって——政府やハリウッドの共産主義者および同調者に対する「赤狩り」が展開された。

ヨーロッパだけを見ていれば、火薬が炸裂する相互殺戮から、兵器が使われないまま国家が対峙する緊張状態に移行したわけだから、第二次世界大戦後の冷戦を「長い平和」と呼ぶのも間違ってはいない(ギャディス 二〇〇二)。しかし現実には、冷戦の主戦場はヨーロッパから、脱植民地化が進行するアジアとアフリカ、およびラテンアメリカへと移行していった。アメリカは朝鮮からイランに至る広い地域で革命が切迫していると考えて介入を試みたが、ソ連の側では機は熟していないと見なし、国土防衛のために近隣の国々の新たな社会主義革命を抑圧しようとすることもあった。「それは、あたかも一国社会主義への梯子を上り始めたスターリンが、他の国が後をついて来ないように、意図的にその梯子を蹴り倒しているようなものであった」(ウェスタッド 二〇一〇：七一頁)。

それでも、冷戦の管理がうまくいかずに「熱戦」に転化すると、戦いは熾烈なものになった。その最初の場が、民族独立に揺れるアジアであった（マクマン 二〇一八：四七頁）。一九五〇年六月、朝鮮戦争が勃発した。ソ連と中国の同意を得た北朝鮮軍が北緯三八度線を越えて韓国に侵攻したのである。朝鮮半島の南北を不可分だと見なせば、中国の国共内戦と同種の内戦と位置づけることもできただろう。他方、南北を二つの国民国家と見なせば、境界線を越える侵攻は国連憲章に違反する主権侵害になる。当時、モスクワと北京は友好同盟相互援助条約を結んだばかりであり、ソ連は国連の中国代表の議席を国民党の台湾から共産党の大陸中国に変更することを求めて、国連安全保障理事会をボイコットしていた。会議に出席していないソ連は拒否権を行使できないので、ソ連不在の理事会は北朝鮮軍の行動を侵略と見なし、米軍を主体とする勢力に国連軍の名称を付与することに決めた。闘いは一進一退を繰り返し、五三年七月に休戦が成立したが、数十万の兵士が戦死し、数百万の市民が殺害され、およそ一〇〇〇万の離散家族が生まれた。米軍司令官ダグラス・マッカーサーは核兵器の使用まで具体的に計画していたが、トルーマン大統領によって解任された。ここで三度目の核兵器が使用されていたら、世界史が大きく塗り変わっていたことだろう(4)。

ソ連が国連安保理に戻ってくると拒否権を連発し、安保理は身動きがとれなくなることが予想された。そこで国連総会は、アメリカの提案により、五〇年一一月に「平和のための結集決議」を採択した。深刻な紛争に直面して安保理が動けなくなった場合は、緊急特別総会によって加盟国の共同行動を勧告できるようになった。

バンドン会議から非同盟運動へ

脱植民地化と冷戦の波及に対するアジアとアフリカの反応は、戦争あるいは内戦だけではなかった。一九五〇年代、脱植民地化を成し遂げたばかりの諸国のあいだに、互いの連帯を志向し、共通の理念を確認しようとする動きが生まれたのである。左右どちらかの陣営に与して欧州のように分断されることを避けつつ、旧植民地を中心とする巨大地域のまとまりを構想することが志向された。アジアの諸民族が集まり、アフリカの諸民族が招かれた。

一九五四年、中国の周恩来がインドを訪問し、ジャワハルラール・ネルー首相と二者会談を行い、領土と主権の尊重、相互不可侵、内政不干渉、平等互恵、平和共存からなる平和五原則を発表した。この流れに乗って、五五年四月、インドネシアのバンドンでアジア・アフリカ会議(バンドン会議)が開催された。バンドンはジャワ島西部の高原に位置するオランダ人の避暑地かつ軍事都市だったが、四六年、植民地支配の復活に抵抗するインドネシア人たちが建物に火を放ち、大挙して立ち去った場所である。インドネシアのスカルノ大統領は、あえてこの地を会議の場所に選んだ(プラシャド 二〇一三:五三―五四頁)。二九カ国の内訳は、アジアが二三カ国(うち中東が八カ国)、アフリカは六カ国で、ブラジルもオブザーバーとして参加した。帝国の代表は招かれなかった。会議の中心は、スカルノ、周、ネルー、そしてエジプトのガマール・アブドゥル・ナーセル大統領であった。

スカルノは会議の基調演説において、自分たちには「独立とともに責任が生まれました」と語った。ここで合意された平和一〇原則の内容は、前年の平和五原則を拡張したものであり、主権平等と領土保全、内政不干渉、紛争の平和的解決などの原理を掲げているが、後の時代の一般的なバンドン会議の位置づけとは異なり、そこに反帝国主義、反植民地主義、第三世界の連帯といった言葉は出てこない。第一原則は「基本的人権、国連憲章」の尊重であり、全体として、大西洋憲章にさかのぼる普遍主義的な価値観を押し出す文言になっている。アジア・アフリカの理想を、あくまで当時の国際法の枠組みで表現する宣言であった(Eslava et al. 2017)。

「脱亜入欧」と「大東亜共栄圏」の狭間で揺れ動いた日本も、バンドン会議に出席した。日本はアジアの一員か、それとも西洋の一員か、というのは「答えを見つけるべきではない問い」(宮城 二〇〇一:一七頁)なのかもしれないが、当時のバンドン会議に臨んだ日本政府の代表団には、アジア・アフリカの共同体に完全には受け入れてもらえない気まずさとともに、アメリカとの戦後交渉とは異なる安心感もあったはずである。日本の国連復帰は一九五六年だが、その前から国連専門機関の活動には積極的に参加しており、民間の日本ユニセフ協会の発足は五〇年、文部省のもとにユネスコ国内委員会が設立されたのは五二年だった。まだ国連本体に招かれていない状況のもとでのバンドン会議への参加は、日本政府にとって国際社会に復帰する貴重な予行演習でもあった。

バンドン会議に続いて、一九五七年には北アフリカのエジプト、カイロにおいて、アジア・アフリカ人民会議が開催された。参加国はソ連に近い国々が中心だったが、主催国エジプトの女性活動家たちが積極的に発言し、六一年にはカイロでアジア・アフリカ女性会議が開催された。女性活動家たちは、結婚制度や労働などの分野において、ILOなどの国連機関が承認している国際基準に従って女性政策を立案するよう、新興諸国の政府に要求した。「国家独立は女性にとって最終目標ではなかったのである」（プラシャド 二〇一三：八三頁）。その一方で、アジアとアフリカの民族自決の流れに、ラテンアメリカ諸国と、東ヨーロッパの非ソ連派社会主義勢力が合流する形で、冷戦の一方の当事者に肩入れしない非同盟運動の枠組みもできていった。六一年九月、ユーゴスラヴィアのベオグラードで第一回非同盟諸国首脳会議が開催され、非同盟ブロックが公式に成立した。こうした動きに刺激を受けながら、国連を舞台として連帯する非公式な南の国家グループが成長していくことになる。

アフリカ諸国の独立

本稿の冒頭で引用したガーナ初代首相ンクルマは、もともとカトリック神学を学んでいた。アフリカの独立運動の指導者たちは、ヨーロッパやアメリカで教育を受けた者が多い。ヨーロッパ帝国に分断されたアフリカの復権、独立、統一を目指す汎アフリカ主義者たちは、帝国心臓部のロンドン、ブリュッセル、パリ、リスボン、ニューヨークで会議を重ね、第二次世界大戦後の一九四五年一〇月には、イギリスのマンチェスターにおいて、近づく独立を準備する会議を開催した。そこで演説したンクルマは、当時はロンドン・スクール・オブ・エコノミクス（LSE）の大学院生であった。第二次世界大戦はいつ始まったかと問うならば、太平洋では四一年一二月の真珠湾攻撃、ヨーロッパでは三九年九月のドイツ軍のポーランド侵攻、アジアの大陸部では三七年七月の盧溝橋事件が画期となるが、アフリカにとっては、三五年一〇月のイタリア軍――ソマリ人、エリトリア人、リビア人の兵士も動員されていた――によるエチオピア侵攻が世界大戦の始まりである(Byfield et al. 2015)。連合国による民族自決の約束、すなわち大西洋憲章は、植民地支配下のアフリカの諸民族にとって独立を達成する追い風となった。

一九五五年のバンドン会議に参加していたアフリカの国々は、北アフリカのエジプト、リビア、サハラ以南アフリカのエチオピア、スーダン(当時は未独立)、リベリア、ガーナ(未独立)の六カ国にすぎなかった。しかし、それから数年間でアフリカの政治地図はすっかり塗り替えられてしまう。五六年にはスーダン、モロッコ、チュニジアが独立し、五七年三月にはガーナがイギリスから独立、ンクルマが首相に就任した。五八年一〇月にはギニアがフランスから独立したが、大統領に就任したセク・トゥーレは、ド・ゴールの面前で「われわれは隷属の中の富裕よりも、自由の中の貧困をえらびます」と語った(トゥーレ 一九六一:一四頁)。六〇年、さらにナイジェリアなどアフリカ一七カ国が一斉に独立し、この年は「アフリカの年」と呼ばれることになった。**図1**に示されるように、六〇年には九九の国連加盟国のうち二三がアジア、二六がアフリカに位置し、旧植民地の国々がほぼ半分を占めるようになった。総会におけるアジアとアフリカの地位向上は劇的であった(マゾワー 二〇一五c:二三〇―二四六頁)。

フランス人が入植し、民族解放戦線(Front de Libération Nationale, FLN)とフランス軍が激しく戦ったアルジェリアも、一九六二年七月に独立した。イギリス人の入植者から農地を奪還しようとした土地義勇軍によるマウマウの反乱(キニャティ 一九九二)が起きたケニアも、六三年一二月に独立した。それぞれの地での植民地権力の弾圧は拷問を含めて熾烈を極めたが、フランス、イギリスにおいて事実が知られるようになったのは、ごく最近のことである(木畑 二〇一四:一九九―二〇三頁)。六三年五月、植民地支配から脱したアフリカ諸国は、アフリカ統一機構(Organization of African Unity, OAU)を結成した。本部はエチオピアのアディスアベバに置かれた。OAU内部の路線は、政治統合による「アフリカ合州国」の確立を求めるカサブランカ・グループと、緩やかな連邦を求めるモンロヴィア・グループに分かれたが、意思決定においてはコンセンサスが重視された(Makinda et al. 2016: 21-23)。OAUが採用した原則のひとつは、既存の植民地の国境線に手をつけないことだった。独立したばかりの国々は互いの主権を重視したので、OAU体制下のアフリカでは国家間の戦争はほとんど起きなかった。

一九六〇年二月、イギリス首相ハロルド・マクミランは、アフリカ各地のイギリス植民地および旧植民地を歴訪した後、最後の訪問地となった南アフリカの国会で「この大陸に変化の風が吹いている。好むと好まざるとにかかわらず、この民族意識の成長は政治的事実である」と演説した。「ヨーロッパの国民国家を生み出したプロセスが、世界中で繰り返されている」のである(Butler and Stockwell 2013: 1)。このような見方を披露する資格が当時のイギリスにあったかどうかはともかく、脱植民地化が不可逆的なものになっていたことは間違いなかった。ところが、アパルトヘイト体制下の南アフリカは世界史の経路を逆走していく。六〇年三月、身分証明書の携帯の強制に抗議していた黒人市民に警官隊が発砲し、六九人が死亡するシャープビル事件が起きると、抵抗が全国に広がり、非常事態宣言が発布された。翌月、国連安保理は南アフリカ政府の行為が世界の平和と安全への脅威になりうるという決議を採択した。同年一二月、国連総会は「植民地独立付与宣言」を採択し、脱植民地化を公式に推進する姿勢を確認した。

独立したアフリカ諸国の多くは平和裏に国づくりを進めたが、独立と同時に深刻な紛争に見舞われる国もいくつかあった。ベルギー植民地コンゴ(かつては国王レオポルド二世の私有地とされ、ゴム農園の強制労働が広がっていた)は、一九六〇年六月の独立直後から国家解体を余儀なくされた。ベルギーの支援で鉱物資源が豊かなカタンガ州が分離独立を宣言すると、国連安保理の決議にもとづき、最大で二万人規模のコンゴ国連軍が派遣された。しかし、コンゴ首相パトリス・ルムンバは反政府勢力によって処刑され、現地で諸勢力の調停を試みた国連事務総長ダグ・ハマーショルドは、飛行機の墜落により殉職した(5)。一九六五年、軍人のモブツ・セセ・セコが権力を掌握し、腐敗した親米国家コンゴの独裁者となった(七一年に国名をザイールに変更)。

欧州統合の本拠地はベルギーのブリュッセルだった。マーシャル・プランを起源のひとつとする西ヨーロッパの経済統合プロセスは、一九五七年のローマ条約により翌五八年に欧州経済共同体(EEC)が発足したことで弾みがつく。大陸ヨーロッパの政治家たちは、戦前から「ユーラフリカ」構想を口にしていた。これはアフリカの植民地をまとめて統一ヨーロッパの共同植民地として経営しようとするもので、ヨーロッパ統合の主要議題のひとつになった。しかし、五〇年代末にアフリカの脱植民地化が本格化したため、この構想が実現することはなかった(Hansen and Jonsson 2014)。アフリカの植民地を最後まで手放さなかったのは、アントニオ・サラザールの独裁のもとにあったポルトガルである。ポルトガル人はアンゴラやモザンビークへの入植を続け、治安維持のために本国から軍が動員された。そこで六〇年代のアフリカでは、ポルトガル海上帝国に対する独立戦争が本格化することになる。

キューバ、ベトナム

一九五〇年代から六〇年代にかけて、アジアとアフリカの国々が主権を獲得していった時代、米ソが対峙する冷戦は、にらみ合いを伴う安定期を迎えようとしていた。五三年、スターリンが死去し、朝鮮戦争も休戦を迎えると、米ソの対話の兆しが見えてきた。五四年七月にはインドシナ戦争の休戦がジュネーヴで合意され(ただしアメリカは合意に参加しなかった)、バンドン会議と同じ五五年には米英仏ソの首脳によるジュネーヴ会談が開かれ、限定的な和解の道筋が敷かれた。五六年二月のソ連共産党第二〇回大会において、ソ連のニキータ・フルシチョフ第一書記はスターリン批判演説を行い、東西両体制の平和共存を訴えた。この演説を画期として、スターリンの個人支配のもと、とりわけ三〇年代後半のソ連において言論の自由が圧殺され、社会主義の理想を追い求めた善意の人びとが大量に粛清、処刑されていた事実に光が当てられるようになった。シベリアの収容所に送られていた政治囚も声を上げ、体制の変革を訴えた(和田 二〇一六)。五九年にはフルシチョフが訪米してドワイト・D・アイゼンハワー大統領と会談し、「雪どけ」の機運が高まった。しかし、西側との関係が改善されると、東側の市民の関心は西側に向かう傾向がある。東ベルリンから西ベルリンへの亡命者が増えたため、六一年八月、東ドイツ政府は東西ベルリンの境界線に「ベルリンの壁」を設置した。一夜で登場した鉄条網の壁は、やがてコンクリートで強化されていく。

その間、アメリカのすぐ近くで、新しい社会主義勢力が育っていく。一八九八年の米西戦争の後、アメリカはキューバをスペインから奪い、勢力圏に組み込んでいた。さらにスペイン領だったフィリピン、プエルトリコ、グアムを植民地とした。第二次世界大戦後、ラテンアメリカではアメリカの影響力が格段に強まった。一九四八年にはワシントンに本部を置く米州機構(Organization of American States, OAS)が設立され、域内の左派政権や革命運動を封じ込める役割を担った。ところが、五九年一月、キューバにおいて、フィデル・カストロらが指揮する部隊が親米のバティスタ政権を打倒し、革命を成功させる。カストロ政権は段階的に農地改革や国有化政策を進め、六一年には社会主義共和国を樹立したが、自国の「裏庭」に東側陣営に属する国が誕生したことは、アメリカには信じがたい悪夢であった。アメリカは空爆を開始し、傭兵軍を侵攻させたが、かえってキューバ国民の結束が強まった(後藤 二〇一六:第二章)。

そこに核ミサイルの問題が結びつく。人類の戦争で使われた初の本格的なミサイル兵器は、ナチス・ドイツが開発したV2ロケットだった。技術者の中心だったヴェルナー・フォン・ブラウンは第二次世界大戦後にアメリカに渡り、アメリカの宇宙開発、とりわけアポロ計画に貢献していく。他方、一九四九年にはソ連も核実験に成功し、その後、イギリス、フランス、中国も核兵器を開発した。五七年にソ連が人工衛星スプートニクの打ち上げに成功したことは、アメリカが大陸間弾道ミサイルの脅威にさらされることを意味した。六一年、ソ連の宇宙飛行士ユーリイ・ガガーリンが地球の周囲を一周した。翌六二年、ソ連は中距離核ミサイルをキューバに配置し、米国全土を射程に入れる計画に着手する。アメリカの側は、すでにトルコにミサイルを配置していた。ジョン・F・ケネディ大統領は、ソ連にキューバへの核兵器の持ち込みを止めるよう求め、カリブ海の海上封鎖を行った。こうして、核兵器を撃ち合う第三次世界大戦が秒読み段階に入った。最終的にフルシチョフはミサイルの撤去に応じたが、このときの核戦争は、様々な偶然が積み重なり、かろうじて回避されたことがわかっている。国連事務総長ウ・タントが仲介者として大きな役割を果たした。キューバ危機の後、翌六三年には米ソを結ぶホットライン(直通電話)が設置され、緊急の場合は首脳間の直接の意思疎通が可能になった(シャーウィン 二〇二二)。

朝鮮戦争では米中の軍隊が前線で戦ったが、その後、大国はアジア、アフリカの前線で大規模な戦闘に直接巻き込まれることを避けようとした。その意味で、アメリカが直接関与したベトナム戦争は、例外的に激烈なものだった。一九五四年のジュネーヴ休戦協定の後、フランスに代わって、アメリカがインドシナ半島での存在感を強めていく。「ドミノ倒し」のように社会主義への体制転換の連鎖反応が起きることを恐れたアメリカは、六一年、ケネディ大統領のもと、南ベトナムへの軍事介入を決断した。そして、ケネディ暗殺の後に大統領となったリンドン・ジョンソンのもと、六五年二月、北ベトナムへの大規模な空爆が始まった。世界最強の米軍がアジアの村を焼き、子どもまで殺害する様子がメディアで伝えられると、世界に衝撃が走った。北ベトナムおよび南ベトナムの解放戦線は持久戦を展開し、米軍の攻撃に粘り強く抵抗したので、戦争は長期化した。ベトナム戦争の正確な死者の数はわからないが、兵士と民間人をあわせて三〇〇万人を超えるとされる。そのうち米軍兵士の数は約五万八〇〇〇人だとされる(6)。

もともとアメリカ外交のなかには、ヨーロッパの帝国思考に反発し、脱植民地化の流れを支えようとする要素が存在していた。しかし、冷戦期のアメリカは、民族の自決よりも、自決の結果としての政治体制の選択を重視するようになり、自由主義に対する信仰は強迫観念に近いものになった。赤狩りで政府内のアジアを知る専門家が一掃されたことも、朝鮮戦争からベトナム戦争へと続くイデオロギー主導の十字軍的なアジア侵攻に対する歯止めを失うことにつながったと思われる。対するソ連の側は、普遍的な共産主義のレトリックにもかかわらず、介入にあたってはあくまでソ連の国益を重視していた。

平和共存下の暴力——概観

ベトナム戦争は、植民地支配から脱した世界の多くの場所で戦われた冷戦時代の熱い戦争の一部であった。これらの紛争の傾向は、**図2**の棒グラフが示す通りである。これは、国家を当事者の少なくとも一方とする紛争(国家間戦争もしくは国家と非国家勢力の内戦)による死者を地域別に積算したものである。戦後すぐのヨーロッパの死者は主としてギリシア内戦によるものである。この時期のアジアにおける紛争死は、国共内戦、第一次インドシナ戦争、そして朝鮮戦争の犠牲が突出していた。一九五〇年代後半、すなわちバンドン会議とスターリン批判の時代は、「戦争がない」という意味では平和の時代だった。六〇年と六一年のアフリカの紛争死者の多くは、フランス軍と戦ったアルジェリアとカメルーンの独立戦争の犠牲者である。六〇年代から七〇年代前半のアジアの死者の多くは、ベトナム戦争によるものである。

図2の棒グラフを概観すると、二〇世紀後半を通じて戦争・内戦による死者が全体としては減少傾向にあることが見てとれる。**図2**の折れ線グラフの方を見ると、紛争死の原因において国家間戦争のかわりに内戦が占める割合が高くなってきていることがわかる。一九四六年には一七の紛争のうち八件が内戦(四七%)、二〇〇〇年には三八の紛争のうち三二件(八四%)が内戦であった。紛争一件あたりの死者は減少したが、このグラフの数字を合計すると、一九四六年から二〇〇〇年までの紛争の直接的な死者の総計は九四五万人、すなわち一〇〇〇万人に近い。冷戦の時代、大国間の戦争は確かに起きにくくなったが、大国が小国に襲いかかる戦争、そして中小国内の内戦は、各地で繰り返されてきた。

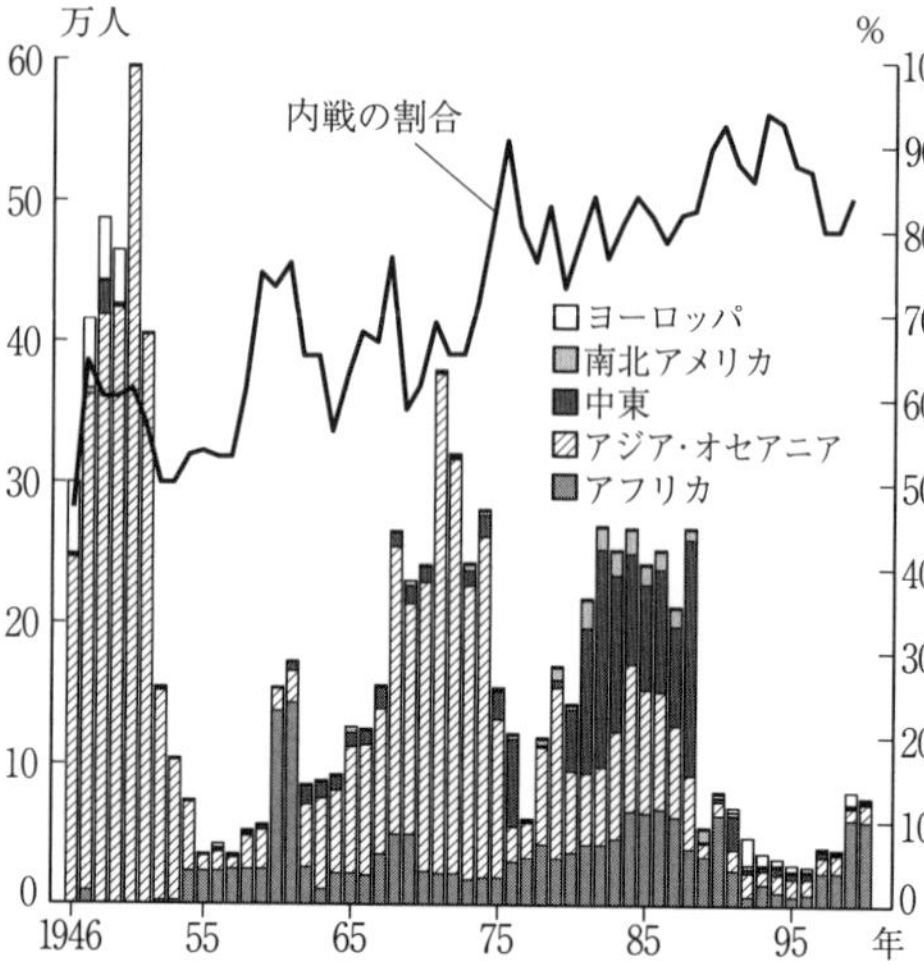

図2　国家を当事者とする紛争——地域別死者および内戦の割合(1946-2000年)

出典：Our World in Data (https://ourworldindata.org/war-and-peace). 次にもとづく. The PRIO (Peace Research Institute Oslo) Battledeaths Detaset.

だが、**図2**は、犠牲の全体像を描いていない。紛争に付随して発生した飢饉や伝染病などによる民間人の死者、および政府が一方的に市民を拘禁し、法的手続きを経ずに殺害した事例などを加えると、死者数は桁違いに増えるのである。以下、主要なものを例示しよう。中国では、一九五八年から六二年まで、伝統技術を利用し、人民公社を単位とする集団化に取り組み、鉄鋼や農産物の大増産を試みる「大躍進」運動が行われたが、生産は低迷し、大飢饉が発生し、批判者は処刑され、社会は大混乱に陥った。この時期の総死者数(統計的な超過死亡数)は三〇〇〇万人、あるいは地方の公文書館の資料を利用した調査によれば四五〇〇万人ともいわれる(ディケーター二〇一一)。正確な数はわからないが、大戦争並みの犠牲者だった。

バンドン会議は、インドネシアのスカルノ大統領にとって大きな外交資産であったが、彼の国内の支持基盤は陸軍と共産党の微妙な均衡によるもので、著しく不安定だった。スカルノは外部に敵をつくり、とりわけ隣国マレーシアをイギリスの手先として敵視した。一九六五年一月、インドネシアは、マレーシアの安保理非常任理事国選出に抗議して、国連から脱退すると通告した。同年、「九月三〇日事件」が起き、世界に衝撃が走る。左派の軍人によるクーデター未遂を引き金に、スハルト将軍が率いる陸軍が民兵、住民を動員し、共産党員とされた者を次々と逮捕、虐殺していったのである。犠牲者の数は少なくとも五〇万人、あるいは一〇〇万人以上ともされる(倉沢 二〇一四：vi頁)。

一九六七年、ナイジェリアでビアフラ戦争が勃発した。連邦国家の権力配分をめぐり、政治力がある北部のハウサ人と経済力がある東部のイボ人が対立し、東部はビアフラ共和国として分離独立を宣言した。連邦政府にはソ連、イギリスなどが武器を送り、ビアフラ側にはフランス、中国などが支援を与えたが、コンゴ動乱のように国連が介入することもなく、ビアフラは軍事的に封鎖され、七〇年までに二〇〇万人ともされる市民が命を落とした。その大部分は飢饉による市民の餓死者だった。痩せこけた子どもたちの頭上を、ソ連がナイジェリア政府に供与したミグ戦闘機が飛ぶ光景が見られた(伊藤 一九八四)。

冷戦時代、武器は進化し続けた。一九五四年三月の太平洋ビキニ環礁での水爆実験では、日本の漁船の第五福竜丸が被爆し、核兵器の脅威が現実のものであることを実感させた。核兵器は実戦では使ってはならないので、大戦後の紛争の現場では小火器が大量に用いられ、地域社会に拡散した。代表的な兵器として、カラシニコフ銃(AK47)がある。四七年にソ連のミハイル・カラシニコフが開発した自動小銃であるが、構造がシンプルで故障が少なく、安価で、拳銃よりも多くの対象を一度に確実に殺害することができるため、世界中に広がった。その数は一億丁ともされる。カラシニコフ銃は東西のどちらの陣営にも普及し、やがてアフリカの戦場では、武装勢力に拉致された子ども兵まで使い方を学ぶようになった(松本 二〇〇八)。

朝鮮戦争を経て、ソ連は安保理をボイコットせず、参加して拒否権を行使するようになった。国連ダグ・ハマーショルド図書館の記録によれば、一九四六年二月から七一年一二月までの期間、採択された安保理決議は三〇七件であったが、その間に、ソ連が八三回(西側寄りの国々の国連新規加盟への反対を含む)、イギリスが六回、フランスが二回、アメリカが一回の拒否権を行使している。当時、ソ連は、アメリカが国連を支配していると認識し、安保理が機能不全になるように拒否権の行使を繰り返した(マゾワー 二〇一五c:二二二―二三〇頁)。

安保理のかわりに総会の権限を強める「平和のための結集」決議は、もともとアメリカが提案したものだったが、最初に発動されたのは、皮肉なことにソ連に対してではなく、イギリスとフランスの拒否権に対してであった。一九五六年にエジプトのナーセル大統領がスエズ運河の国有化を宣言すると、イスラエル、イギリス、フランスがエジプトに侵攻し、同年一〇月、スエズ戦争(第二次中東戦争)が勃発した。国連総会の決議にもとづいて、ハマーショルド事務総長が自らを司令官として国連緊急軍を派遣したので、翌月、侵攻軍は撤退を余儀なくされた。イギリス帝国の権威と利益は決定的に傷つけられた(佐々木 一九九七)。国連平和維持軍は、国連憲章が定めた国連軍とは異なり、強制力の行使が制限されている。それでも、青いヘルメットの平和維持軍を核とする国連平和維持活動(Peacekeeping Operations of the United Nations, PKO)は、冷戦の間、西イリアン、イエメン、キプロス、インド・パキスタン、ゴラン高原、レバノン、シナイ半島、イラン・イラク、アフガニスタン・パキスタン、中米などに展開され、平和と安全の分野で国連を代表する活動と見なされるようになった(横田 二〇〇〇)。武器を使いたがらない「平和のための軍」の姿を、人びとは紛争地で目撃し始めた。

三、第三世界の旅

三つの世界

今ではやや古めかしく響くようになったが、第三世界という言葉は、二〇世紀後半には世界を鳥瞰するキーワードとして広く流通していた。意図的な用語法としては、一九五二年、フランスの人口学者アルフレッド・ソーヴィが雑誌の短いエッセイで使ったのが初めてである。革命前のフランスでは、第一身分の聖職者、第二身分の貴族とは対照的に、第三身分とされる平民は重税にあえぎ、政治的な発言権を奪われていた。フランス革命では、平民に寄生する特権的な身分が廃止され、すべての市民が平等に代表権を有する国民議会が設置された。ソーヴィは東西の対立を念頭に、国連のいう「低開発諸国」を「第三身分」になぞらえ、第三世界と名づけた。第一世界と第二世界が熱心に戦争を準備する一方で、人口の増加と貧困、飢餓に苦しむ第三世界は、資本主義よりも共産主義に引きつけられる傾向があるとされた(Sauvy 1952)。

一九五五年のバンドン会議の頃は、第三世界という言葉はまだほとんど使われていなかった。六一年になると、フランツ・ファノンが『地に呪われたる者』のなかで、この概念に言及している(ファノン 一九六九)。しかし、第三世界という用語を公的な言説において広げたのは、意外かもしれないが、フランス大統領シャルル・ド・ゴールであった。ド・ゴールの世界観によれば、第三世界は確かに存在するが、この地域を過激な選択に追い込むのではなく、政治的に中立化させることが重要である。六四年一月、フランスは第三世界戦略の一環として大陸中国を外交的に承認するとともに、フランス自身が第三世界と対話する西側の窓になろうとした。フランスがインドシナ半島から撤退し、かわりに米国がベトナムへの関与を強めていた時代に、フランスが第三世界の中立化を構想した背景には、アジア・アフリカの旧植民地と中南米においてヨーロッパの影響力を再確立する戦略が伏在していた。ド・ゴールは第三世界の解放を唱えたのではなく、第三世界の興隆という現実を認め、それに対応しようと試みたのである。

第三世界の枠組みについて、さらに異なる解釈を示したのが、毛沢東の中国だった。激化する中ソ対立のもと、中国はソ連を主要敵と見なし、徐々に米国との関係改善に舵を切ろうとしていた。一九七一年一〇月、アフリカ諸国の支持を受けた中国は、国連総会において中華民国(台湾)に代わって代表権を認められ、安全保障理事会にも議席を得た。外交面において毛沢東に忠実だった鄧小平は、七四年四月、「三つの世界」に関する国連総会演説を行う(7)。「国際的略奪者」である米ソ(とりわけソ連)が第一世界、米ソの間で難しい立場に置かれている欧日の先進国が第二世界であり、それ以外の第三世界は「世界の歴史的車輪を前進させる革命的動力」である。中国はこの第三世界に所属している。鄧は、第三世界は自力更生を原則とすべきだが、外部の援助を拒絶する必要はないとした(益尾 二〇一〇：五四一六〇頁)。

このように、第一世界と第二世界をどう定義づけるかについては地政学的に異なる見方があったが、第三世界の地理的範囲については、アジア、アフリカ、中南米を指すというコンセンサスが成立した。非同盟諸国が新興諸国の集合体だったのに対して、第三世界の内実はより柔軟に解釈される傾向があり、文脈に応じて、巨視的な地域であったり、国家の集合体であったり、虐げられた人びとであったりした。「内なる第三世界」といった言い方で、「北」の国々の内部において周辺化された人びとや地域が可視化されることもあった。南アジア史家ヴィジャイ・プラシャドは、ファノンに触発されて、「第三世界は場所ではない。プロジェクトである」と強調する。プラシャドは、一九二七年にブリュッセルで開かれた反帝国主義連盟の会議――コミンテルンの影響下で開かれたが、参加者のネットワークはソ連との関係を越えて広がっていった――を、第三世界プロジェクトの起源として位置づけた(プラシャド 二〇一三:一三、三六―五二頁)。いずれにせよ、第三世界の概念は、フランス革命の第三身分を想起させる比喩として人びとの想像力を刺激し、六〇年代末以降、世界秩序を根本から問い直す潜在力をもつ単位として、広く言及されていくことになる。

異議申し立ての時代

六〇年代後半、既成の秩序に対して別の世界の構想を示そうとする動きが加速していく。多くの国で同時多発的な街頭行動が起きた年にちなんで、「一九六八年」と呼ばれる現象である。この時代、人びとを結びつける喫緊の課題として重要な位置を占めるようになったのが、ベトナム反戦だった。ベトナム戦争の暴虐は、写真や映像でほぼリアルタイムに世界に伝えられた。一九六五年の北爆の開始を転機として、アメリカでもそれ以外の国々でも、街頭や大学キャンパスで本格的な反戦運動が見られるようになる。戦争遂行国における祖国の敗北を求める運動の広がりは、第一次世界大戦期のロシアを思わせた。また、他国で爆撃される側の民衆への共感と直接行動が広がったのは、三六年に勃発したスペイン内戦を想起させるものだった。六〇年代の大部分をカナダで過ごした加藤周一の観察によれば、当時、ブリティッシュ・コロンビア大学のティーチ・イン(討論集会)では、自然科学や文学を専門とする者がベトナム戦争を厳しく批判する一方、政治学や歴史学を専門とする者は先頭に立たなかったという。加藤によれば、原因と結果の連鎖のなかに出来事を位置づけようとすると、現状を肯定することになりがちである。加藤は、「子供を殺すのは悪い」といった倫理から出発することが大切だとする(加藤 二〇〇九：七八—八二頁)。

一九六八年四月、公民権運動指導者マーティン・ルーサー・キング牧師が暗殺されると、人種主義に抗議する街頭行動がアメリカ全土に広がった。アメリカ建国の時代から問われ続けてきた奴隷制の負の遺産に立ち向かう「長い公民権運動」(岩本・西崎 二〇二二)が、ベトナム反戦運動と結びついたのである。さらに世界各地に飛び火したベトナム反戦運動は、ドイツの運動が反ナチズムの思考を深化させるなど、それぞれの場所に固有の条件を反映させながら争点を広げていった(フライ 二〇一二)。ただし、「赤狩り」の影響もあって少数派の運動から始まったアメリカの反戦運動が、多様な市民の参加によって裾野を広げていったのとは対照的に、もともと米国の介入に反対する世論が強かった日本では、反戦運動は党派的な対立に巻き込まれ、市民を広く巻き込むことができないまま終息していくことになる(油井 二〇一九)。

当時の世界の異議申し立て運動は、民族独立(第三世界の力)と階級闘争(社会主義の理想)というふたつのプロジェクトの緊張関係のもとで成立していたが、これらに還元されない多彩な問題も提起された。問われたのは人種問題だけではない。シモーヌ・ド・ボーヴォワールは、一九四九年の著作『第二の性』において、女性は生物学的に自然な存在ではなく、社会的に構築された存在であると論じ、五〇年代、六〇年代に世界中で読者を広げた。人は女性として生まれるのではなく、第一の性である男性の「他者」として「女性になる」という議論は幅広く受け入れられ、世界のフェミニズム運動の思想的根拠のひとつになった(ボーヴォワール 二〇〇一)。

世界の怒れる若者たちの多くは、具体的な知識があまりないまま、革命中国をユートピアと見なしていた。中国では共産党指導部の劉少奇と鄧小平が「大躍進」による経済混乱を収拾しようとしたが、毛沢東は林彪と結んで二人を失脚させ、一九六六年、プロレタリア文化大革命を発動した。「反革命分子」とされた人びとを、毛沢東語録を手にした紅衛兵たちが吊し上げる姿は世界に伝えられ、「造反有理」(反逆には道理がある)というスローガンは、急進化する世界の学生運動に大きな刺激を与えた。六八年のパリ五月革命とその後のフランス思想の展開においては、ルイ・アルチュセール、ジャン・ポール・サルトル、ジュリア・クリステヴァ、ミシェル・フーコーなどが、毛沢東思想で味付けしてそれぞれの理論を提示した(ウォーリン 二〇一四)。フルシチョフのスターリン批判以来、ソ連が米国との平和共存路線を維持する一方で、中国はソ連の路線を社会主義の原理から逸脱した「修正主義」と呼んでおり、激しく対決した。六九年には中ソ国境で武力衝突が起きたが、軍事的にはソ連が優越していたので、中国は孤立感を深めていくことになる。

ソ連の足下でも反乱が起きていた。スターリン批判が行われた一九五六年には、ポーランドとハンガリーで反ソ運動が起きた。ハンガリーの首都ブダペストでは市街戦が勃発し、スターリンの像が引き倒されたが、ソ連軍の戦車によって反抗は鎮圧された。ソ連の行動は、外交のみならず思想界にも深い衝撃を与え、知識人主体の「ニュー・レフト」の思潮に結びつく(小島 一九八七)。六八年になると、チェコスロヴァキアのアレクサンデル・ドプチェク第一書記が「プラハの春」を先導し、自由化を進めようとしたが、八月、ワルシャワ条約機構の軍隊に鎮圧された。個別の国の利益よりも陣営全体の利益を優先させる制限主権論(ブレジネフ・ドクトリン)が確立した。アメリカはソ連の行動を批判したが、チェコ側を支援することはせず、米ソが互いの勢力圏に直接は介入しないという暗黙のルールを示す事件になった。

この時代の異議申し立ては、先進国だけのことではない。中東では、一九六七年六月、イスラエルの先制攻撃により第三次中東戦争が勃発した。イスラエルは占領地をヨルダン川西岸からシリアのゴラン高原、ガザからエジプトのシナイ半島にまで広げた。アメリカがベトナム戦争に没頭している間に、イスラエルは強大な軍事力を有する親米国家としてアラブ諸国を圧倒するようになっていた。戦争に敗れたアラブ諸国は各自の国益を追求し始めたが、パレスチナ人は、六四年にアラブ連盟内に設置されたパレスチナ解放機構(Palestine Liberation Organization, PLO)を中心に、武装闘争を含む手段でイスラエルに対抗した。「民主的パレスチナ国家」を求めるパレスチナ・ナショナリズムが姿を現した(奈良本 二〇〇五:二〇九―二二四頁)。

連帯を求める旅

人びとの怒りと連帯の意識が地表を覆った一九六〇年代、米ソ両国は、国威発揚と軍事開発のために宇宙へと垂直に旅人を送り出そうと競い合った。アメリカは、ソ連が先行した宇宙開発に猛然と取り組み、一九六九年七月、アポロ一一号が月面着陸に成功した。他方、この六〇年代は、人間の解放を夢見る若い活動家たちが、世界の地域を水平につなげようと活発に旅し始めた時代でもあった。

民族の自律を求めるアフリカ大陸は、離散者の帰還を促すとともに、地上の別の世界を構想する旅人たちを引きつけた。二〇世紀後半、アメリカ世界とりわけカリブ海で生まれたアフリカ系人のなかに、次々とアフリカに渡る者が出るようになった。カリブ海の仏領マルティニクで生まれたフランツ・ファノンは、フランスのリヨンの医学校に進み、一九五三年に精神科医としてアルジェリアに渡り、五六年を転機として解放運動のFLNに参加した。ファノンは暴力の行使を植民地心理学の観点から正当化し、第三世界の解放運動に大きな影響を与えることになるが、アルジェリアの独立を見ることなく、六一年に三六歳で病没した(海老坂 二〇〇六)。五七年に独立したガーナでは、ンクルマの政治顧問にジョージ・パドモア、経済顧問にW・A・ルイスが就任した。どちらもカリブ海出身の黒人知識人であるが、パドモアはアメリカ共産党で活動した後、ソ連型社会主義を厳しく批判するようになっていた。ルイスは途上国の経済発展モデルを刷新し、後に非白人として初めてノーベル経済学賞を受賞する。

アルゼンチン生まれのチェ・ゲバラは、中南米を旅するなかでアメリカ大陸全体の解放を志向するようになり、カストロとともにキューバ革命を成功させた。一九五九年七月にキューバ政府の代表として日本を訪問した際には、砂糖輸出などの経済交渉に従事しつつ、広島の原爆死没者慰霊碑と平和記念資料館、原爆病院を訪問している(三好 二〇一四:二二〇−二六二頁)。非同盟諸国、東側諸国を忙しく歴訪したゲバラは、ソ連型社会主義のモデルに疑問を感じるようになった。アルジェリアのアーメド・ベンベラ大統領と意見交換した後、六五年、ゲバラは秘密裏にコンゴに向かった。そこで彼は、キューバからの遠征部隊を率いてコンゴ人の意識変革を試みるが、善意の革命家の一方的な働きかけは浸透せず、失意のうちにキューバに戻ることになる(タイボ二世他 一九九九)。それからゲバラは仲間とともにボリビアに旅立ったが、政府軍に捕えられ、六七年一〇月、三九歳で処刑された。その一方、六〇年代末のラテンアメリカのキリスト者の間では、抑圧される者との連帯、そして社会の構造的な変革を求める「解放の神学」が影響力を広げていった(グティエレス 一九八五)。

ゲバラがラテンアメリカを旅したように、アフリカを旅するアフリカ人もいた。南アフリカのネルソン・マンデラは、ヤン・スマッツがアフリカーナーのゲリラを率いてイギリス帝国の軍と戦ったように、多人種で構成される軍事部門を率いて白人政府の施設に破壊活動を仕掛けた。一九六二年一月、マンデラは秘密裏に出国し、タンザニア、エチオピア、エジプト、チュニジア、モロッコ、リベリア、ギニアなどを訪問、各地で資金援助と軍事訓練を求め、最後にイギリスに立ち寄った(ミーア 一九九〇:第一八章、第一九章)。帰国後の八月に逮捕され、自らの裁判では、民主的で自由な社会を実現するという理想のために「死ぬ覚悟ができています」(マンデラ 二〇一四:二七一頁)と陳述した。

六四年六月、マンデラは終身刑の判決を受け、あわせて二七年間にわたる獄中生活を送ることになる。ポルトガル領ギニアを独立に導いたアミルカル・カブラルは、ユネスコに提出した報告書において、民族解放運動にかかわる都市民は農村大衆の懐に戻ること、すなわち「階級的自殺」を遂げて「源泉に回帰する」ことが大切だと説いたが、一九七三年にポルトガルの右翼に暗殺された（カブラル　一九八〇）。

第三世界の時代の革命家は、死を引き受けて大きな力に合流しようとする殉教者のようだった。(8) ただし、アフリカを独立に導いた汎アフリカ主義の指導者の多くは、もともとは西洋で教育を受けている。アジアについても、周恩来、鄧小平、ホー・チ・ミン、ポル・ポト（サロト・サル）などは、フランス留学時代に共産主義思想を受け入れた後、それぞれの場所で、思想と実践の土着化を試みたのだった。六〇年代末になると、国境を越える旅が大衆化していく時代が近づいていた。国際民間航空機関の統計によれば、飛行機による総旅客数は、一九七〇年にのべ三億　〇〇〇万人を記録したが、その後の三〇年間で五倍増し、二〇〇〇年にはのべ一六億七〇〇〇万人に達している。人と人の出会いが加速していった。

開発と人権

ベトナムへの介入を本格化させたケネディ大統領は、一九六一年、アメリカとラテンアメリカ諸国の経済協力の枠組みとして「進歩のための同盟」を呼びかけたが、これはキューバと断交した国々に援助を与える反共戦略であった。他方でケネディは国連総会において、六一年から七〇年までを「国連開発の一〇年」とすることを呼びかけた。そこでは発展途上国の経済成長率を年率五％に引き上げることが目指されたが、国連において南北問題を初めて正面から取り上げたイニシアチブとして歓迎され、六四年にはジュネーヴを本部として、国連貿易開発会議（Unired Nations Conference on Trade and Development, UNCTAD）が設置された。国連では新興の少数派勢力に甘んじ、安保理で拒否権を乱発するだけだったソ連は、第三世界に多数の同盟者を見いだした。アメリカのケネディもまた、「第三世界の心をつかむ競争」に勝たない限り、冷戦に勝利できないことを自覚した。国連では第三世界諸国、あるいは非同盟諸国が多数派を占める総会の地位が向上し、「開発」が国際政治のキーワードのひとつになった(マゾワー 二〇一五c:第九章、第一〇章)。

UNCTADの初代事務局長は、アルゼンチン出身の経済学者ラウル・プレビッシュだった。プレビッシュは第三世界の低開発の主たる原因を一次産品価格の低迷に求め、先進国に市場開放と買い取り価格の安定、そして低開発諸国の工業化への支援を求めた。一九六六年には、ニューヨークにおいて国連開発計画(United Nations Development Programme, UNDP)が産声を上げた。UNDPは低開発国への技術移転に取り組みながら、開発支援に従事する国連専門機関の活動を調整する機関として成長していく(マーフィー 二〇一四)。バンドン会議の枠組み、そして非同盟運動は、第三世界の政治的な協力を目指したが、凝集力のあるグループ形成はできなかった。その一方、経済発展の条件にかかわる先進国との交渉では、南の国々が団結することは容易であり、必要でもあった。UNCTADの設立総会に参加した発展途上七七カ国は「G77」(その後も新興独立国が参加して国の数は増えていった)と呼ばれる枠組みを形成し、先進国と交渉した。なお、六一年にマーシャル・プランを引き継いで設立された経済協力開発機構(Organisation for Economic Co-operation and Development, OECD)の開発援助委員会(Development Assistance Committee, DAC)には西側先進国が集まり、パリを拠点として援助に関する統計をとり、共通の政策を議論し、活動を調整した。

こうして六〇年代、冷戦の持続と並行して非同盟諸国の交渉力が全体として強まり、開発協力が進展し、国連総会と結びついた各種の組織が大きな役割を果たしていく。ミクロな技術援助やマクロな貿易などの制度改革に加えて、米ソが競い合い、各国の国づくりの象徴となるような大規模インフラの建設が行われることもあった。アフリカの水利を例にとると、エジプトではナーセル大統領とフルシチョフ首相の合意により、ソ連の援助を受けて、ナイル川のアスワン・ハイ・ダムが一九六〇年から七〇年にかけて建設された。ガーナのンクルマ大統領は、もともとイギリス植民地時代に計画されていたヴォルタ川のアコソンボ・ダムの建設を実現させようとした。ソ連寄りの姿勢を強めていたンクルマ大統領にアメリカと世界銀行が接近し、借款の供与が決まり、ダムは六五年に完成した(マーフィー 二〇一四:二〇六—二一〇頁)。しかし、翌六六年、ンクルマは北京訪問中に祖国でクーデターが起きたため、失脚する。

東側陣営は、独自の論理で第三世界に援助を提供した。フルシチョフ時代、アフリカやアジアの国々は、ソ連と協力し、非資本主義的発展の道をたどることで、社会主義への移行期間を短縮できるとされた。そこでは西側のような「援助」ではなく、「連帯」にもとづく対等な協力が行われ、中央アジアの近代化がよきモデルになるとされた。社会主義的援助の分野において特に活発に行動したのは、東ドイツだった。一九六一年、コメコンに技術援助常設委員会が設置され、ソ連を中心とする東側諸国の分業関係の整理が試みられた。途上国では大規模な事業の実施が好まれたが、東側陣営からの支援は技術的に成功しないことが多かったようである(ロレンツィーニ 二〇二二:六〇—七〇、一一五—一二四頁)。

北と南、西と東の国々は、国連で激しく対立しながらも、人権という土俵からは離れなかった。世界人権宣言の枠組みは、戦後の各国憲法や地域機関憲章の権利章典に組み込まれて規範的な力をもつようになったが、一九六〇年代になると、人権の保障は、各国の国内法制のみに委ねられるのではなく、国家間の文書として合意されていく。その内容を体系的に規定した文書が、国際人権規約である。六六年一二月の国連総会において、「経済的、社会的及び文化的権利に関する国際規約」(A規約)と、「市民的及び政治的権利に関する国際規約」(B規約)が全会一致で、また、個人が権利の侵害を国連に通報できる「自由権規約についての選択議定書」は、東側諸国が棄権したが、賛成多数で採択された。七六年の正式な発効をふまえ、各国の批准は段階的に進んでいるが、世界人権宣言と国際人権規約をあわせて、国連の発足時の構想である「国際人権章典」が形をとったことは、人類史において画期的なことだった。ヨーロッパとアメリカの国々が歴史的に成立させていった人権宣言が「光」であるとすれば、ヨーロッパの国々が他の世界に強いた奴隷貿易と植民地支配は「闇」であった。国際人権法は、この闇に向かい合おうとし、さらに各国で迫害される少数派の保護をも目指していく(芹田 二〇一八)。

人権は、全体主義に対する闘争の武器となる自由権と、貧困の克服、差別の撤廃、文化的尊厳の尊重といった社会権によって構成される。世界人権宣言には含まれておらず、国際人権規約において追加された主な権利に、民族自決の権利、そして各国の天然の富と資源に対する権利がある。アジア・アフリカの国々が国連に次々と加盟したことにより、これらの権利もまた普遍的な人権の一部として承認された。自決権によって植民地支配から解放されることのなかに、個人の自由も見いだされる。自決権もまた人権なのである(同：五二―五三頁)。

四、資源、環境、敵と友

限りある資源

脱植民地化の直接の目標は、被支配民族の国家主権の獲得であった。西アジアやアフリカの国々は、地下資源とりわけ石油の支配権を欧米の多国籍企業に握られていることが多く、独立後の民族運動は、資源の国有化、あるいは西洋と結びついた王政の打倒へと向かっていく。一九六七年の第三次中東戦争ではイスラエルの領土がシナイ半島にまで拡大したが、七三年一〇月にはアラブ側がイスラエルを攻撃し、第四次中東戦争が始まった。並行してアラブ石油輸出国機構(Organization of Arab Petroleum Exporting Countries, OAPEC)は、イスラエルを支持する国々に対する石油の輸出を停止、制限する措置をとった。さらに、ナイジェリアやベネズエラを含む石油輸出国機構(Organization of the Petroleum Exporting Countries, OPEC)が原油価格を引き上げ、欧米の石油メジャーから価格の決定権を奪った。

この「石油危機」によって世界経済は大混乱に陥ったが、非西洋の国々の観点からすれば、集合的な力を発揮すれば世界の経済秩序に大きな影響を与えられることが明らかになり、一九七四年の国連特別総会では新国際経済秩序(New International Economic Order, NIEO)の樹立を求める宣言が採択されるに至る。なお、石油危機の後、中東諸国から東アジア諸国(日本、韓国、台湾、シンガポール)に大量の原油が輸出され、東アジア諸国から欧米に大量の工業製品が輸出され、欧米から中東諸国に大量の武器・工業製品が輸出されるという三角決済(オイル・トライアングル)が明瞭に姿を現してきた(杉原 二〇二〇:第一〇章、第一一章)。かつての大西洋奴隷貿易、インド洋アヘン貿易の際にも、広域的な三角貿易が成立していた。異なる時代に異なる商品が、地球規模で戦争経済の潤滑油となった。

石油危機は、人類に利用可能な資源の有限性を実感させることにもなった。石油危機の前年の一九七二年に発表されたローマ・クラブの報告書『成長の限界』は、世界の人口増加と経済活動が急激に拡大する一方、地球の資源には限界があることを、コンピューターのシミュレーションを使って示した(メドウズ他 一九七二)。同報告書の考え方は、後の「持続可能な発展」の概念を基礎づけるものとなる。六〇年代に広がった先進国の社会運動には、消費主義とは異なるライフスタイルを目指す側面があったが、その理論的な体系化をめざす動きもでてきた。ドイツ出身の経済学者E・F・シューマッハーによる七三年の著書『スモール・イズ・ビューティフル』は、仏教経済学を普遍的に翻案し、環境負荷の少ない適正技術の普及を呼びかけるもので、世界中で読まれた(シューマッハー 一九八六)。

一九七二年には環境問題に関する世界初の大規模な国際会議として、ストックホルムで国連人間環境会議が開催された。中華人民共和国が中国の代表として参加した初の国連会議でもあり、環境破壊の大きな要因として、枯れ葉剤の使用が問題になっていたベトナム戦争についても議論された。日本の水俣病の悲劇が世界に広く知られたのも、この会議であった。翌年、国連の環境に関する活動を調整し、課題を設定していく機関として、ケニアのナイロビに国連環境計画(United Nations Environment Programme, UNEP)が設置された。アフリカ大陸で初めての本格的な国連の拠点であり、砂漠化の抑止や野生生物の保護などにも取り組んだ。

資源外交は第三世界の力を示すものだったが、付加価値の高い生産を組織するよりも流通に寄生して利益を上げる門番国家(gatekeeper states)の成長を促すことにもなった。ヨーロッパの諸帝国とりわけイギリスは、アフリカ植民地において世界市場向けの輸出品に課税することで、安上がりな統治を行ってきた。このシステムは独立後のアフリカ諸国にも引き継がれ、流通を押さえる者が私的に蓄財する制度が再生産されるようになった(Cooper 2002: 5-6)。このような寄生的な経済が定着すると、人びとは困窮に追いやられるしかない。第三世界の概念を日本で広げるのに貢献した西川潤は、第三世界が分裂し、世界経済の周辺部において最貧国グループすなわち「第四世界」(西川 一九七七：二二一―二六頁)が姿を現しはじめたと主張した。

一九七〇年代には、西側先進国の間でも力の再編が起き始めた。アメリカは西側の盟主であり続けたが、大戦直後のような圧倒的な力を維持することはできなくなっていた。アメリカはベトナム戦争中から国際収支が悪化しており、七一年から七三年にかけて、国際通貨制度はドル本位制から変動相場制へと移行した。これに石油危機が加わり、主要な先進国が協力してグローバルな課題に取り組む必要性が自覚され、七五年一一月にはパリ郊外のランブイエで第一回先進国首脳会議(サミット)が開催された。参加国はアメリカ、イギリス、フランス、西ドイツ(後に統一ドイツ)、イタリア、そして日本の六カ国で、翌七六年にカナダが加わった。サミットには安保理のような国際法的な裏づけも強制力もないが、第二次世界大戦の敗戦国を含む西側先進諸国の首脳がそろい、経済問題に限られない地球規模の課題について議論し、政策を調整する仕組みとして、それから毎年開催されていくことになる。

社会主義陣営の争い

始まった戦争を途中で止めるのは、容易ではない。ベトナム戦争を進めたのは、保守的だとされる共和党政権ではなく、進歩的だとされる民主党政権であった。ケネディとジョンソンの両大統領のもとで戦争に深入りしたアメリカでは、一九六九年、新たに共和党のリチャード・ニクソンが大統領に就任し、ヘンリー・キッシンジャーが大統領補佐官として外交を指揮するようになった。彼らのもとで、冷戦体制は上から大きな変容を遂げていく。

ニクソンとキッシンジャーの基本的な考え方は、勢力均衡であった。国際政治学者でもあるキッシンジャーは、一九世紀前半のヨーロッパのウィーン体制を念頭に、諸国家との間で複雑な友好と敵対の関係を組織し、相互牽制による平和をつくりだそうとした(キッシンジャー 一九九六)。文化大革命が進行し、中国とソ連が対立を深めていた七一年、キッシンジャーはニクソンの密使として中国を訪れ、周恩来と交渉し、米中和解の流れをつくる。同年、国連における中国の代表権が、台湾から大陸に交代した。七二年二月、ニクソン大統領はアメリカ大統領として初めて北京を訪問し、毛沢東、周恩来と会談した。ベトナムからの「名誉ある撤退」を公約としていたニクソン政権は、米軍の段階的な撤退を進めると同時に、南ベトナム政府軍の強化に努めた。さらに周囲のラオス、カンボジアを攻撃し、七二年五月には北爆を再開するなど、撤収しながら敵に爆弾を浴びせるアメリカの姿勢は世界から非難を浴びた。その一方、ニクソンはソ連を訪問して核軍縮交渉に着手するなど、ベトナムの背後の中ソの両方と接触し、切り崩しを進めていく。ニクソンのソ連側の相手は、六四年のフルシチョフ失脚とともに権力を握ったレオニード・ブレジネフ書記長だった。七〇年代を通じた米ソのデタント(緊張緩和)は、平和への期待を高めた。

一九七三年一月、パリ和平協定が結ばれ、米軍がベトナムから撤収することが決まった。七五年に南の体制は崩壊し、七六年七月、ハノイを首都とするベトナム社会主義共和国が誕生した。米中接近に衝撃を受けた日本は、七二年に中国と国交正常化を果たした。「敵の敵を味方にする」というニクソン、キッシンジャーの外交は、相手国のイデオロギーには重きを置かず、国益の冷徹な計算にもとづいて同盟関係を再編するものだった。ニクソン政権は、中東では七四年に軍事援助と引き換えにエジプトを親ソから親米路線に転換させ、サウジアラビアとも石油危機後の関係修復に腐心した。他方、七〇年に選挙により社会主義を選択したチリのアジェンデ政権に対しては容赦なく反応し、七三年九月に軍部の反共クーデターを成功させた。

統一ベトナムが姿を現した七五年、その西隣のカンボジアではポル・ポト派が政権を握り、急進的な共産主義社会の建設を目指し始めた。知識人や親ベトナム派を対象とする大量虐殺が起こり、二〇〇万人近くが殺害された。七八年一二月、ベトナム軍がカンボジアに侵攻し、七九年一月に親ベトナムのヘン・サムリン政権が樹立されたことで、虐殺は止まった。ベトナム軍部隊は、カンボジアの首都プノンペンの高校の校舎が拷問センターに転用され、およそ三年の間に一万数千人が殺害されていたことを発見した(チャンドラー 二〇〇二)。中国人民解放軍は、ソ連に近いベトナムが中国に近いポル・ポト派を駆逐したことへの「懲罰」として、ベトナムに北から攻撃を加え、同年二月から三月まで中越戦争が続いた。

敵だったはずの勢力が手を結び、未来を共有していたはずの勢力が争い、地上にユートピアを実現させようとした集団が同胞を大量に殺害するという事態は、六〇年代の社会変革の熱気に冷や水を浴びせた。中国の文化大革命は、一九七六年に周恩来に続いて毛沢東が死去し、革命指導部の江青ら「四人組」が逮捕されたことで終了した。その後、七〇年代から八〇年代にかけて、中国もベトナムも、国家が主導して市場経済を導入する方向に舵を切り、これらの大国を組み込む形で東アジア経済圏が成長し始めた。アメリカはベトナム戦争に敗北した後も、こうした動きに積極的に関与し、アジアの成長を取り込もうとした。アメリカの対中和解はベトナム戦争の「事前の敗戦処理」であるとともに、その後の東アジア経済の興隆に適応するための刺抜きでもあったと考えられる(中野 二〇一四：一三一頁)。

東アジアが地域的な国際分業によって成長する反面で、アフリカに集中する最貧国が取り残される傾向も見え始めた。アフリカにおいて内陸国と沿岸国を結ぶ交通インフラを整備し、世界市場と接続する経済回廊を建設する試みは、冷戦による各国の分断とともに、ほぼ白紙状態になっていた。この動きを再開する契機のひとつとなったのが、中国によるタザラ鉄道(タンザン鉄道)の建設である。タンザニアとザンビアを結ぶ全長一八六〇キロメートルの鉄道建設計画は一九六〇年代に構想され、七〇年に建設が始まり、七五年に開通した。ザンビアで生産される銅は、アパルトヘイト体制の南アフリカを経由せず、タンザニアのダルエスサラーム経由で輸出されるようになった。この鉄道は、その後の中国の対アフリカ援助のプロトタイプとして位置づけられる(Monson 2009)。

かつては敵だった勢力が共通の夢を見て手を握る瞬間があったことも記録されなければならない。ポルトガル帝国の植民地の解体である。一九六八年にサラザールが引退するとリスボンの独裁政権は凝集力を失い、七四年四月、左派の将校団の無血クーデター(カーネーション革命)で政権交代が起きた。クーデターを主導した職業軍人たちは、アフリカの植民地防衛戦争に従事するうちに自らの帝国の不正を理解するようになっており、権力を掌握すると同時に植民地の解放を宣言した。十数年にわたってゲリラ戦争が続いていたアンゴラ、モザンビーク、ギニアビサウ、そして大西洋の島々であるカーボベルデ、サントメ・プリンシペは、七四年から七五年に次々と独立した(Chabal et al. 2002)。ただし、東ティモールはスハルト体制の隣国インドネシアによる軍事侵攻を受け、ポルトガル本国の意思にかかわらず独立を遂げることができなかった。

地域主義と越境課題の生成

イマヌエル・カントは、一七九五年の『永遠平和のために』において、中央集権的な政体の統治の範囲が広がると「魂のない専制政治」になりかねないことを指摘し、言語や宗教によって分離した諸民族の緩やかな連邦を構想すべきだと説いた。世界市民には互いに対する「歓待」の態度が求められる(カント 二〇〇六:一八五、二〇八頁)。実際、世界の国々は、歴史、地理、文化の近接性に応じて、緩やかな協力関係を育ててきた。国際連合の経済社会理事会には、四〇年代にヨーロッパ、アジア太平洋、ラテンアメリカの地域委員会が設置され、五八年にはアフリカ、七三年には西アジアの委員会が追加された。世界には国連と似たような設置法、代表機関、執行機関を有する地域機関が多く存在する。冷戦を背景とするものも多いが、自律的に自己を組織化してきたものもある。

代表的なものに、EUがある(一九六七年の前身組織の統合から九三年のマーストリヒト条約発効までは、欧州共同体すなわちEuropean Communities, ECと呼ばれた)。市場統合、移動の自由化、通貨統合などの制度整備を重ね、ヨーロッパ人の市民生活に定着している。アジアでは東南アジア諸国連合(Association of Southeast Asian Nations, ASEAN)が成長してきた。六七年にインドネシア、マレーシア、フィリピン、シンガポール、タイを原加盟国として発足したときは反共同盟だったが、七〇年代の米中接近を転機としてアジア地域の独自性を強め、八〇年代から九〇年代にはインドシナ半島の社会主義諸国を迎え入れて、多元的な地域機構として成熟していく。アフリカ連合(African Union, AU)(二〇〇一年にOAUから改組)も、地域紛争の解決などで存在感を示している。AUの下部には、東部、南部、西部などの地域ごとの地域機関がいくつも生まれ、重畳的に共存している。

イギリス帝国はコモンウェルスとして、フランス帝国はフランコフォニー国際機関(一九七〇年の設置時は文化技術協力機構と呼ばれた)として、脱植民地化に適応した。旧帝国のそれぞれが、英語、フランス語で意思疎通する国家フォーラムとして生き残っている(木畑 二〇〇八:第七章、山本・細川 二〇一四、平野 二〇一四:第六章)。ヨーロッパと旧植民地の集合的な結びつきとしては、一九七六年に発効したロメ協定にも存在感があった。これは、EC諸国の植民地だったアフリカ、カリブ海、太平洋諸国(African, Caribbean and Pacific Group of States, ACP)にECが援助を与え、貿易を優遇する枠組みである。ACP諸国の一次産品の価格が低落した際には輸出所得を補填する画期的な制度も導入されたが、貿易自由化に反するという意見もあり、二〇〇〇年に廃止された。

東アジアにおいては、正式な地域機構は成立していない。日本は一九五一年に調印されたサンフランシスコ平和条約による主権回復とともに、日米安全保障条約を結んで日米関係を重視してきた。一九六五年には日韓条約を結び、東アジアにおける西側の要諦としての地位を確保した。大戦後の日本が、中国大陸、朝鮮半島、インドシノ半島の戦争から遮断され、軽武装で経済発展を遂げる一方、韓国や台湾では軍事独裁が続き、民主化運動は押さえ込まれた。一九七三年には、民主化運動指導者の金大中が韓国の当局により日本の滞在先のホテルから拉致される事件が起きた(金 二〇一一:第二二章)。

民主主義の内実が世界中で問われていた。アフリカ諸国がポルトガル植民地を含めてほぼ独立を達成する一方で、南アフリカとジンバブエでは、白人少数派の独裁が続いていた。アメリカではジョンソン政権の一九六四年に公民権法が制定されたので、人種差別を法的に正当化する世界でほぼ唯一の制度として、南アフリカのアパルトヘイトに世界の懸念が集中した。七六年六月に中学生を主体とするソウェト蜂起が武力で鎮圧され、七七年に黒人意識運動の主唱者スティーヴ・ビコが獄中で殺害されたことは、世界に衝撃を与えた。同年、国連安保理は対南アフリカ武器禁輸を可決したが、安保理が国連加盟国に強制力のある制裁を発動したのは、これが初めてのことだった。

アパルトヘイトの時代には、南アフリカを離れて活動する人びとも多かった。ケープタウン出身の活動家ダイアナ・ラッセルは、哲学者バートランド・ラッセルたちが一九六六年に開催したベトナム戦争犯罪国際法廷の着想を引き継いで、七六年三月、世界の性犯罪を裁く国際的な民衆法廷をブリュッセルで開催した。国連は七五年六月から七月、メキシコで第一回世界女性会議を開催し、七九年には国連総会で女性差別撤廃条約が採択された。総会では、その他に人種差別撤廃条約(六五年)、子どもの権利条約(八九年)、障害者権利条約(二〇〇六年)などが採択され、権利主体を明確化している(芹田 二〇一八)。ダイアナ・ラッセルは八七年に南アフリカに戻り、アパルトヘイト下の女性たちに集中的なインタビューを行い、人種差別とジェンダーの課題を結びつけた(Russell 1989)。複数の問題群が交わるところで国境を越えた共通の課題が存在することが浮かびあがってきた。

ケネディ政権とジョンソン政権において国防長官を務め、ベトナム戦争を軍事的に指揮したロバート・マクナマラは、一九六八年に世界銀行総裁に任命され、八一年までその任にあった。七〇年代を通じたマクナマラ時代の世銀は、経済成長を目的とするのではなく、「成長を伴う再分配」のアジェンダを優先させ、途上国の絶対的貧困の根絶に取り組もうとした。ILOが七六年にベーシック・ヒューマン・ニーズ（人間の基本的要求）の充足を求める開発戦略を唱道すると、世銀も先進諸国もこのアジェンダを受け入れ、栄養、健康、教育、水と公衆衛生、住居への支援を優先するようになった。ベトナム戦争が終結し、石油危機の影響が長引き、国連を舞台にNIEOが議論される時代になるにつれて、アメリカの開発政策が社会主義的な再分配政策に近づいてきたかのようだった。次の八〇年代が途上国の債務危機と東アジアの成長の時代になることは、当時はまだ予想されていなかった（絵所 一九九七：九八―一一一頁）。

革命と宗教

暴力的な紛争が起きても、欧米諸国あるいはキリスト教世界を直接巻き込まない限り、メディアで言及されることは少なく、研究も薄くなりがちである。一九七一年には東パキスタンがベンガル人主体のバングラデシュ人民共和国として分離独立を宣言したが、西パキスタンのパキスタン中央政府は民兵組織を動員し、バングラデシュの市民を殺戮した。多くの女性が性暴力の被害を受け、大量の難民がインドに逃れた。米中がパキスタンを、ソ連がインドを支援する構図のもと、インド軍が介入し、パキスタン軍は引き上げた（Raghavan 2013）。この時期の南アジアでは、国民国家の論理の前に、イスラームの越境性も無力であった。

奴隷貿易と植民地支配の基底にある人種主義には西洋社会が共同の責任を負うべきだろうが、アジア、アフリカの諸国民が差別的な行動から自由だったわけではまったくない。東アフリカのウガンダでは、一九世紀末から二〇世紀にかけて、イギリス帝国が鉄道建設のためにインド人労働者を動員したために、インド人コミュニティが根を下ろしていた。ヒンドゥー教徒もムスリムもいた。一九七一年一月、反共軍事クーデターを起こして政権を握ったイディ・

アミンは、反体制派を迫害するとともに、数万人のインド系ウガンダ市民を国外に追放した。

ソ連と国境を接するアフガニスタンは、パキスタンによる併合の圧力を受けながら立憲君主制国家として存立してきたが、一九七三年のクーデターで王政が廃止され、さらに七八年のクーデターで親ソ派の人民民主党が政権を握った。しかし、統治が安定しなかったため、七九年一二月にソ連軍部隊が首都カブールを占拠し、政府要人を入れ替えた。ソ連の侵攻は西側諸国のみならず非同盟諸国からも厳しく批判され、パキスタン経由でアメリカから武器供与を受けた反政府勢力は、ソ連軍に効果的に反撃した。ソ連兵の間では徐々に厭戦気分が広がり、帰還後も心理的な傷が癒やされることはなかった。ソ連にはもともと駐留を長期化させる意図はなかったが、勝利できず撤退もできない状況に陥り、アフガニスタンは「ソ連にとってのベトナム」へと化していく。その一方、イスラームの大義において結びつくはずの武装勢力は団結しておらず、七つの勢力が軍閥化し、互いに争った(ブレースウェート 二〇一三)。

米ソ冷戦の最前線に位置していたイランでは、国王モハンマド・レザーのもとで親米独裁体制が強化されていた。一九七三年の石油危機以降、イランでも石油収入が激増したが、一部の国王側近だけが潤う体制に不満が強まり、宗教指導者ホメイニーを象徴とする反国王運動が急進化し、七九年二月、イラン革命が成功する。ホメイニーはアメリカを「大悪魔」とみなし、イスラーム世界を中心に全世界の被抑圧者の解放を求めた。隣国イラクのサダム・フセイン大統領は革命の波及を恐れ、イランへの軍事介入を準備した(吉村 二〇〇五)。イスラームを信奉するオスマン帝国の中心地だったトルコは、第一次世界大戦後の二〇年代に世俗主義を導入し、共和国としての近代化を目指した。戦後はトルーマン・ドクトリンのもとで反共ブロックに組み込まれ、NATOの構成員となり、アメリカの援助を受けて経済発展を遂げた。軍政と民政が繰り返されるなかで、人びとの宗教心を公の場で解き放そうとする動きも強く、八〇年代、知識人を中心にイスラームの再興の動きがでてきた(新井 二〇〇一)。

原理主義と呼ばれる潮流はユダヤ教にもキリスト教にも存在し、イスラームだけに限られるものではない。しかし、七〇年代末、米ソのどちらとも異なる勢力としてイスラーム世界が台頭すると、後の「文明の衝突」論を予感させるものとして、西洋世界では「イスラーム異質論」が影響力を広げていく。戦後、中東世界では世俗的な民族主義の流れが強く、エジプトのナーセルは英雄であり、アラブ社会主義にもマルクス主義にも存在感があった。しかし、イスラエルとの戦争で敗北が繰り返されるにつれて人びとの意識は先鋭化し、知識人を中心にイスラーム復興の動きが強まっていく。イラン革命以降、イスラームに関連する新しい現象は、西洋では原理主義――最近では過激主義など――のラベルを貼って議論を封じる傾向があるが、こうした現象は神学的に説明されるとともに、よりグローバルな視点で、時代状況に即して理解される必要がある(臼杵 一九九九)。

五、ポスト冷戦時代のはじまり――平和、平等、尊厳

冷戦の激化と終焉

一九八〇年代、イデオロギー対立としての冷戦は絶頂期――今から振り返ると最終段階――を迎えた。七九年のソ連のアフガニスタン侵攻、イランのアメリカ大使館員人質事件を背景に、アメリカでは八一年一月、対外強硬姿勢をとる共和党のロナルド・レーガンが大統領に就任した。イギリスでは七九年五月に保守党のマーガレット・サッチャーが首相に就任しており、レーガンとサッチャーの新保守主義政権が西側陣営をけん引することになった。ただし、西側の体制が一枚岩というわけではなかった。フランスでは八一年五月、フランソワ・ミッテラン大統領の社会党政権が誕生し、欧州の独自性を発揮しようとした。八〇年代初頭にアメリカが西ヨーロッパに中距離核ミサイルを配備する計画が表面化すると、西ヨーロッパの各地で反対運動が広がる。西ドイツでは環境保護政党の「緑の党」が国政に進出し、八六年四月にチェルノブイリ原子力発電所の事故が起きると、ヨーロッパ各地で原子力エネルギーの安全

性への懸念が強まった。アメリカはベトナムで敗北を喫したものの、第三世界における左翼政権の成立を阻止する戦略は揺るがなかった。しかし、アメリカが支援した中南米の軍事政権は安定せず、八七年八月、コスタリカ中道左派政権のオスカル・アリアス・サンチェス大統領の仲介で中米地域の和平合意が成立した。

西側の多極化に対応して、東側の内部でも、ソ連の一極支配がほころびを見せはじめた。一九八〇年九月、ポーランドに自主管理労働組合「連帯」が誕生し、モスクワと距離を置く労働運動を持続させた。ブレジネフ書記長のもと、ソ連はアメリカに対抗して軍備を強化してきたが、政治と経済の統制により社会の活力が失われたことが明らかになった。七〇年代にはソ連の乳幼児死亡率が上昇したが、基礎的な福祉まで停滞したことは、体制の限界を予感させるものだった(トッド 二〇一三：四〇四―四〇六頁)。とはいえ、近い将来にソ連の体制が一挙に崩壊すると想定する者は、東にも西にも、ほとんどいなかった。

一九八五年にソ連共産党書記長に就任したミハイル・ゴルバチョフは、ペレストロイカ(立て直し)を唱えて内政の改革にあたった。八七年一二月、アメリカとソ連は中距離核戦力(INF)全廃条約に調印し、平和への期待が高まった。八八年五月、ソ連はアフガニスタンからの撤兵を開始した。他方、イラン革命の翌八〇年の九月、隣国イラクのサダム・フセインは米ソの双方から支援を受けてイランを攻撃し、イラン・イラク戦争が八八年まで続いた。戦死者はおよそ一〇〇万人に達した。**図2**に見られる通り、この戦争のために八〇年代の中東地域の戦争関連死者は突出して多い。アフリカでは旧ポルトガル植民地が独立直後から社会主義への道を進もうとしたが、南アフリカの白人政権が反政府勢力を支援し、モザンビークとアンゴラは内戦状態に陥った。八〇年代を通じて、モザンビークでは関連する飢饉の死者も含めて一〇〇万人が内戦の犠牲になった。ソ連は遠く離れた南部アフリカで西側と対決することは望まず、八一年、モザンビークのコメコン加盟申請を却下した。モザンビークの和平を支援したのはスウェーデンや東ドイツなど、西と東の陣営それぞれの周辺国であった(Hanlon 1991: 28)。

七〇年代から八〇年代を通じて、国連安保理の投票パターンは様変わりした。国連ダグ・ハマーショルド図書館の記録によれば、七二年一月から九〇年一二月までの期間、安保理ではアメリカが六四回、イギリスが二三回、フランスが一四回、ソ連が七回、中国が一回、拒否権を行使している(可決された決議は四一八件)。この期間、アメリカは安保理の機能を弱めるだけでなく、国連総会をも敵視するようになった。総会に参加する中小の国連加盟国は、アメリカが反共を旗印に各国の内政に干渉し、イスラエルと同盟してアラブ諸国を敵視する姿勢を嫌った。総会決議に対する米国の反対率は八〇年代を通じて六割を超えており、他のどの国と比べても、アメリカの否定的な姿勢は圧倒的だった(河辺 一九九四)。八四年、権威主義諸国の影響力が強まっているとして、アメリカはユネスコを脱退した。イギリスとシンガポールがそれに続いた。八〇年代の国連では、多数決の場で思い通りにならないと組織から離れ、負担金も払わなくなるというアメリカの行動様式が目立った。他方、世界銀行、IMFにおいては最大ドナーであるアメリカの支配力は絶大であった。

冷戦末期は、脱植民地化の総仕上げの時代でもあった。一九八〇年四月、イギリスの仲介でローデシアの白人政権と黒人多数派の反政府組織が和解し、ジンバブエ共和国が独立した。南アフリカでは反アパルトヘイト運動が広がり、労働運動や市民運動が存在感を強めていった。南アフリカが不法に占領していた隣国のナミビアでは、八九年一一月に国連監視下で独立選挙が行われ、南西アフリカ人民機構(South West Africa People's Organisation, SWAPO)が勝利し、九〇年三月にナミビア共和国が誕生する。国連の信託統治領はアフリカと太平洋に一一カ所存在していたが、すべて段階的に独立国家となり、パラオの一九九四年一〇月の独立を最後に消滅した。その後もヨーロッパの帝国が自国領とした大洋の島々には軍事基地が残っているが、大規模な植民地は二〇世紀末までに世界地図からほぼ消滅した。

八〇年代、東アジア、東南アジアの政治は安定に向かった。一九七八年から農業、工業、国防、科学技術の「四つの現代化」を本格的に目指してきた中国は、八九年六月の天安門事件の後も改革開放路線を継続した。八六年一二月、ベトナムはドイモイ(刷新)政策を採用し、市場経済の導入と対外開放政策を進めたが、路線転換は必ずしもトップダウンではなく、民衆と共産党の下部組織の意見を集約した側面があった(古田 二〇〇九)。ベトナムは八九年にカンボジアから撤兵し、九三年五月には国連監視下でカンボジアの総選挙が実施された。カンボジアPKOには、日本からも自衛隊と文民警察、選挙監視要員が派遣された。八六年二月、フィリピンではフェルディナンド・マルコスの独裁政権が崩壊し、民主派のコラソン・アキノ大統領が誕生した。韓国では八〇年五月の光州事件の後も民主化運動が持続し、八八年二月に盧泰愚が大統領に選ばれ、九〇年にソ連、九二年に中国と国交を結んだ。

ディストピアとユートピア

ヨーロッパで本格化した冷戦は、ヨーロッパで終わりを告げた。ソ連でゴルバチョフ書記長による改革が進行すると、東欧諸国でも一斉に民主化が進み、一九八九年一一月にはベルリンの壁が崩壊し、東西ドイツの市民が自由に往来できるようになった。東ドイツで物理学を研究していたアンゲラ・メルケルは、壁が崩壊した日に西ベルリンを散歩し、それから政治の世界に足を踏み入れていった。一二月、ゴルバチョフとジョージ・H・W・ブッシュ大統領は地中海のマルタで会談し、冷戦を終わらせることに同意した。チェコスロヴァキア、ルーマニアでは旧体制が崩壊した。翌九〇年一〇月、西ドイツが東ドイツの諸州を吸収する形で統一ドイツが成立し、欧州の経済大国としての地歩を固めていく。同年一二月、「連帯」議長だったレフ・ワレサがポーランド大統領に就任した。

ひとたび遠心力が働き始めると、体制の崩壊を止めることは誰にもできない。九〇年三月、ゴルバチョフはソ連国家と共産党を分離し、自らソ連大統領の地位に就き、翌九一年七月にはコメコンとワルシャワ条約機構を解散した。旧体制派の軍と共産党幹部は八月にクーデターを試みるが失敗し、ソ連の解体が決定的になる。一二月にゴルバチョフはソ連大統領を辞任し、ソ連最高会議は自らの解散を決議した。九一年から九二年にかけて、連邦を構成していた一五の共和国は次々と独立を宣言し、**図1**が示すようにヨーロッパと中央アジアに属する国連加盟国が一気に増えた。もともとソ連は、植民地解放と民族自決を目標に掲げた奇妙な帝国であった(塩川 二〇〇四：一三八頁)。初期のソ連には、ムスリムのアイデンティティを維持したままで共産主義の実現を目指したミールサイト・スルタンガリエフのようなタタール人活動家がいた(山内 一九八六)。スターリンはトルコ・イランに接するグルジア(ジョージア)の出身だった。フルシチョフはウクライナ共産党で頭角を現した。ブレジネフはウクライナ生まれだった。周辺部が「王」を輩出してきたともいえる。冷戦時代には「ソ連」という一色に塗られていた地域の歴史文化的な多様性が、連邦の崩壊とともに、内外の者たちによく見えるようになった。

冷戦の終焉は平和な世界の到来を意味すると期待されたが、現実には一九九〇年代初頭、いくつかの国々が激しい暴力的紛争に見舞われた。ユーゴスラヴィアは、非同盟運動の指導者ヨシップ・ブロズ・チトー大統領のもとで国家の統一を保っていたが、九一年に激しい内戦に突入した。同年、北東アフリカのソマリアでも内戦が激化し、人道危機が発生した。九二年、国連安保理は国連保護軍(United Nations Protection Force, UNPROFOR)をユーゴスラヴィアに派遣し、九三年、ソマリアでは米軍主導の多国籍軍が強制的な作戦行動を行ったが、どちらも成果は限定的だった。西アフリカのリベリア、シエラレオネでも内戦が激化した。国連は主権国家システムを前提とし、内政干渉をしないことを原則としている。だが、**図2**が示すように、武力紛争の多くは国家間ではなく国家の内部で起きるようになってきた。内戦に国連が対処する制度は、まだ形成途上である。

一九九四年、国連は新しい規範として、国家の安全保障を超える一人一人の人間の安全保障の意義を打ち出した(UNDP 1994)。国連は受動的に紛争を抑止するだけでなく、人権、人間開発、持続可能性など、時代を先取りする国際規範を次々と提示し、グローバルな議論の土俵を設定してきた。国家主権を超越した視座を求める人間の安全保障も、そのひとつである(Jolly et al. 2009: 177-183)。同じ九四年、アフリカでは、現代世界の絶望と希望——ただし、野蛮と文明の単純な二元論に対応するわけではない——を照らし出す二つの出来事が起きた(Cooper 2002)。ひとつはルワンダの大量殺戮、もうひとつはアパルトヘイトと訣別した南アフリカの総選挙である。この時期の国連事務総長はエジプト人のブトロス・ブトロス・ガリであり、PKO担当事務次長はガーナ出身のコフィ・アナンだった。どちらもアフリカ人という巡り合わせである。

ルワンダには、多数派のフトゥ、少数派のトゥチという民族集団が存在する。自然な集団ではなく、ベルギー植民地時代に人為的に「分類された」集団である。フトゥ系の政府とトゥチ系の亡命組織の間で軍事的緊張が強まったため、一九九三年から国連PKOが展開していた。ところが、九四年四月、フトゥの民兵集団がトゥチの市民、フトゥの穏健派、および少数民族トゥワを組織的、計画的に殺害し始めた。犠牲者は三カ月でおよそ八〇万人にのぼった。カナダ人の司令官が書き記しているように、当時のPKO部隊には介入する権限がなく、ラジオでヘイトスピーチが流れ、民兵が山刀や小火器を使って隣人に襲いかかるのを傍観するのみであった(ダレール 二〇一二)。戦後の四八年の国連総会で「集団殺害の防止および処罰に関する条約」(ジェノサイド条約)が採択された後も、世界の各地で大量殺戮が繰り返されており、冷戦が終わった後も、私たちは悪夢から自由になっていない(石田・武内 二〇一一)。インドネシア、カンボジア、ルワンダなどで起きた悲劇を理解するには、足元の日本で起きた「民衆暴力」の歴史を直視し(藤野 二〇二〇)、暴力に対する見方、考え方を鍛えることも欠かせないだろう。

ルワンダで虐殺が進行していた九四年四月、南アフリカでは、史上初めて、すべての人種が参加する一人一票の総選挙が行われた。ANCが六割以上の得票で勝利し、翌五月、マンデラが初の黒人大統領に就任する。スマッツはイギリス帝国と妥協して白人だけの連邦政府を率いたが、マンデラは白人政党と妥協して多人種共存の「虹の国」をデザインした。マンデラは黒人の同胞に向かって、「白人を許そう」と語りかけた。九六年、真実和解委員会(Truth and Reconciliation Commission, TRC)が活動を始めたが、これはラテンアメリカの軍政時代の人権侵害に向き合う制度的な仕組みを、南アフリカに創造的に移植したものである。真実が究明され、証言が記録され、適切な場合には加害者は免責され、犠牲者は補償を受ける。同様の問題意識により、暴力的紛争を経験した世界の各地に真実委員会が設置されてきた。うまく機能しなかったものも多いが、法廷の裁きだけでない「移行期正義」の選択肢が生まれたことは間違いない(ヘイナー 二〇〇六)。

冷戦後の世界では不平等が急激に拡大している。トマ・ピケティが示したように、人間の経済には原理的に不平等に向かう傾向がある。世界大戦がもたらした資産の大破壊による暴力的な平等化を経て、各国では再び経済格差が広がっているが、賢明な政策によって傾向を逆転させることは可能である(ピケティ 二〇一四)。ポスト・アパルトヘイト時代の南アフリカでは貧富の格差が極端に広がり、弱肉強食の新自由主義への失望と怒りが広がっている。冷戦の終焉の後に与党となったANCは、かつての公約だった再分配政策を進めるよりも、黒人富裕層を育成することを重視してきた。マンデラもANCも、「ブルジョア革命」で満足し、貧しい者の解放を無期限に先延ばしにした裏切り者と見なされることがある。南アフリカにおける冷戦の終わり方、終わらせ方について、歴史の審判が下るのはこれからである(クライン 二〇一一:第一〇章、堀内 二〇二二)。

冷戦の終焉は、他の場所でも平和への期待を高めた。南アフリカで新体制への移行が話し合われていた頃、中東でも和平交渉が進展し、一九九三年九月、アメリカのビル・クリントン大統領の仲介のもとでオスロ合意が成立し、イスラエルのイツハク・ラビン首相とPLOのヤースィル・アラファート議長がパレスチナ暫定自治協定に調印した。しかし、その後の和平の進展は少ない。

歴史の進歩

二〇世紀の後半、アジアとアフリカの諸民族が帝国の支配から解放され、地球的なガバナンスの主体として意思決定に参加するようになった。それとともに、西洋史、東洋史を中心に語るのではなく、地球に暮らす人々をまるごと描き出すような世界史の叙述スタイルが現実味を帯びてきた。(9) クワメ・ンクルマは統一されたアフリカ合州国を夢見たが、植民地の個々のユニットが独立して国連加盟国になったおかげで、アフリカ大陸は諸民族が競い合い共存する空間であることが見えやすくなった面がある。九〇年代には、一枚岩に見えた旧東側体制の諸民族が姿を現した。

諸国民の関係を切り裂き、特定の価値観への忠誠を誓わせる冷戦体制が終わると、国連の役割、そして国連への期待が大きくなる。国連は、「一度きり開催される国際会議を一方の極とし、世界政府の創設という革命的な構想を他方の極として、その中間の地点につくられた国際協力の枠組みである」(明石 二〇〇六:二八頁)。国連は諸国の諸国に対する闘争を押さえ込む絶対権力としてではなく、主権国家の緩やかな連合体として成長してきた。その基礎の上に、国境を越える価値観と行動原理に関する合意も醸成されてきている。民族自決に加えて、女性の権利、自然と人間の共生が課題になり、これまで主権国家内部の問題として避けられることが多かった先住民の権利回復の問題——脱植民地化の最後の重要課題である——についても、国連総会が一九九三年を「世界の先住民の国際年」に指定したことで、議論が加速してきた(清水 二〇〇八)。九四年には国連人権高等弁務官事務所が活動を開始し、九八年にはジェノサイド犯罪などについて個人の責任を問う国際刑事裁判所の設置が決まるなど、二〇世紀末には国際人権法の制度整備も進んだ。

国連専門機関を含む多様な国際機関が大小の主権国家をつなげ、問題解決をめざす実質的な活動を展開する一方で、帝国からの独立と自律を達成した諸国家は、国際機関や相対的に豊かな国々から支援を受けながら、教員や医師、エンジニアなど、国民に奉仕する専門的職業人を養成しようとした。それは一面では、人びとの「生」を管理する装置を植民地帝国から新たな国民国家に複製していく試みだったが、国民(主権者)と専門家(代理人)の民主的なループを回転させていくことで、現場に基礎医療を普及させ、栄養状態を改善し、教育を広げ、産業を起こし、新興国家で暮らす人びとの生活を底上げしていくプロセスでもあった(峯 二〇二三)。

図3は、二〇世紀後半の出生時平均余命の変化を地域ごとに示したものである。ここではアジアを五つの地域に分けている。出生時平均余命は、その年の死亡率が変化しないと仮定して、その年に生まれた子どもが何歳まで生きられるかという期待値を表したものである。死亡率が異常に高い年があれば、その年の平均余命は大きく下がる。東アジアの一九六〇年前後の低さは、中国の「大躍進」時代の飢饉によるものである。東南アジアの六〇年代から七〇年代の低さはインドネシアのジェノサイドとベトナム戦争、七五年の低さはカンボジアのジェノサイドを反映している。南アジアの七一年の低下は、バングラデシュ独立戦争が要因であろう。厳密な国勢調査が存在しない飢饉や戦争の時代の死亡率は推計でしかないので、これらの計算結果は絶対のものではない。そうはいっても、とりわけアジアにおいて、社会の成員が生を自然に全うする可能性を劇的に奪われる事態が二〇世紀後半に繰り返されてきたことは、明確に見てとれる。

グラフの右側には別の種類の苦難が示されている。八〇年代から九〇年代にかけて、アフリカの平均余命が停滞しているが、これは南部アフリカ諸国においてＨＩＶ／エイズ(ヒト免疫不全ウィルスによる後天性免疫不全症候群)が拡大したためである。抗ウイルス薬が開発された後も、欧米の製薬会社は特許料収入を確保するために薬価の切り下げに応じなかったので、貧困層を中心に多くの命が失われた。九〇年代には中央アジアの平均余命が下がっている。これは社会主義体制の終焉による社会的ストレスにより、成人男性の死亡率が上昇したことが関係している。同時期にはロシア・東欧の平均余命も大きく低下したため、ヨーロッパ全体の数字が下がっている。ロシア単独で見ると、男性の平均余命は、八七年の六四歳から九四年には五七歳へと劇的に低下した。

こうした逆行にもかかわらず、二〇世紀後半の歴史を通じて見ると、世界各地の平均余命は確実に上昇しており、北アメリカやヨーロッパの水準に収斂していく傾向が見てとれる。一九五〇年のアフリカの平均余命は三八歳だった。

図3には表示していないが、二〇二二年のアフリカの平均余命は六二歳に達しており、これは七〇年代半ばの東アジアの数字とほぼ同じ水準である。早すぎる死、理不尽な死を減らすことが歴史の進歩だとするなら、人類は確かに進歩している。長期の人類史の地平を見ても、暴力による死は確実に減ってきている（ピンカー 二〇一五）。

大戦後の日本は直接的な戦争の脅威から隔離されていたが、同時代の世界は、平和な世界と呼べるものではなかった。冷戦の暴力を背景に、日本が植民地責任を負う韓国や台湾の人びとは自前の努力で民主主義を手にしていったが、日本の民主主義はアメリカの占領とともに制度として与えられた側面があり、必ずしも自力で勝ち取ったものではない（小倉 二〇二二）。だからこそ、意識的に世界史の教訓を学び、民主主義を鍛えることが必要である。本稿では、脱植民地化の過程で多くの熱い戦争が戦われ、飢饉や空爆などによる大量死、人の手による虐殺が繰り返されてきたことを見た。だが、本稿の末尾で見たように、世界の傾向としてはより多くの人びとが自分の生を全うできるようになってきたという対抗的な事実もある。トマス・ホッブズは、荒天は一度や二度の雨ではなく、雨が何度も降り続く傾向によって定義されるという。戦争についても時間を考慮しなければならない。なぜなら、「戦争の本性も、じっさいの闘争にあるのではなく、その反対にむかうなんの保証もないときの全体における、闘争へのあきらかな志向にあるのだからである。そのほかのすべての時は、**平和**である」（ホッブズ 一九九二：二一一頁、強調は原文）。

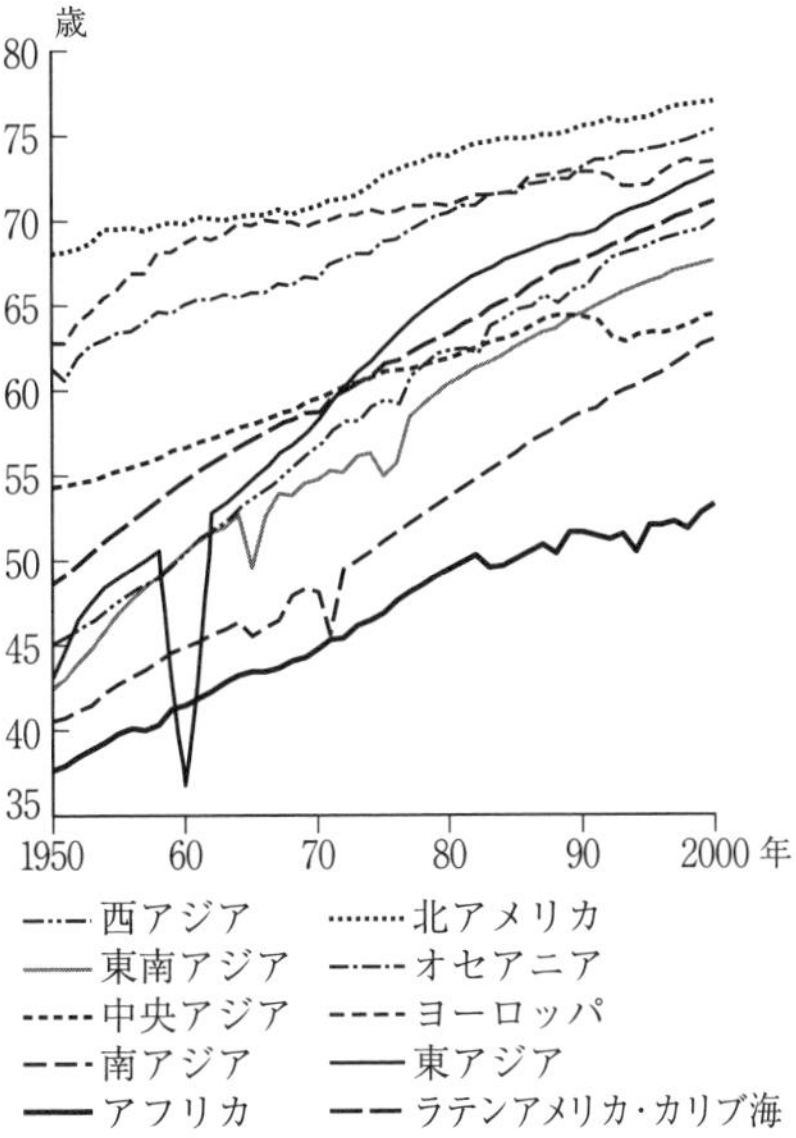

図3　世界の地域別平均余命（1950-2000年）

出典：UNDESA, World Population Prospects: The 2022 Revision.

私たちは人間の不条理な死を容認できなくなってきている。「長い二〇世紀」の後半、世界の各地で殺戮が繰り返されながらも、全体としては平和と安寧、人間の尊厳の保障へと向かう傾向のなかで、人類のグローバルな連帯と分権的な自己統治の仕組みが少しずつ整えられてきた。私たちは、人類の現代史の光と影を両方ともに視野に入れる必要がある。

注

(1) 世界を覆う主権国家システムの生成を重視する本稿では第一次世界大戦後の国際連盟の発足から説き起こすが、この論点については、山室(二〇一四)および本講座二〇巻の後藤春美の「展望」も参照されたし。歴史区分は何に着目するかによって変わる。狭義の冷戦は戦後に始まったが、O・A・ウェスタッドは、一八九〇年代の資本主義的近代に対する本格的な異議申し立てを冷戦の起源と解釈している(ウェスタッド 二〇二〇:序章)。

(2) 第二次世界大戦期の兵士および民間人の正確な死者数を推計するのは難しく、確定的な学術研究は存在しない。本文の暫定的な数字は英語版ウィキペディアの World War II casualties の項目による。

(3) ただし、ソ連に接する満洲、朝鮮半島、千島列島、日本を含む東北アジアにおいては、戦後ただちに冷戦の対決が始まり、戦後の地域秩序の形成に大きな影響を与えた(下斗米 二〇一一)。

(4) アメリカの核戦争準備および北朝鮮に対する熾烈な空爆については、カミングス(二〇一四:一七二―一八五頁)を見よ。アメリカではベトナム反戦をくぐり抜けた世代の研究者が、米軍の戦争犯罪に向き合う作業を進めている。

(5) ハマーショルドについては事故死ではないという有力な見方があり、公文書を活用して真相に近づこうとする努力が進んでいる。国連事務局の中立性に疑義を提示する研究もあるが(三須 二〇一七)、六〇年代初頭の時点では、国連が利用できる資源についてはアメリカが圧倒的な支配力を有しており、その枠組みから外れることは容易ではなかっただろう。

(6) ターース(二〇一五)は、米軍によるベトナムの村での「皆殺し」が逸脱ではなく、広範かつ組織的に行われていたことを、公文書資料とインタビューで克明に明らかにした。吉澤(一九九九)は、映像資料も含めて、ジャーナリストの記録がすぐれた史料になりうることを示す。
（7） もともと毛沢東が一九四六年に提示した世界認識は、アメリカ帝国主義と社会主義勢力の対立を所与とし、ヨーロッパ、アジア、アフリカが果てしなく広い「中間地帯」を構成するというものだった（牛 二〇二一：二一一―二四二頁）。
（8） 哲学者の市井三郎は、人びとの不条理な苦痛を軽減するために、自ら創造的苦痛を選び取り、自分の身に引き受ける人間の存在が必要だと主張したことがある（市井 一九七一：一四八頁）。他方、南アフリカと日本の間では六〇年代から反アパルトヘイトの課題をめぐる活動家の交流があったが、それは「楽しさ、面白さ」があったから長続きしたという（牧野 二〇二二）。
（9） 人びとの顔が見える聴き取りの手法が重要になっている。スヴェトラーナ・アレクシエーヴィチの作品群（アレクシエーヴィチ 二〇一六など）によって、私たちは「ソ連を生きた人びと」を隣人として感じることができる。なお、中国は、スターリンの民族理論の影響を受けながらも、それに反発する形で、辺境地域を統合しようとしてきた。ソ連の崩壊後、「中国人とは誰か」という問いが先鋭に問われている（加々美 一九九二、毛里 一九九八）。

参考文献

明石康（二〇〇六）『国際連合――軌跡と展望』岩波新書。

新井政美（二〇〇一）『トルコ近現代史――イスラム国家から国民国家へ』みすず書房。

アレクシエーヴィチ、スヴェトラーナ（二〇一六）『セカンドハンドの時代――「赤い国」を生きた人びと』松本妙子訳、岩波書店。

石田勇治・武内進一編（二〇一一）『ジェノサイドと現代世界』勉誠出版。

市井三郎（一九七一）『歴史の進歩とはなにか』岩波新書。

伊藤正孝（一九八四）『ビアフラ――飢餓で亡んだ国』講談社文庫。

岩本裕子・西﨑緑編（二〇二一）『自由と解放を求める人びと――アメリカ黒人の闘争と多面的な連携の歴史』彩流社。

植木安弘（二〇一八）『国際連合――その役割と機能』日本評論社。

ウェスタッド、O・A（二〇一〇）『グローバル冷戦史――第三世界への介入と現代世界の形成』佐々木雄太監訳、小川浩之他訳、名古屋大学出版会。

ウェスタッド、O・A（二〇二〇）『冷戦――ワールド・ヒストリー』上・下、益田実監訳、山本健・小川浩之訳、岩波書店。

ウォーリン、リチャード(二〇一四)『一九六八パリに吹いた「東風」——フランス知識人と文化大革命』福岡愛子訳、岩波書店。

臼杵陽(一九九九)『原理主義』岩波書店。

絵所秀紀(一九九七)『開発の政治経済学』日本評論社。

海老坂武(二〇〇六)『フランツ・ファノン』みすず書房。

エンクルマ、K(一九六二)『自由のための自由』野間寛二郎訳、理論社。

小倉充夫(二〇一二)『自由のための暴力——植民地支配・革命・民主主義』東京大学出版会。

何義麟(二〇一四)『台湾現代史——二・二八事件をめぐる歴史の再記憶』平凡社。

加々美光行(一九九二)『知られざる祈り——中国の民族問題』新評論。

粕谷祐子(二〇一二)『アジアの脱植民地化と体制変動——民主制と独裁の歴史的起源』白水社。

加藤周一(二〇〇九)『私にとっての二〇世紀——付・最後のメッセージ』岩波現代文庫。

カブラル、A(一九八〇)『アフリカ革命と文化』白石顕二他訳、亜紀書房。

カミングス、ブルース(二〇一四)『朝鮮戦争論——忘れられたジェノサイド』栗原泉・山岡由美訳、明石書店。

河辺一郎(一九九四)『国連と日本』岩波新書。

カント、I(二〇〇六)『永遠平和のために/啓蒙とは何か 他三編』中山元訳、光文社古典新訳文庫。

キッシンジャー、ヘンリー・A(一九九六)『外交』上・下、岡崎久彦監訳、日本経済新聞社。

キニャティ、マイナ・ワ(一九九二)『マウマウ戦争の真実——埋れたケニア独立前史』宮本正興他訳、第三書館。

木畑洋一(一九九六)『帝国のたそがれ——冷戦下のイギリスとアジア』東京大学出版会。

木畑洋一(二〇〇八)『イギリス帝国と帝国主義——比較と関係の視座』有志舎。

木畑洋一(二〇一四)『二〇世紀の歴史』岩波新書。

木畑洋一(二〇一六)『チャーチル——イギリス帝国と歩んだ男』(世界史リブレット)、山川出版社。

ギャディス、ジョン・L(二〇〇二)『ロング・ピース——冷戦史の証言「核・緊張・平和」』五味俊樹他訳、芦書房。

牛軍(二〇一二)『中国外交政策決定研究』真水康樹訳、千倉書房。

教皇庁正義と平和評議会(二〇〇九)『教会の社会教説綱要』マイケル・シーゲル訳、カトリック中央協議会。

金大中(二〇一一)『死刑囚から大統領——民主化への道(金大中自伝I)』波佐場清・康宗憲訳、岩波書店。

グティエレス、G(一九八五)『解放の神学』関望・山田経三訳、岩波書店。

クライン、ナオミ(二〇一一)『ショック・ドクトリン——惨事便乗型資本主義の正体を暴く』上、幾島幸子・村上由見子訳、岩波書店。

倉沢愛子(二〇一四)『九・三〇 世界を震撼させた日——インドネシア政変の真相と波紋』岩波書店。

ケネディ、ポール(二〇〇七)『人類の議会——国際連合をめぐる大国の攻防』古賀林幸訳、日本経済新聞出版社。

小島亮(一九八七)『ハンガリー事件と日本——一九五六年・思想史的考察』中公新書。

後藤乾一(二〇一四)「アジア太平洋戦争と『大東亜共栄圏』」和田春樹他『東アジア近現代通史——一九世紀から現在まで』下、岩波現代全書。

後藤政子(二〇一六)『キューバ現代史——革命から対米関係改善まで』明石書店。

佐々木雄太(一九九七)『イギリス帝国とスエズ戦争——植民地主義・ナショナリズム・冷戦』名古屋大学出版会。

塩川伸明(二〇〇四)『《二〇世紀史》を考える』勁草書房。

篠原初枝(二〇一〇)『国際連盟——世界平和への夢と挫折』中公新書。

清水昭俊(二〇〇八)「先住民、植民地支配、脱植民地化——国際連合先住民権利宣言と国際法」『国立民族学博物館研究報告』三二巻三号。

下斗米伸夫(二〇一一)『日本冷戦史——帝国の崩壊から五五年体制へ』岩波書店。

シャーウィン、マーティン・J(二〇二二)『キューバ・ミサイル危機——広島・長崎から核戦争の瀬戸際へ一九四五—六二』上・下、三浦元博訳、白水社。

シューマッハー、E・F(一九八六)『スモール イズ ビューティフル——人間中心の経済学』小島慶三・酒井懋訳、講談社学術文庫。

杉原薫(二〇二〇)『世界史のなかの東アジアの奇跡』名古屋大学出版会。

スティル、ベン(二〇二〇)『マーシャル・プラン——新世界秩序の誕生』小坂恵理訳、みすず書房。

芹田健太郎(二〇一八)『国際人権法』信山社。

タース、ニック(二〇一五)『動くものはすべて殺せ――アメリカ兵はベトナムで何をしたか』布施由紀子訳、みすず書房。

タイボ二世、パコ・イグナシオ、他(一九九九)『ゲバラ・コンゴ戦記一九六五』神崎牧子・太田昌国訳、現代企画室。

ダレール、ロメオ(二〇一二)『なぜ、世界はルワンダを救えなかったのか――PKO司令官の手記』金田耕一訳、風行社。

チャンドラー、デーヴィッド(二〇〇二)『ポル・ポト　死の監獄S21――クメール・ルージュと大量虐殺』山田寛訳、白揚社。

ディケーター、フランク(二〇一一)『毛沢東の大飢饉――史上最も悲惨で破壊的な人災一九五八―一九六二』中川治子訳、草思社。

トゥーレ、セク(一九六一)『アフリカの未来像』小出峻・野沢協訳、理論社。

トッド、エマニュエル(二〇一三)『最後の転落――ソ連崩壊のシナリオ』石崎晴己・中野茂訳、藤原書店。

トンプソン、レナード(二〇〇九)『南アフリカの歴史(最新版)』宮本正興他訳、明石書店。

中野聡(二〇〇七)『歴史経験としてのアメリカ帝国――米比関係史の群像』岩波書店。

中野聡(二〇一四)「ベトナム戦争の時代」和田春樹他『東アジア近現代通史――一九世紀から現在まで』下、岩波書店。

永原陽子編(二〇〇九)『「植民地責任」論――脱植民地化の比較史』青木書店。

奈良本英佑(二〇〇五)『パレスチナの歴史』明石書店。

西川潤(一九七七)『第三世界の構造と動態』中央公論社。

バトラー、スーザン(二〇一七)『ローズヴェルトとスターリン――テヘラン・ヤルタ会談と戦後構想』下、松本幸重訳、白水社。

パペ、イラン(二〇一七)『パレスチナの民族浄化――イスラエル建国の暴力』田浪亜央江・早尾貴紀訳、法政大学出版局。

平野千果子(二〇一四)『フランス植民地主義と歴史認識』岩波書店。

ピケティ、トマ(二〇一四)『二一世紀の資本』山形浩生・守岡桜・森本正史訳、みすず書房。

ピンカー、スティーブン(二〇一五)『暴力の人類史』幾島幸子・塩原通緒訳、青土社。

ファノン、フランツ(一九六九)『地に呪われたる者』鈴木道彦・浦野衣子訳、みすず書房。

藤野裕子(二〇二〇)『民衆暴力――一揆・暴動・虐殺の日本近代』中公新書。

フライ、ノルベルト(二〇一二)『一九六八年――反乱のグローバリズム』下村由一訳、みすず書房。

プラシャド、ヴィジャイ(二〇一三)『褐色の世界史――第三世界とはなにか』粟飯原文子訳、水声社。

古田元夫(二〇〇九)『ドイモイの誕生――ベトナムにおける改革路線の形成過程』青木書店。

ブレースウェート、ロドリク(二〇一三)『アフガン侵攻一九七九―八九――ソ連の軍事介入と撤退』河野純治訳、白水社。

ヘイナー、プリシラ・B(二〇〇六)『語りえぬ真実――真実委員会の挑戦』阿部利洋訳、平凡社。

ペイン、S・C・M(二〇二一)『アジアの多重戦争一九一一―一九四九――日本・中国・ロシア』荒川憲一監訳、江戸伸禎訳、みすず書房。

ボーヴォワール、シモーヌ・ド(二〇〇一)『第二の性(決定版)』上・下、「第二の性」を原文で読み直す会訳、新潮文庫。

ホッブズ、トマス(一九九二)『リヴァイアサン(二)』水田洋訳、岩波文庫。

ホブズボーム、エリック(一九九六)『二〇世紀の歴史――極端な時代』下、河合秀和訳、三省堂。

堀内隆行(二〇二一)『ネルソン・マンデラ――分断を超える現実主義者』岩波新書。

マーフィー、クレイグ・N(二〇一四)『国連開発計画(UNDP)の歴史――国連は世界の不平等にどう立ち向かってきたか』峯陽一・小山田英治監訳、内山智絵他訳、明石書店。

牧野久美子(二〇二二)「反アパルトヘイトの旅の軌跡――「遠くの他者」との連帯のために」大野光明他編『越境と連帯――社会運動史研究4』新曜社。

マクマン、ロバート(二〇一八)『冷戦史』青野利彦監訳、平井和也訳、勁草書房。

益尾知佐子(二〇一〇)『中国政治外交の転換点――改革開放と「独立自主の対外政策」』東京大学出版会。

マゾワー、マーク(二〇一五a)『国連と帝国――世界秩序をめぐる攻防の二〇世紀』池田年穂訳、慶應義塾大学出版会。

マゾワー、マーク(二〇一五b)『暗黒の大陸――ヨーロッパの二〇世紀』白水社。

マゾワー、マーク(二〇一五c)『国際協調の先駆者たち――理想と現実の二〇〇年』依田卓巳訳、NTT出版。

松本仁一(二〇〇八)『カラシニコフ』I・II、朝日新聞社。

マンデラ、ネルソン(一九九六)『自由への長い道――ネルソン・マンデラ自伝』上、東江一紀訳、日本放送出版協会。

マンデラ、ネルソン(二〇一四)『自由への容易な道はない――マンデラ初期政治論集』峯陽一監訳、鈴木隆洋訳、青土社。

ミーア、ファティマ(一九九〇)『ネルソン・マンデラ伝――こぶしは希望より高く』楠瀬佳子他訳、明石書店。

三須拓也(二〇一七)『コンゴ動乱と国際連合の危機――米国と国連の協働介入史、一九六〇―一九六三年』ミネルヴァ書房。

峯陽一(二〇一九)『二一〇〇年の世界地図――アフラシアの時代』岩波新書。

峯陽一（二〇二三）『開発協力のオーラル・ヒストリー――危機を越えて』東京大学出版会。

宮城大蔵（二〇〇一）『バンドン会議と日本のアジア復帰――アメリカとアジアの狭間で』草思社。

三好徹（二〇一四）『チェ・ゲバラ伝（増補版）』文春文庫。

文京洙（二〇〇八）『済州島四・三事件――「島（タムナ）のくに」の死と再生の物語』平凡社。

メドウズ、ドネラ・H、他（一九七二）『成長の限界――ローマ・クラブ「人類の危機」レポート』大来佐武郎監訳、ダイヤモンド社。

毛里和子（一九九八）『周縁からの中国――民族問題と国家』東京大学出版会。

山内昌之（一九八六）『スルタンガリエフの夢――イスラム世界とロシア革命』東京大学出版会。

山室信一（二〇一四）「世界性・総体性・持続性をめぐって――振り返る明日へ」山室信一他編『遺産――現代の起点・第一次世界大戦』岩波書店。

山本正・細川道久編（二〇一四）『コモンウェルスとは何か――ポスト帝国時代のソフトパワー』ミネルヴァ書房。

油井大三郎（二〇一九）『平和を我らに――越境するベトナム反戦の声』岩波書店。

横田洋三編（二〇〇〇）『国連による平和と安全の維持――解説と資料』国際書院。

吉澤南（一九九九）『ベトナム戦争――民衆にとっての戦場』吉川弘文館。

吉村慎太郎（二〇〇五）『イラン・イスラーム体制とは何か――革命・戦争・改革の歴史から』書肆心水。

ロレンツィーニ、サラ（二〇二二）『グローバル開発史――もう一つの冷戦』三須拓也・山本健訳、名古屋大学出版会。

和田春樹（二〇一六）『スターリン批判　一九五三―五六年――一人の独裁者の死が、いかに二〇世紀世界を揺り動かしたか』作品社。

Butler, L. J., and Sarah Stockwell (eds.) (2013), *The Wind of Change: Harold Macmillan and British Decolonization*, Basingstoke, Palgrave Macmillan
Byfield, Judith A., Carolyn A. Brown, Timothy Parsons, and Ahmad Alawad Sikainga (eds.) (2015), *Africa and World War II*, New York, Cambridge University Press.

Chabal, Patrick, et al. (2002), *A History of Postcolonial Lusophone Africa*, London, Hurst.

Cooper, Frederick (2002), *Africa since 1940: The Past of the Present*, Cambridge, Cambridge University Press.

Davenport, T. R. H., and Christopher Saunders (2000), *South Africa: A Modern History*, 5th ed., Basingstoke, Palgrave Macmillan.

Dubow, Saul (2008), "Smuts, the United Nations and the Rhetoric of Race and Rights", *Journal of Contemporary History*, 43(1).

Eslava, Luis, Michael Fakhri, and Vasuki Nesiah (eds.) (2017), *Bandung, Global History, and International Law: Critical Pasts and Pending Futures*, Cambridge, Cambridge University Press.

Getachew, Adom (2019), *Worldmaking after Empire: The Rise and Fall of Self-Determination*, Princeton, Princeton University Press.

Glendon, Mary Ann (2001), *A World Made New: Eleanor Roosevelt and the Universal Declaration of Human Rights*, New York, Random House.

Hanlon, Joseph (1991), *Mozambique: Who Calls the Shots?* London, James Currey; Bloomington, Indiana University Press.

Hansen, Peo, and Stefan Jonsson (2014), *Eurafrica: The Untold History of European Integration and Colonialism*, London, Bloomsbury.

Jolly, Richard, Louis Emmerij, and Thomas G. Weiss (2009), *UN Ideas That Changed the World*, Bloomington, Indiana University Press.

Makinda, Samuel M., F. Wafula Okumu, and David Mickler (2016), *The African Union: Addressing the Challenges of Peace, Security, and Governance*, Abingdon, Routledge.

Marks, Shula (2001), "White Masculinity: Jan Smuts, Race and the South African War", *Proceedings of the British Academy*, 111.

Monson, Jamie (2009), *Africa's Freedom Railway: How a Chinese Development Project Changed Lives and Livelihoods in Tanzania*, Bloomington, Indiana University Press.

Raghavan, Srinath (2013), *1971: A Global History of the Creation of Bangladesh*, Cambridge, Mass, Harvard University Press.

Rothermund, Dietmar (2006), *The Routledge Companion to Decolonization*, London, Routledge.

Russell, Diana E. H. (1989), *Lives of Courage: Women for a New South Africa*, New York, Basic Books.

Sauvy, Alfred (1952), "Trois mondes, une planète", *L'Observateur*, 118, 14 août.

Smuts, J. C. (1918), *The League of Nations: A Practical Suggestion*, London, Hodder and Stoughton.

Smuts, J. C. (1926), *Holism and Evolution*, New York, Macmillan.

UNDP: United Nations Development Programme (1994), *Human Development Report 1994*, New York, Oxford University Press.

コラム｜*Column*

「現在」から問い直す人権理念と世界秩序

小阪裕城

世界人権宣言が謳ったように、人権は普遍的であるはずだ。しかし、人権問題への関心と共感は必ずしも普遍的にはなっていない。二〇二一年にはタリバン政権によるアフガニスタン全土の掌握によって当地の女性の権利についての懸念が喚起されていたにもかかわらず、二〇二二年のロシア・ウクライナ戦争の展開がアフガニスタンへの関心をかき消してしまった。そして、ロシアの侵攻がもたらした破壊・虐殺・避難民の流出は世界的な関心を集めているけれども、ウクライナ人は白人だという認識が前提となり、ウクライナに住むアフリカ系市民の救済は二の次とされ、様々なかたちで支援へのアクセスから遠ざけられているという事実が報じられている。

近年の人権の歴史研究が示すように、関心と共感の非対称はいまに始まったことではない。そしてアフガニスタンの現代史が示すのは、世界秩序の周縁には国際社会に見捨てられてきた空間があるということだ。いわゆる「リベラル国際秩序」は、(国内秩序と同様に)他者性の認識を基調としてきたのではないか。秩序の「他者」は治安維持の対象でしかなく、国際社会は「リベラル国際秩序」の内部にとって看過し得ない問題が生じた場合にのみ、「民主主義」・「人道」・「人権」の名のもとに介入してきただけではなかったか。そのような「現在」への問題意識から世界秩序の歴史を批判的に問い直すことが求められているのではないか。

＊

一九四八年一二月一〇日の世界人権宣言の採択は人権の歴史において一つの画期をなしている。その起草の立役者がエレノア・ローズヴェルトだった。夫のフランクリン・D・ローズヴェルトの死後、米国国連代表団に加わり、国連人権委員会の議長として宣言起草をリードした彼女は、「人権のヒロイン」というイメージを確立し、人権の擁護者としてのアメリカというナショナルな自画像の中心に据えられてきた。

しかし、レンズを広角に切り替えて改めてこの一九四八年を眺めたとき、世界人権宣言の普遍性がこのとき早くも問われていたことが見えてくる。この時期、人権宣言の起草と並行して展開していたのは、前年一一月のパレスチナ分割決議と一九四八年五月のイスラエル独立宣言に端を発する第一次中東戦争であり、七〇万人に達するパレスチナ難民の流出だった。世界人権宣言の第一三条は第二項において、「すべて人は、自国その他いずれの国をも立ち去り、及び自国に帰る権利を有する」というかたちで帰還権を明記している。だが、宣言起草を推し進めたエレノア・ローズヴェルトはかねてより親シオニストの姿勢を鮮明にしており、この年の国連総会でもイスラエル支持の立場は変わらなかった。一九四八年一二月の国連総会がパレスチナ人の帰還および帰還を望まないパレスチナ人への金銭的補償を規定した決議(A/RES/194)を採択しているにもかかわらず、ローズヴェルトはイスラエルの立場に歩調を合わせ、パレスチナ難民については隣接したアラブ諸国で定住させるという路線を支持したのである。

＊

世界人権宣言の理念とパレスチナ問題の実践のあいだの矛盾は、どのように理解することができるのだろうか。国際政治学者の五十嵐元道が論じたのは、人道主義は悲惨な境遇に置かれた人々への共感を調達することで救済へ向けた推進力を提供するけれども、その過程ではときに人種主義も介在しながら、対象社会を「病理化」し、当該社会の人々の主体性を剝奪することによって、統治する側とされる側の非対称な構造を形成・再生産することに寄与してしまうということだった(『支配する人道主義』岩波書店、二〇一六年)。

ローズヴェルトの手になる記述を読んでいて印象的なのは、まさに人道主義を介して人権と民族自決が渾然一体となっていることだ。国連憲章が「人民の自決」に言及したとはいえ、主要国は帝国秩序や国内の人種秩序への波及を懸念し、民族自決やマイノリティの権利のような集団的権利を世界人権宣言に明記しなかったにもかかわらず、である。ローズヴェルトにそくしてそのパレスチナ認識を論じた最近の研究は、彼女の思想形成期に培われてきた世界観の影響を指摘する。上流階級の一員として生を受けた彼女の身につけた文化、そこから派生するパターナリズムとオリエンタリズム、そしてユダヤ人との親交などといった要因が、彼女の思想と行動を規定したという。人道主義はユダヤ人の民族自決を後押しする一方で、パレスチナの人々が自決の主体となる準備ができていないという色眼鏡を伴った。

普遍性を志向する人権理念が人道主義を媒介として冷戦と脱植民地化の政治の実践のなかで民族自決と結びついていったことは、戦後の世界秩序においてどのような意味を持ったのだろうか。国際政治と各国史のあいだを行き来しながら、人権と人道が果たした役割を一つ一つ問い直していくことが、「現在」を理解するために重要だと思うのである。

国連総会で演説するエレノア・ローズヴェルト，1947年7月　(Franklin D. Roosevelt Presidential Library & Museum)

問題群 | *Inquiry*

問題群 | *Inquiry*

国際関係史としての冷戦史

青野利彦

はじめに

冷戦は第二次世界大戦後から一九九〇年頃までの国際関係を大きく規定した事象であった。それは、米国とソ連を盟主とする東西二つの陣営の間の安全保障とイデオロギー（政治・経済体制の原理）をめぐる対立であった。また「世界のおもな大国のすべてがなんらかのかたちで冷戦との関係に基づいて外交政策を定めていたという意味で……一つの国際システムを構成していた」（ウェスタッド 二〇二〇：上巻二頁）。

冷戦期の国際システムは、超大国と呼ばれた米ソが突出した国力、特に核軍事力を有する二極構造をその特色としており、それゆえ、対立の帰趨を決定するのは米ソだと考えられていた。また米ソはそれぞれ、自由民主主義および資本主義、そして共産主義という、人類にとって普遍的価値・意味を持ち、しかし互いに矛盾するイデオロギーを標榜していた。そして両国は共に、自国の普遍的なイデオロギーを世界に伝播させ、敵対的な他のイデオロギーを標榜する勢力からそれを守ることを自国の歴史的使命と見ていた。

こうした二極構造とイデオロギー対立という特性ゆえ、冷戦をめぐる議論の焦点は米ソ両国におかれがちであった。

例えば、六〇年代後半の「冷戦起源論争」では米ソのどちらに冷戦開始の責任があるかが問われた。七〇年代に冷戦初期の米国政府文書が公開されると、研究の力点は米国政府の対外政策決定過程の解明に置かれるようになった。

しかし九〇年代に入ると大きな変化が生じる。冷戦が終わると旧ソ連・東欧諸国、さらには西側諸国や第三世界諸国の政府文書が、程度の差はあれ公開され始めた。こうした新史料によって、米ソ以外の諸国や政治勢力が冷戦期の世界をどのように認識・行動し、どのように冷戦の展開に影響を与えたのかが少しずつ解明された。その結果、「米ソ関係史」や「米国外交史」として進んできた冷戦史は、国力やイデオロギーも異なる、様々な国家や政治主体の間の相互関係を捉える「国際関係史」として描き直されてきた(青野 二〇一二b)。事実、近年刊行された通史の多くは、それぞれに特徴ある視点から「国際関係史」として冷戦史を捉えようとしている(ウェスタッド 二〇一〇、佐々木 二〇一一、マクマン 二〇一八、小川・板橋・青野 二〇一八、ウェスタッド 二〇二〇、山本 二〇二〇、Lüthi 2020)。

こうした研究動向を踏まえて、本稿では、冷戦史を見るうえで重要なテーマをいくつか取り上げ、冷戦の展開を「国際関係史」の視点から描いていく。まず、冷戦の起源と分断体制の形成過程を描き、続く各節では同盟、脱植民地化、核兵器、デタントをキーワードに冷戦システムの政治力学を概観する。また、欧州とアフガニスタンにおける冷戦の終焉過程を比較することで冷戦の展開の重層性や地域差・時差の問題についても指摘したい。

一、冷戦の起源と分断体制の成立

戦後構想をめぐる対立

そのイデオロギー的相違にもかかわらず、第二次大戦中の米ソは、英国と共に同盟国となった。それはイデオロギー的には反共かつ反自由主義的で、拡張的な対外行動をとった枢軸諸国を共通敵と見たからだ。しかし枢軸国が敗北し、伝統的大国の英仏も大戦で凋落したため、米ソは相対的に強大な国家として戦後世界に立ち現れることになる。

冷戦の萌芽は戦後秩序をめぐる米英ソの対立のなかに存在した。英米両国はすでに一九四二年には戦後国際秩序について検討を始めており、開放的な国際経済体制と普遍的な安全保障機構の創設を構想していた。そこには大恐慌が国際的な対立をもたらし、それに国際連盟が無力であったという教訓が反映していた。英米の構想は四四年七月に合意された「ブレトン・ウッズ体制」と呼ばれる経済体制と、四五年六月に合意された国際連合(国連)の創設へと結実した。ただし、国連は、普遍的な集団安全保障体制をめざす一方、米英ソ中(蔣介石の国民政府:以下、国府)を中心に国際安全保障秩序を運営しようとするF・ローズヴェルト大統領の「四人の警察官」構想に基づくものでもあった。

他方ソ連は欧州とアジアでそれぞれ対独・対日安全保障を確保しようとしていた。欧州では対独緩衝地帯を確保するため東欧とバルカン半島を勢力圏にし、峻厳な占領政策と多額の賠償によるドイツ弱体化が目指された。また、アジアでは中国に安定政権を樹立し、海軍力を太平洋に展開するため日本から千島列島などを獲得する必要があった。

このように戦後構想の相違はあったものの、戦後一定の時期まで米英ソ三国には互いに協調する用意があった。米英は「四人の警察官」のみならず、ブレトン・ウッズ体制でもソ連が重要な役割を果たすことを想定していた。ソ連の指導者ヨシフ・スターリンは世界革命という究極目標こそ放棄していなかったが、米英にソ連の勢力圏を承認して欲しいと考えていた。また、戦争で荒廃したソ連経済の復興にも経済大国である米国の支援が必要であった。しかし、協調を望みながらも三国は、その死活的利益を確保するためには一方的行動をとる用意があり、それが対立へとつながっていくのである。

欧州の分断

四五年四月にローズヴェルトが死去してハリー・トルーマンが大統領となり、翌月にはドイツが降伏する。米英とソ連の相違が明らかになりはじめたのはこの頃からである。ソ連の東欧支配も重要な対立点ではあったが、より重要なのはドイツであった。米英がドイツの経済回復を西欧全体の復興の鍵と見ていたのに対し、ソ連はドイツの弱体化を目指していた。さらに米英とソ連は、トルコやイランでも対立した。それは、東地中海からインドにかけて広大な帝国を持つ英国と、ボスポラス＝ダーダネルス海峡を管理する権限を獲得し、イラン経由でペルシャ湾への影響力を確保したいソ連の対立の側面が強かった。こうして世界各地でソ連との対立が生じるなか、米国の政策は対ソ協調から、ソ連の影響力拡大を阻止する「封じ込め」戦略へと変化し始める。

四七年三月には「トルーマン・ドクトリン」が発表される。これは、左翼勢力と内戦を戦う親英的なギリシャ政府とソ連の圧力を受けていたトルコに経済・軍事援助を行うよう米国議会に求める演説であった。ここでは戦後再び米国が欧州に関与することを厭う国民を説得するため、ソ連を「全体主義」として敵視するイデオロギー色の強いレトリックが用いられた。ただし、長らく冷戦開始の「宣言」とも理解されてきたこの演説に対して、ソ連が脅威を感じていなかったことが、旧ソ連史料の分析によって明らかになっている(マストニー 二〇〇〇)。

むしろ欧州をめぐる対立の転換点は、四七年六月発表の「欧州経済復興計画」(ERP)、いわゆる「マーシャル・プラン」であった。四六年末から欧州は厳しい寒波に見舞われ、人々は餓えと寒さに苦しんだ。米英はこうした政治・経済の混乱に乗じて共産主義者が勢力を拡大することを恐れた。そこで米国は対ソ協調を放棄して、英仏と共にドイツ・欧州の経済復興に突き進むためにERPを発表したのだ(スティル 二〇二〇)。

これにソ連は強く反発した。東欧諸国がERPに参画すれば、経済援助を通じて東欧に対する米の影響力は拡大しソ連の勢力圏は瓦解する。こう考えたスターリンは米提案を拒絶し、東欧諸国にもERP参加を禁じた。その後ソ連は東欧への政治・経済的な支配を強めていった。四七年九月、コミンフォルム(共産党・労働者党情報局)が設立され、四八年二月にはチェコスロヴァキアでクーデタが発生し共産党一党支配が成立した。さらに四九年一月には、ソ連・

東欧の経済関係強化のための経済相互援助会議(コメコン)も設立された。

こうしてERPを境に、米英仏とソ連は大国間協調を放棄し、単独行動で安全を確保する方針へ転換、欧州分断は加速していく。チェコ・クーデタを機に米と西欧は軍事同盟条約の締結について議論を始めた。これを後押ししたのが、西部ドイツ国家の建設を目指し始めた米英仏への反発から、スターリンが引き起こした、四八年六月のベルリン封鎖危機である。結局ソ連は、一年後の四九年五月に封鎖を解除したが、この危機に後押しされて、四九年四月に西側諸国は北大西洋条約機構(NATO)の創設に合意した。さらに同年秋には東西二つのドイツ国家が誕生し、ヨーロッパは分断された。

アジアにおける分断

同じ時期にはアジアでも分断が進んでいた。欧州とは対照的にそれは武力衝突を伴った。

日本降伏後、中国大陸では国府と共産党の内戦が再開された。米国が「四人の警察官」の一人と想定する国府が敗北し、中華人民共和国(中国)建国が宣言されたのは四九年一〇月であった。五〇年二月には中ソ友好同盟相互援助条約が締結され、中国はソ連の同盟国となった。他方、国府は台湾に移り、内戦は台湾海峡をまたいで続くことになる。

内戦は朝鮮半島でも発生した。四五年九月以降、朝鮮半島は北緯三八度線を境に北部をソ連、南部を米国が占領した。当初は統一国家が設置される予定であったが、欧州と中国の情勢が変化するなか、四八年半ばには朝鮮民主主義人民共和国(北朝鮮)と大韓民国(韓国)がそれぞれ建国された。しかし北朝鮮と韓国はいずれも、自国主導での再統一を狙っていた。そして、中ソから南進の許可を得た後、五〇年六月に北朝鮮軍は三八度線を越えた。朝鮮戦争である。この戦争の開始直後に米国が、五〇年秋には中国が、それぞれ南北朝鮮を支援する形で大規模な軍事介入を行ったため戦争は長期化する。その後戦局は三八度線付近で膠着し、五三年七月の休戦協定締結まで続いた。

アジア情勢の展開は米国の同盟政策に影響を与えた。国共内戦が本格化した四七年ごろから、米国は軍国日本を弱体化・民主化するそれまでの方針から、国府に代えて日本をアジアのパートナーとする方針に転じた。朝鮮戦争はこれを加速し、五一年九月にはサンフランシスコ平和条約と日米安保条約が締結され日本は独立を回復する。また米国は五三年一〇月には韓国、五四年一二月には国府とそれぞれ相互防衛条約を締結した。

このように五〇年代初頭までには、台湾海峡と朝鮮半島の北緯三八度線を挟んで分断国家が成立し、米国と日韓台、またソ連と中朝の東西陣営とが対峙する状況ができあがった。欧州と同様、アジアでも分断体制が形成されたのだ。

安全保障のジレンマとしての冷戦

こうした一九四五年以降の、欧州そしてアジアの分断が確定していく過程をどのように見ることができるだろうか。日本における冷戦起源論の嚆矢ともいえる研究において、政治学者の永井陽之助は冷戦を「交渉不可能性の相互認識に立った非軍事的単独行動の応酬」と定義した(永井 一九七八)。相互に対立する利害を持ちながらも大国間協調を選択肢としていた米英ソが、交渉を放棄して安全確保のために一方的な行動をとっていく様子はこの見方に当てはまる。しかし、安全確保のための行動が緊張を高め、かえって安全が損われるというパラドクスに米英ソは陥った。国際政治学の用語で言う「安全保障のジレンマ」である。ただし、冷戦の展開を全てこうした米ソの安全確保の行動で説明することはできない。次節ではこの点を東西双方の同盟政治の力学に注目しながら確認してみよう。

二、冷戦と同盟

招かれた帝国、強制による帝国

冷戦は二つの同盟の対立でもあった。前述したNATOを手始めに、五〇年代前半までに米ソは多くの地域の多くの国々と同盟を形成していった。ただし、その形成の過程や形態、また同盟が実際にどの程度機能したのかは様々であった。また、同盟が冷戦体制のなかで果たした機能も相手陣営に対する軍事的結束だけではなかった。

東西の同盟はいずれも「非対称」なものであった。米ソと他の同盟国の国力差が大きく、他の同盟国に対して米ソが一方的に安全を保証するものとなっていたからだ。こうした関係を「帝国」と形容する論者もいる。ただし「帝国」の作られ方は東西間で異なっていた。

欧州における西側の同盟を「招かれた帝国」とよぶ議論がある。例えば、ERPの発表後、欧州側で米の経済援助を受け入れる努力を主導したのはアーネスト・ベヴィン英外相とジョルジュ・ビドー仏外相であった。また西欧諸国はNATO創設の際にも重要な役割を果たした。四〇年代後半の米国では依然孤立主義的傾向が強く、米国議会は米国の欧州防衛関与に否定的であった。そこで、英仏とベネルクス三国は四八年三月にブリュッセル条約を締結し、欧州防衛における西欧の「自助努力」をアピールしようとした。このように西欧諸国は主体的・能動的に米国を「招き入れる」努力を行い、それによって分断の過程で一定の役割を果たしたのだ(Lundestad 1986)。

東側では五五年五月にワルシャワ条約機構(WTO)が形成されている。実際のところ四〇年代後半からすでにソ連の東欧支配は強化されていた。スターリンに忠実な各国の共産主義者が、様々な手段で他の政治勢力を排除しつつ共産党一党支配と計画経済の導入を進めていたのである。つまり、東欧の帝国はソ連によって「強制」された、東欧支配の手段としての側面が強かったのだ(ギャディス 二〇〇四：八六頁)。

二重の封じ込め

ただし同盟が、超大国による「支配」や国際秩序維持の道具であったことは西側でも同じであった。NATO初代事務総長のヘイスティングス・イスメイは、NATOの目的を「米国を欧州に留め、ロシア(ソ連)を締め出し、ドイツを押さえつける」ことだと述べた。米国の西欧防衛関与は、ソ連に対してだけでなく、西欧諸国を二度も世界大戦に巻き込んだドイツに対してのものでもあったのだ。こうした西欧の安全保障体制のあり様は対ソ・対独「二重の封じ込め」と表現される(青野 二〇一二a:二二頁)。

同様の構図はアジアでも観察できる。朝鮮戦争を契機に米国が対日講和を推進すると、フィリピン、オーストラリア、ニュージーランドなど大戦中に日本と戦った国々は日本の独立と再軍備に危惧を抱いた。そこで米国はこれらの国々とも米比条約やANZUS条約を締結し対日不安を緩和しようとした。米国のアジア同盟政策にも、対日「二重の封じ込め」の側面があったといえよう(菅 二〇一六:二七頁)。

同盟の揺らぎ

ただし超大国が常に一方的、効果的に同盟国を支配できたわけではない。同盟国は独自の国益や安全保障認識から行動し、超大国の行動や冷戦体制のあり様、また冷戦の展開に影響を与えた。西側同盟諸国の動きについては前出の「招かれた帝国」や後述する「拡大抑止」及び「デタント」の項で触れるので、ここでは東側の同盟に目を向けてみよう。

五三年三月にスターリンが死去すると新指導部は対外政策を「平和共存」(後述)へと転換し、東欧の「非スターリン化」にも乗り出した。東欧支配のためにスターリンが実施した施策は人々の不安と不満を高め、五三年六月には東ドイツ(東独)で暴動が発生した。こうした事態の再発を恐れたソ連は、東欧諸国政府に政治的抑圧の緩和と生活水準向上を命じた。さらに五六年二月にはソ連の指導者ニキータ・フルシチョフがスターリンの政策上の過ちとその個人崇拝を攻撃する「スターリン批判」を行った。

スターリン批判は東欧諸国を揺さぶり、五六年六月から一〇月にかけてポーランドとハンガリーで大規模な反政府暴動が発生した。ポーランドでは国民の間で人気のあるヴワディスワフ・ゴムウカが指導者となり、ポーランドのWTO残留を言明したことで危機は去った。しかしハンガリーでは新指導者ナジ・イムレがWTO脱退を表明したため、ソ連は軍事介入に踏み切った。こうした東欧での改革の動きにソ連が軍事介入する例は、六八年のチェコスロヴァキアでも繰り返された(プラハの春)。ソ連は、東欧における同盟の揺らぎを繰り返し軍事的に押さえつけたのだ。しかし、アジアにおける東側同盟の揺らぎはさらに先鋭な形を取ることになる。

朝鮮戦争後の数年間、ソ連は荒廃した中国の復興と発展を後押しするため大規模な経済・技術支援を行った。また同盟強化のためにソ連は原爆のサンプル提供も申し出た。中国の側でも先発する社会主義国として成功したソ連の経験から多くを得ようとしていた。五七年までに中国の経済政策は成功し、中ソ同盟も蜜月関係を迎えた。しかし対立の兆しが生まれたのもこの頃のことだ。自国の経済的成功により、毛沢東は、ソ連モデルに依拠しなくても中国は独自に社会主義を発展させることが可能だと考えるようになった。次第に急進化し始めた毛は、この頃から米国とのデタント(緊張緩和)を模索し始めたソ連への批判を強めていく。中ソ間の論争は六三年までには公のものとなり、六〇年代後半以降、両国は互いに相手を軍事的脅威と見るようになっていった。六九年にはダマンスキー島と新疆の二カ所で国境をめぐる武力紛争も発生した。この時ソ連は、核兵器による報復の可能性すら示唆したのである(ウェスタッド 二〇二〇：上巻九章)。

ここまで見たように、国力の面で非対称な関係にあるとはいえ、米ソの同盟国の独自の動きは超大国の行動や冷戦の展開にも大きな影響を与えた。そして同じことは、脱植民地化の過程から生まれた政治勢力や新しい国家にも当てはまるのである。

三、脱植民地化と冷戦

脱植民地化と冷戦のグローバル化

戦前のアジア、中東、アフリカ、中南米は欧米や日本の帝国主義的支配の下にあった。しかし大戦によって西欧宗主国が弱体化し、一旦はアジアの西欧植民地を征服した日本が敗北すると、帝国支配から脱して近代国家を建設しようとする現地政治勢力のナショナリズムが高まった。その結果、戦後の約三〇年間に数十もの新国家が誕生する。こうした地域は、西側＝第一世界、東側＝第二世界に対して第三世界とよばれた。

脱植民地化と冷戦は時期的に重なって発生したが、本来全く異なる歴史的潮流である。しかしこの二つの流れは互いに強く影響し合いながら進展した。脱植民地化の過程では、新国家の政治経済体制をめぐって現地の政治勢力の間で対立や衝突が生じたり、再植民地化を試みる宗主国と現地勢力との間で反植民地戦争が起きたりした。米ソはここに、自らが支援する側に軍事・経済的支援を与えたり、情報部による秘密作戦を実施したりする形で介入していった。米ソが第三世界に介入したことで冷戦はグローバルに広がり、また、第三世界の紛争はしばしば武力衝突を伴う「熱戦」となった。それが促進されるか阻害されるかはケース毎に違ったものの、脱植民地化の過程において「超大国間の冷戦はつねに重要な外部変数として作用することになった」(マクマン 二〇一八：一四一頁)。

例えば、朝鮮戦争は日本の植民地支配から脱し、米ソの支援を受けて成立した二つの朝鮮人国家が、自ら主導する形で統一を達成しようとして生じた内戦であった。当初は北朝鮮の有利に展開した戦争は米中の介入で熱戦化・長期化し、最終的には分断体制が固定化された。それはまた、米中対立を固定化し、日本を西側同盟に組み込み、さらには西ドイツ再軍備を促して、アジアを越えて欧州の冷戦の展開にも影響を与えた。

日本敗北後に独立を宣言したベトナムでは、四六年に旧宗主国フランスとの間で第一次インドシナ戦争が発生し、米国は五〇年から対仏支援を本格化させた。また長らく英国が強い影響力を保持していたイランで五一年に石油国有化が宣言されると、米英両国の情報部(CIAとSIS)は協力してクーデタを引き起こし、ナショナリストのモハンマド・モサッデク政権を転覆に追い込んだ。また米CIAは中南米のグアテマラでも選挙によって選ばれた政権を転覆する工作に関与している。

スターリン時代には欧州に関心を集中させていたソ連も、五〇年代半ば以降は第三世界への関与を強めた。フルシチョフは、ソ連の反帝国主義と急速な重工業化・経済成長に成功したソ連型経済モデルが脱植民地化の過程にある諸国や地域には魅力的なものと映るはずだと考えて、経済援助や貿易を通じて第三世界におけるソ連の影響力拡大を目指した。実際、ソ連は五五年のインドを皮切りに、ビルマ(現ミャンマー)、カンボジア、インドネシアなどと次々に経済協定を締結していった(ガイドゥク 二〇一四)。

冷戦に対する第三世界諸国の影響力

第三世界は単に米ソ冷戦の戦場となっただけではなかった。植民地支配を脱して新国家建設に邁進しようとする勢力や国家は、内戦や反植民地戦争を戦い抜き、独立後の新国家建設や経済発展、安全確保に必要な支援を得るために冷戦を利用することができた。

戦後初期の東南アジアではベトナムのホー・チ・ミンとインドネシアのスカルノが、それぞれ宗主国の仏・蘭と独立戦争と戦った。当初彼らは米国に支援を求めた。第一次大戦以来米国が自決権の原則を支持してきたからだったが、同盟国の仏・蘭を慮って米国はこれに応じなかった。興味深いのはその後のホーとスカルノの対応の違いである。戦間期から共産主義者として活躍してきたホーは中ソに接近し、五〇年から両国は対越支援を開始した。他方スカルノは、インドネシア共産党による反乱を鎮圧して自身が反共主義者だと米国に示し、自身への支持を得ようとした。事実、米国はスカルノ指導下でインドネシアを独立させるよう蘭に圧力をかけた(マクマン 二〇一八)。

第三世界の指導者が米ソ双方から援助を引き出したケースもある。英国にとって戦略的に重要なスエズ運河を有するエジプトは、独立国ではあったが、一九世紀後半以来、英国の強い影響力下にあった。こうした状況を覆そうとしたのが非同盟主義(後述)をリードし、アラブ民族主義を唱えて中東や第三世界で影響力を拡大させつつあったガマール・アブドゥル・ナーセルであった。ナーセルは、英国にスエズからの撤退を求める一方、アラブの指導者としてイスラエルとも対立を深めていた。当初、米国に武器支援を要請して断られたナーセルはソ連に接近し、五五年九月にはチェコスロヴァキアとエジプトの間で武器取引協定が締結された。そこで中東で強い影響力を持つナーセルを慰撫するために米国はエジプトが建設するダムの建設資金提供を申し出た。五六年七月に米国はダム建設援助を撤回したが、その時すでにナーセルはソ連から援助を受けることになっていた。七月末にエジプトがスエズ運河国有化を宣言すると、一〇月末、英国は仏・イスラエルと共にエジプトへの攻撃を開始した(スエズ戦争)。ナーセルは米ソ対立を巧みに利用したのだ。

ナーセルの戦略は東西いずれの陣営にも公式には与しない非同盟主義によって可能となった部分がある。非同盟主義はナーセルやネルー印首相らが主導したものであり、第三世界諸国が結束して帝国主義的支配や、冷戦から生じる核戦争の危険性への反対を表明しようとするものであった。こうした動きは五五年のアジア・アフリカ会議(インドネシア・バンドン)や、六一年の非同盟諸国会議(ベオグラード)につながった。ただし、ネルーらが非同盟諸国の指導者として国際的な存在感を拡大し、東西双方から援助を引き出すために意図的に振る舞っていた面もある。

このように第三世界諸国は、米ソ冷戦がもたらす危険性に直面しながらも、自国の利益を実現するために冷戦を能動的に利用したのであり、それがまた米ソの行動やグローバルな冷戦の展開にも影響を与えた。ではこの点をベトナム戦争を事例に見てみよう。

ベトナム戦争の影響

先述した第一次インドシナ戦争で仏は敗北に追い込まれ、五四年のジュネーブ和平会議の結果、ベトナムは北緯一七度線で分割され、北側をホー・チ・ミンが指導するベトナム民主共和国(以下、北越)が、南側を米国の支援するベトナム共和国(南越)が統治することとなった。

米国が、東南アジアの一カ国が共産化すれば他の国々もドミノ倒しのように共産化していく「ドミノ理論」認識を持ち、それゆえ最初の「ドミノ」として南越を支えようとしたことは周知の通りだ。他方、六〇年に南越内部では解放民族戦線が反政府闘争を開始し、北越もこれを支援していった。米国は当初、南越政府への経済支援や軍事顧問団の派遣で対応したが、六五年二月にリンドン・ジョンソン政権は北越に対する爆撃を開始し、七月には地上軍派遣に踏み切った。対する北越も、対立を深めつつあった中ソ両国を競争させる形で援助を引き出し、抵抗を続けた。

次第に泥沼化していった戦争は広範な影響を持った。六〇年代半ばに米国は、ソ連に核軍備管理交渉を提案していたがソ連側はこれを拒絶した。ベトナム介入への反発はその一つの理由であった。また、戦局が悪化していくにつれ、当初は政府を支持していた議会や世論も戦争の正当性に疑念を抱くようになっていった。その結果、米国だけでなく、西側同盟国を含む世界各地でベトナム反戦運動が盛んになった。さらに戦争のための巨大な軍事費が米国経済を圧迫し、西欧や日本が発展するなか、米国の経済力は相対的に凋落していった。このようなベトナム戦争の影響が、先述した中ソ対立や次節で見る米ソ核戦力バランスの変化とあいまって、第五節で検討するリチャード・ニクソン政権のデタント政策の重要な背景となっていくのである。

四、核兵器と冷戦

米ソ核軍拡競争

一九四五年八月に米国は広島と長崎に原爆を投下した。それは冷戦末期まで続く米ソ核軍拡競争の起点となった。スターリンは八月二〇日には原爆開発を命じ、四九年八月、ソ連は最初の原爆実験に成功した。米国の軍事的優位が失われることを恐れたトルーマンは、五〇年一月、原爆よりも破壊力の大きい水素爆弾(水爆)の開発を決定する。

米国は五二年秋に水爆開発に成功し、ソ連も翌年八月、これに続いた。水爆の巨大な破壊力によって核兵器の小型化が可能になり、戦場で敵を殲滅するための戦術核兵器など、多種多様な核兵器の開発・配備が進んだ。米ソはまた、核弾頭の運搬手段の開発にも力を入れ、五〇年代終わりまでには長距離爆撃機や中距離弾道弾も配備されていった。そして五七年にソ連は、大陸間弾道弾(ICBM)の開発、そして人工衛星(スプートニク)の打ち上げに米国に先んじて成功した。これを境にフルシチョフはソ連の技術的・軍事的優位を誇る言説を振りまき、後述するような核危機を引き起こしていく。

実際のところ間もなく米国はICBM開発でソ連を追い越し、六〇年代に初めにその核戦力はソ連を凌駕するようになる。この頃までに両国は人類を破滅させるほどの核兵器を保有し、互いに相手に対する核攻撃を躊躇することが想定される「核の手詰まり」という状況が生じていた。そしてこれが米国と同盟国の関係にも影響を与えていくことになる。

拡大抑止と同盟

米ソ両国はその核戦力を同盟国の防衛にも用いていた。自国の核抑止力を同盟国にも拡大して適用することから、これを「拡大抑止」という。そして一九五〇年代後半以降、米国とその同盟国が直面したのが「拡大抑止の信頼性」をめぐる問題であった。「核の手詰まり」状況の下、米国は米本土が核攻撃される危険を冒してでも同盟国に核抑止力を提供できるのか、つまり米国の拡大抑止は信頼できるのかが同盟内で問われるようになったのだ。そして米国の方では、米国に対する「信頼性」が失われれば、同盟国が独自の核抑止力を保有したり、西側同盟から離反するかもしれないという危惧を抱くようになる。

実際にフランスはすでに五四年末から核兵器開発を進めていた。だが、より問題が大きかったのは、「二重の封じ込め」の対象となっていた西ドイツ(西独)である。アデナウアー西独首相は、五六年以降、米国の「信頼性」に不信を抱き、西独が戦術核兵器を確保する手段を模索していた。その契機の一つが同じ年に発生したスエズ戦争であった。英仏のエジプト侵攻後、米国は国連でソ連と共に英仏に撤兵圧力をかけたが、それはアデナウアーの目には同盟国への裏切り行為のように映ったのだ(岩間 二〇一一)。

「脅迫外交」・核抑止と核危機

冷戦期を通じて米ソ両国は、核兵器による脅しを外交目的のために利用しようとした。スエズ戦争の際にソ連は、英仏に対して停戦に応じなければ核ミサイルで報復する可能性を示唆している。核兵器の威を用いたフルシチョフの「脅迫外交」は、ソ連がスプートニク打ち上げに成功した五七年以降さらに強まった。米国もまた、五四年と五八年に中国が引き起こした第一次・第二次台湾海峡危機や、五八年秋と六一年夏にソ連が引き起こしたベルリン危機の際などには、一方的に現状を変更した場合には核兵器による報復も辞さないとの態度を明示することで、中ソに対して「核抑止」を行使しようとした。

核をめぐる冷戦期の政治力学を最もよく示すのは六二年一〇月のキューバ・ミサイル危機であろう。キューバ危機の発端は、六二年春頃に、フルシチョフがキューバに中距離弾道弾の配備を決定したことであった。フルシチョフがミサイル配備を決定した理由については、まだ歴史家の議論が続いている。ただし、核軍拡競争、とりわけＩＣＢＭ開発での対米劣位を、米本土に近いキューバに中距離弾道弾を配備することで克服しようとしたこと、またこれによって、当時のソ連が間近だと考えていた米国のキューバ侵攻を抑止しようとしていたことは、ほぼ確実であろう（ウェルチ、マントン 二〇一五）。

米国がキューバのミサイル基地を発見した六二年一〇月一四日から、最終的にソ連がミサイル基地撤去を発表するまでの一三日間は、世界が最も核戦争に近づいた期間であったと言われる。多くの研究が示してきたように、この間、ジョン・Ｆ・ケネディ米大統領とフルシチョフは、それぞれの目的を可能な限り達成しながらも、核戦争を発生させないように慎重に行動した。核兵器の巨大な破壊力が米ソの指導者を慎重に行動させたことは間違いない。こうした側面に着目して、核兵器が冷戦を「長い平和」にした重要な要因であったとする議論もある（ギャディス 二〇〇三）。

しかしキューバ危機のさなか、「拡大抑止の信頼性」の問題が米ソ両方に足かせになったこともまた確かだ。ミサイルをキューバから除去し、かつ、核戦争を防止するために米国は、何らかの対ソ譲歩を行わなければならなかった。しかし「拡大抑止の信頼性」を失うことを恐れたケネディは同盟国の利害が絡む問題では譲歩できず、それが外交的解決の選択肢を狭めたのだ。また、キューバ危機が、五〇年代から続く核軍拡競争と、核兵器による脅迫の相互応酬の結果として生じたことにも注意が必要だ（青野 二〇一二ａ）。つまり核兵器は冷戦を安定化させただけではなく、核危機をもたらし不安定化させた面があり、さらに「拡大抑止」が危機の解決を困難にした面もあった。こうした核危機の性質もあって、冷戦期には東西緊張を緩和し、核戦争を防ごうとする動きが生じていくことになる。

五、デタント(緊張緩和)

デタントの目的

欧州とアジアで分断体制が確立し、水爆の開発が進んだ一九五〇年代中頃から、様々なアクターが東西間の緊張緩和=デタントを模索するようになった。まず何よりも、デタントは核戦争防止の観点から望ましく、その手段として交渉を促進し、東西の分断線に沿って現状を「固定化」「安定化」することが目指された。他方でデタントは、冷戦における宣伝戦(プロパガンダ)の手段としても重要であった。核戦争への危機感が高まると各国世論も緊張緩和を求めるようになる。それに応える対外政策を採ることは、自国内・自陣営内の支持を取り付けるうえでも、相手陣営の国内世論に訴えかけるうえでも望ましかった。また、うまくすれば相手陣営内での内部分裂を引き起こすことも可能になるはずであった。

このような、固定化・安定化志向のデタント政策に対して、中長期的に冷戦を終わらせることを目的としたそれもあった。こうした方針はしばしば、米ソの同盟国によって追求された。冷戦が続けば、安全保障で米ソに依存している同盟国は超大国に対して従属的な地位に置かれ続けることになるし、分断国家の場合には再統一という国民的悲願も達成できない。そのため、当面は現状を受け入れつつ、究極的には分断体制や冷戦の解消を目指す政策が展開されたのだ。では、こうした様々なデタント政策の事例を見ていこう。

「平和共存」の模索

五三年三月にスターリンが死去するとソ連は外交政策を転換していく。同年八月の演説でゲオルギー・マレンコフ首相は、ソ連の水爆開発成功を明らかにしたうえで、米ソ二つの体制の「平和共存」を支持すると述べた。緊張緩和と平和共存を強調することで、ソ連は、超大国間の戦争を防ぎ、また、西側社会の反ソ感情を和らげて西独の再軍備を進める西側の結束を切り崩そうとしたのだ。

同年の五月にはウィンストン・チャーチル英首相も米英ソ首脳会談の開催を提案している。東西交渉によって戦争の可能性を低下させると同時に、米ソの仲介役となることで、超大国と格差が明らかになっていた英国が依然「大国」であることを誇示しようとしたのだ。同様の行動は彼の後継者にも見られ、例えば、五七年から六三年にかけて英国はベルリン危機やキューバ危機で米ソの仲介を試みている(青野 二〇二〇)。

ド・ゴール外交と西独の東方政策

一九五〇年代の英外交は固定化・安定化志向のデタント政策であったが、これとは対照的に六〇年代半ば以降、欧州冷戦を終わらせるビジョンを抱いてデタント政策を追求したのがシャルル・ド・ゴール仏大統領である。ド・ゴールにとって超大国を頂点とする二つの同盟が相対峙する冷戦は、それぞれの陣営内部で米ソが他の同盟国を支配する体制にほかならなかった。しかもキューバ危機は、米ソが互いに核戦争を戦う意志がないこと、すなわち究極的には同盟国防衛の意志がないことを示したのであった。そのためド・ゴールは中長期的には冷戦を終わらせ、東西欧州全体を包含する安全保障体制を構築しようとしていた。こうした構想を実現すべく、六四年以降、ド・ゴールは東欧諸国とソ連に接近し、中国承認にも踏み切った。ド・ゴールのデタントは冷戦対立を克服することで、超大国の欧州支配を覆そうとする試みでもあったといえる。

しかしド・ゴールの思惑に反して、仏ソ関係は進展しなかった。それはドイツをめぐる対立を両国が克服できなかったからだが、この問題に解を与えたのが六九年に成立した西独ヴィリー・ブラント政権の「東方政策」であった。

それはドイツ分断を「暫定的」に承認してソ連・東欧と関係を改善し、長期的に再統一を達成しようというものであった。その結果七〇年には西独とソ連、ポーランドの間でそれぞれ、戦後欧州の国境を「不可侵」とするモスクワ条約、ワルシャワ条約が締結された。さらに翌年にはベルリンの現状維持に関する四カ国(米英仏ソ)協定も締結された。

東方外交の成功は、三五カ国が参加する全欧安保協力会議(CSCE)の開催を可能にした。七五年にCSCEは最終議定書を採択し、これにより戦後欧州の現状が承認され、人権の原則や人・思想・情報の自由移動に関する規定も定められた(青野 二〇二〇)。

米中ソ・デタントの展開と限界

デタントを追求したのは欧州ばかりではない。フルシチョフが核危機を引き起こしたのは米ソ・デタントを求めたからでもあった。当時悪化していたソ連経済の改善には、緊張を緩和して軍事費を削減し、民生部門により多くの資源を配分せねばならなかった。そこでフルシチョフは、核危機を作りだすことで米国を交渉に引き込もうとしたのだ。

キューバ危機で核戦争の危険性を再認識したケネディもデタントを模索し、その結果、六三年八月には地下実験を除く全ての核実験を禁止する部分的核実験禁止条約が締結された。ケネディ暗殺後、ジョンソンも核軍備管理の領域を中心に対ソ・デタントを追求した。しかし、キューバ危機で核戦力の劣位を痛感し、核軍備の拡充を決意していたソ連はこれに応じなかった。それでも米ソ間では、民間航空協定など数多くの二国間協定が結ばれたのである。

米ソ・デタントは六九年一月に成立したニクソン政権によって新局面を迎える。ニクソン就任時、米国の地位は軍事面でも経済面でも凋落していた。ベトナム戦争により米国の国際的威信は大きく損なわれ、莫大な戦費によって経済的にも疲弊していた。さらに、ソ連が核軍拡を続けた結果、六〇年代末までに米ソの核戦力は均衡に達していた。

こうしたなかニクソンは対ソ政策を大きく変更した。それは交渉によって緊張を緩和し、ソ連に米国の国益を損なうような行動を自制する動機を与えようとするものであった。ニクソンはソ連をデタントへと誘導するために中国を利用するつもりだった。前述したように六九年には中ソ間で武力衝突が発生し、もはやソ連こそが中国の「主要敵」となっていた。そこでニクソンは、米ソの挟撃を恐れる中国は対米関係の改善を欲しており、同じ理由から、米中が接近すればソ連も対米関係改善を求めるようになると考えたのだ。

七二年二月に実現したニクソン訪中は米ソ関係の変化を促し、同年五月にニクソンは訪ソすることができた。米中接近への懸念に加えて、核戦力での対米「均等」を達成したソ連は、対等な「超大国」として米国とのデタントに向かおうとしていた。会談を終えたニクソンとレオニード・ブレジネフ書記長は、弾道弾の保有数に上限を課す戦略兵器制限条約や、国益の一方的追求に自制を求めることなどをうたう米ソ関係基本原則、経済交流協定締結になどに合意した。さらに七三年六月にはブレジネフが訪米し核戦争防止協定も締結された。しかし米ソ・デタントはすぐにその限界を露呈し始める。

六、冷戦の終焉

「新冷戦」から冷戦の終焉へ

米ソ・デタントの限界の最初の兆しは七三年一〇月の第四次中東戦争であった。この戦争で米国はイスラエル、ソ連はエジプト・シリアをそれぞれ支援したが、ソ連の介入を危惧した米国は核兵器の使用をソ連に仄めかした。米ソはまた、七五年にポルトガルの植民地から独立を果たしたモザンビークやアンゴラの内戦に介入して、対立を深めた。こうした対立は七七年にジミー・カーター政権が成立しても続き、米ソはエチオピア＝ソマリア間のオガデン戦争などにも関与していった。

そして米ソ関係は、七九年一二月のソ連によるアフガニスタン侵攻で決定的に悪化する。親ソ・社会主義のアフガニスタン人民民主党(PDPA)政権とイスラーム主義的な反政府勢力ムジャーヒディーンの間での内戦が始まると、ソ連は前者を支援するために侵攻し、米国は後者への武器供与などを開始したのだ。

この米ソ「新冷戦」期の米国を反ソ強硬派の大統領として牽引したのがロナルド・レーガンであった。レーガンはソ連を「悪の帝国」と呼ぶなど、強烈なレトリックを用い、大規模な核軍拡によってソ連に対する軍事的優位を追求した。実のところレーガンは強い立場から対ソ交渉に臨んで核軍縮を進め、最終的に核兵器を廃絶したいと考えていた。しかしソ連は反発し、八三年末までに米ソ関係は最悪の状況に陥っていく。

その後、米ソ関係は八五年三月にミハイル・ゴルバチョフが共産党書記長に就任したことを契機に大きく変化し始めた。八〇年代に悪化したソ連経済を立て直し、社会主義体制を改革・維持しようとしていたゴルバチョフは、西側と関係を改善し軍縮を進めて軍事費を削減することが必要だと考えていた。彼の「新思考外交」は、東西双方が互いの利益と安全を尊重することで、ソ連の安全保障も確保できる「共通安全保障」という考えに基づくものであり、西側に軍事・政治・経済的に対抗することで安全を得ようとする従来のソ連の安保政策とは大きく異なるものであった。

レーガンとゴルバチョフは八五年一一月に最初の会談を行って以来親密な関係を築き、八七年一二月には、米ソが欧州とアジアに配備した中距離核ミサイルを全廃するINF全廃条約を締結した。これは、配備済み核兵器の削減・廃棄を約した史上初の条約であった。その後も両者は互いに訪米・訪ソして米ソ関係改善を印象づけた。レーガンの退任後の八九年一二月にはジョージ・H・W・ブッシュ大統領とゴルバチョフが地中海のマルタで冷戦終結を宣言したとされる。

こうした「新冷戦」から「冷戦終結」への急速な米ソ関係の転換がなぜ生じたのか。一つの説明は米国「勝利史観」とも言える見方であり、レーガン政権の大規模軍拡と強硬姿勢に直面したソ連が譲歩を余儀なくされたというものである。これに対して、ゴルバチョフ外交を最も重要だと考える「ゴルバチョフ要因論」もある(ブラウン 二〇〇八)。しかし、米ソのみならず、西欧・東欧諸国などの様々な史料が利用可能となった現在、複数の国家の様々な役割や、東欧諸国の社会変動なども射程に入れた複合的な「過程」として冷戦終焉は捉え直されつつある。この点を欧州のケースを見て確認しよう。

欧州・ドイツ分断の終焉過程

冷戦初期から東欧はソ連の安全保障上の「資産」ともいえる地域であった。ソ連が軍事力を用いてでも東欧の「帝国」を保持してきたのはそのためである。ソ連が自国産石油を低価格で輸出し、低品質の東欧製品を輸入するなど、多大な経済的コストを払って東欧諸国政府を支えてきたのも同じ理由による。しかし、経済的な苦境に直面し、新思考外交へと舵を切りつつあったゴルバチョフにとって東欧は「負債」となりつつあった。事実、八六年以降ゴルバチョフは東欧諸国の改革には介入しないとの姿勢を示すようになっていく。

八八年後半からは東欧で大きな変化が始まった。絶望的な経済状況に陥ったポーランドでは労働者のデモやストライキが続発した。窮地に陥った共産党政府は、八一年に非合法化されていた反体制派の独立系労組「連帯」と交渉を行う決断を下した。それはゴルバチョフが後押ししたからでもあった。連帯との交渉を経て、八九年六月には自由選挙が実施され戦後初の非共産党政府が誕生した。ハンガリーでも八八年一一月に成立した急進改革派の新政府による民主化が進み、八九年九月にはハンガリー・オーストリアの国境も開放された。そして多くの東独国民が、両国を経由して西独に亡命していった。当の東独国内でも政治的緊張が高まり、国内各地で大規模なデモが続発した。それでもゴルバチョフは不介入姿勢を貫いた。そして一一月九日、六一年のベルリン危機のさなかに設置された「ベルリンの壁」が崩壊する。東欧の社会変動と「壁」の崩壊は、ソ連の不介入姿勢を背景として、東欧諸国の一般大衆と改革派の政治勢力が取った行動の結果として生じたのである。

ただしドイツが再統一するには関係諸国政府の交渉が必要であった。「壁」の崩壊から約三週間後の一一月末、ヘルムート・コール西独首相は「一〇項目提案」と呼ばれる再統一への里程標を発表した。さらに九〇年三月に東独でも選挙が行われ、コールが率いるキリスト教民主同盟(CDU)の姉妹政党が勝利した。こうして東独の国民が再統一を求める意思表示をしたことで、再統一に向けた外交交渉の気運が後押しされた。

では関係国の態度はどうであったか。ブッシュ大統領はコールの一〇項目提案を支持する姿勢を示した。しかし、ブッシュは統一ドイツのNATO帰属をその条件とするつもりであり、この点はコールも同じであった。他方、ゴルバチョフは当初、関係国への事前協議なく出されたコール提案に激怒していた。しかし、東独国内の政情不安などに鑑み、九〇年一月末までには再統一は不可避との考えに至った。だが依然として彼には統一ドイツのNATO帰属を受け入れるつもりはなかった。

そのため、九〇年二月以降の関係国の交渉過程では、いかにしてソ連に統一ドイツのNATO帰属を受け入れさせるかが問題となる。これを克服するうえで重要だったのは、(1)ブッシュ政権が、統一ドイツが加盟したNATOはソ連の脅威とはならないとゴルバチョフに確信させるため一連の安心供与策を行ったこと、(2)統一ドイツのNATO加盟を阻止するうえでゴルバチョフが外交的支援をあてにしていたミッテラン仏大統領が態度を変えたこと、(3)ソ連に対する経済援助、特に西独からのそれを得るためにコールへの譲歩が必要だったことであった(山本 二〇二〇)。この最後の問題が九〇年七月の独ソ首脳会談で解決され、同年一〇月三日にドイツは再統一された。そして、一一月にパリで開催されたCSCE首脳会議においてNATOとWTOは不戦宣言を締結し、同会議が採択したパリ憲章は「欧州の対立と分断の時代は終わった」と宣言した。そして翌九一年七月にWTOは解散し、同年末にはソ連も崩壊した。

冷戦終焉の時差と地域差

こうして冷戦開始を特徴付けたドイツ・欧州の分断は武力紛争を伴わずに解消され、欧州冷戦は終焉した。ただし、グローバルな冷戦が全て同じタイミング、同じ形で終わったと考えるべきではない。アフガニスタンの例はこの点をよく示している。

八六年頃からゴルバチョフは、介入に必要な経済コストを削減し、米国や西欧諸国との関係を改善するため、アフガニスタンを初めとする第三世界から撤退しようとしていた。そして八八年二月までにソ連軍はアフガニスタンからの撤退を完了した。しかし、ムジャーヒディーンとPDPAに対する米ソの支援はソ連崩壊まで続いた。アフガニスタンでの米ソ冷戦は、欧州に遅れて、しかも多くの人的・物的コストを伴って終わった。この二つの地域における冷戦は、タイミングと終わり方の両方において大きく異なっていたのである(小川・板橋・青野 二〇一八：第一〇章)。

おわりに

米ソ両超大国の認識と行動が、冷戦の起源と展開、終焉過程を大きく左右したことは間違いない。しかし本稿で見てきたように、国際関係史の視角からは、米ソ以外の様々な国家や政治勢力の能動的な動きも冷戦の展開に影響を与えたことが見えてくる。また本稿では、各地域の間で冷戦の終わり方に時差があったことを指摘した。このことからは、「冷戦がもたらしたもの」にもある種の地域差があったことが浮かび上がってくる。

例えば、米ソ間、そして欧州での冷戦は東西間での武力紛争を経験することなく終わった。それゆえ、冷戦が「長い平和」であったとの議論には説得力があるように思えるかもしれない。しかしこれは第三世界には当てはまらない。

一九四五―九〇年の間に世界では約二〇〇〇万人が武力紛争の犠牲となったと推計されているが、そのうち約二〇万人を除く全てが第三世界の紛争で亡くなっているのだ(マクマン 二〇一八：七六頁)。

ただし恒常的な暴力に直面していたのは第三世界だけではなかった。実際には、米ソや欧州も含めて、冷戦期を通じて全人類が核戦争の危険性に曝されていた。だが、幸運なことに核戦争は冷戦終結まで「回避され続けた」。この意味で冷戦は「長い平和」というよりは核戦争の「長い先送り」であったにすぎない(ウェスタッド 二〇二〇：上巻四頁)。また、本稿では扱えなかったが、ソ連による「強制の帝国」支配の下にあった東欧のみならず、そのソ連国内でも数多くの人々が政治的抑圧と人権侵害の対象となっていたこと、また、五〇年代米国のマッカーシズムに見られたように、西側諸国でも「自由と民主主義の擁護」「反共主義」の名の下で抑圧が行われた部分があったことも念頭に置くべきだろう。

冷戦が終わり、かつて「社会主義」を標榜していた国家がグローバル市場経済に依存・適応しようとし、権威主義国家すら「民主的」であること装わねばならなくなった現在から見れば、米国と西側の「勝利」には意味があったといえるのかもしれない。しかし、世界が二つに分かれ、国家安全保障と「普遍的価値を持つイデオロギー」をかけて戦った冷戦は、数多くの人々を潜在的な、そして実際の暴力に曝し続けた紛争であった。冷戦史を学ぶ際には、こうした部分まで含めて、その性質を複合的に理解する必要があるだろう。

参考文献

青野利彦(二〇一二a)『「危機の年」の冷戦と同盟――ベルリン、キューバ、デタント、一九六一～六三年』有斐閣。
青野利彦(二〇一二b)「冷戦史研究の現状と課題」『国際政治』一六九号。
青野利彦(二〇二〇)「デタント」金澤周作監修・藤井崇他編『論点・西洋史学』ミネルヴァ書房。

岩間陽子（二〇二一）『核の一九六八年体制と西ドイツ』有斐閣。

ウェスタッド、O・A（二〇一〇）『グローバル冷戦史——第三世界への介入と現代世界の形成』佐々木雄太監訳、小川浩之・益田実・三須拓也・三宅康之・山本健訳、名古屋大学出版会。

ウェスタッド、O・A（二〇二〇）『冷戦——ワールド・ヒストリー』上・下、益田実・山本健・小川浩之訳、岩波書店。

ウェルチ、デイヴィッド・A、ドン・マントン（二〇一五）『キューバ危機——ミラー・イメージングの罠』田所昌幸・林晟一訳、中央公論新社。

小川浩之・板橋拓己・青野利彦（二〇一八）『国際政治史——主権国家体系のあゆみ』有斐閣。

ガイドゥク、イリヤ・V（二〇一四）「二つの戦争の間の平和攻勢——フルシチョフのアジア政策、一九五三—一九六四年」渡辺昭一編『コロンボ・プラン——戦後アジア国際秩序の形成』法政大学出版局。

菅英輝（二〇一六）『冷戦と「アメリカの世紀」——アジアにおける「非公式帝国」の秩序形成』岩波書店。

ギャディス、ジョン・L（二〇〇二）『ロング・ピース——冷戦史の証言「核・緊張・平和」』五味俊樹他訳、芦書房。

ギャディス、ジョン・ルイス（二〇〇四）『歴史としての冷戦——力と平和の追求』赤木完爾・齊藤祐介訳、慶應義塾大学出版会。

佐々木卓也（二〇一一）『冷戦——アメリカの民主主義的生活様式を守る戦い』有斐閣。

ステイル、ベン（二〇二〇）『マーシャル・プラン——新世界秩序の誕生』小坂恵理訳、みすず書房。

永井陽之助（一九七八）『冷戦の起源——戦後アジアの国際環境』中央公論社。

ブラウン、アーチー（二〇〇八）『ゴルバチョフ・ファクター』小泉直美・角田安正訳、藤原書店。

マクマン、ロバート（二〇一八）『冷戦史』青野利彦監訳・平井和也訳、勁草書房。

マストニー、ヴォイチェフ（二〇〇〇）『冷戦とは何だったのか——戦後政治史とスターリン』秋野豊・広瀬佳一訳、柏書房。

山本健（二〇二〇）『ヨーロッパ冷戦史』ちくま新書。

Lüthi, Lorenz M. (2020), *Cold Wars: Asia, the Middle East, Europe*, Cambridge, Cambridge University Press.

Lundestad, Geir (1986), "Empire by Invitation? The United States and Western Europe, 1945-1952", *Journal of Peace Research*, Vol. 23, No. 3 (Sep., 1986).

コラム｜Column

三八度線で分断された朝鮮半島

——その歴史と未来

大沼久夫

一九四五年八月一五日、朝鮮半島は日本の植民地支配から解放され、同時に米ソ両国により北緯三八度線で分断され、三八度線は、在朝鮮日本軍の武装解除のために米国が提案、ソ連が同意して決められた軍事分界線となった。朝鮮半島の人々にとってまさに青天の霹靂であった。

第二次世界大戦終結とほぼ同時に米ソ冷戦が始まり、三八度線はイデオロギーで南北を分断する、冷戦の最前線となっていった。米国の冷戦政策は一九四七年の「トルーマン・ドクトリン」(封じ込め政策)から始められた。

一九四八年八月一五日に大韓民国(韓国)、九月九日に朝鮮民主主義人民共和国(北朝鮮)が樹立され、分断は固定化された。五〇年六月二五日、北朝鮮の金日成が分断解消を目指し、韓国を解放するための民族統一戦争(内戦)として朝鮮(韓国)戦争を始めた。国連軍、中国人民義勇軍も参戦、約三年間続いた国際戦争に発展した。

一九五三年七月二七日に朝鮮戦争休戦協定が締結され、休戦ライン(東西幅約二四〇キロ)を挟み、対立は決定的となった。国連軍戦死者を慰霊、追慕する在韓国連記念公園が釜山市南区に整備されている。

休戦会談会場となった板門店は、ソウル北方約六〇キロにあり、会談場の中央に軍事境界線が走る。板門店見学の観光バスツアーは在郷軍人会主催で行われている(会談開催日、南北関係悪化の場合には中止)。

バスはソウル市街から国道一号線(統一路)を北上、戦車を阻止するために両側に岩積み上げのある道路から民間統制区域を越え軍事統制区域(非武装地帯＝DMZ)に入ると、国連軍兵士が乗り込み、パスポートチェックがある。幅約五メートルの道路の両側には地雷原の目印が続く。身体の安全は保証できない旨の書面にサインを求められ、北の警備兵(拳銃と自動小銃携帯)を刺激する華美な服装や銃を構える格好などは絶対にしないよう厳重な注意を受ける。一気に緊張感が高まり、ここが戦場であることを知らされる。七六年八月には南・国連軍と北の警備兵間で殺害事件が起きた。非武装地帯(幅四キロ・南北各二キロ)は、ほぼ山岳地帯であり自然豊かで平和公園にとの声もあった。休戦状態は今も続く。

一九九五年は日本の敗戦、朝鮮半島解放五〇周年であり、日韓国交正常化三〇周年でもあった。一月三一日、村山富市首相は衆院予算委員会で、南北分断に「日本国民として歴史的な責任がいくらかある」と発言、翌日取り消した。韓国各紙は発言撤回を批判、発言の撤回は誤りであった。八月一五日、村山首相は「戦後五〇周年の終戦記念日にあたって」(いわゆる村山談話)を発表した。

　同日、ソウルで光復五〇周年慶祝式が開かれ旧朝鮮総督府庁舎の解体が行われた。歴史の建て直しを始めた金泳三大統領は、庁舎の保存か解体かで対立する世論に決着をつけ解体を決定した。式は、世宗路を埋めた数万の群衆が見守る中、ドーム最上部の尖塔部分をクレーンで釣り上げるクライマックスを迎えた

(写真、筆者撮影)。

　一九八〇年代末以降、米ソ冷戦は終結した。しかし朝鮮半島の分断は続いている。九〇年代に入り南北関係は敵対と同時に共存、協力の時代へと変わった。

　二〇〇〇年六月、史上初めての南北首脳会談が開かれ、金大中大統領はその功績でノーベル平和賞を受賞、南では南北統一への希望と期待が一気に膨らんだ。

　南北の経済協力事業の象徴として板門店の北一〇キロに開城工業団地(開城工団)が設置され、北が土地と労働力を提供、南はインフラ全般を建設、中小企業が進出、衣類や軽工業製品を生産、Made in Korea として輸出もされた。

　工団では、北と南の労働者が共に働き、協働が実現、交流もあり、その数は約五万三〇〇〇人にのぼり、それは小さな統一された空間であり、未来の平和な姿の先取りでもあった。

　工場では一時、南側からおやつ(間食)としてチョコパイ、ラーメン等が配られた。それらを手にした北の労働者(多くは家庭の主婦)は、持ち帰り子供に与えたり、売ったりしたという。韓国民は北の人々の生活実態を垣間見た。

　二〇〇八年二月、保守派の李明博大統領は、核問題に進展がないとして開城工団での事業と拡張建設を中止、一六年二月、朴槿恵政権は、操業を中断した。当時、韓国企業一二五社が北の労働者五万五〇〇〇人を雇用していた。

　南北関係は進歩派の金大中・盧武鉉時代に前進し、保守派の李明博・朴槿恵時代には悪化した。二〇一八年四月、南北首脳会談(文在寅・金正恩)が開かれ、二人は板門店の軍事境界線をともに越えた。しかし、二〇年六月、北は開城工団内の南北共同連絡事務所を爆破した。

　二〇二二年三月九日、韓国第二〇代大統領に保守派の尹錫悦が僅差で当選した。韓国内の保守派、進歩派の二大政治勢力の対立(南南葛藤)は克服されるのか、南北関係は前進か、後退か、北朝鮮の非核化、民主化、朝鮮戦争の終結、米朝関係正常化、日朝国交正常化は実現するのか、三八度線は「開く」のか、朝鮮半島の未来と日本の未来、より良い関係を築けるか、双方の努力が求められる。

問題群｜*Inquiry*

脱植民地化のアポリア

難波ちづる

はじめに

「脱植民地化」という用語が初めて用いられたのは、一八三六年にフランス人ジャーナリスト、アンリ・フォンフレッドが、フランスのアルジェリア侵略を非難するために作成したビラであったといわれる。もっとも困難な脱植民地化をたどった地の一つであるアルジェリアをめぐって、この用語が最初に使われたというのは皮肉な事実である(Shepard 2006: 5; Kennedy 2016: 1-2)。

一九四〇年代後半から七〇年代後半にわたって、アジア、中東、アフリカ、カリブ海など世界各地で植民地が次々と独立を果たした。インドシナ戦争でのフランスの敗北がアルジェリアの独立運動を刺激し、ギニアとガーナの独立が予定よりも早い他のアフリカ諸国の独立を促したように、独立の連鎖は地域内だけでなく大陸を超えて広がり、独立が独立を呼び起こした(Droz 2006: 12)。

独立は植民地にとって、宗主国への従属からの解放を意味する歴史的な出来事であったが、脱植民地化が痛みを伴わずに着地したケースはほとんどないといって過言ではない。一九四五年から九〇年の間に起きた、脱植民地化をめぐる戦争は約二〇に及ぶ(Ageron 1995: 10)。植民地支配清算の余波は独立後も続き、内戦、民族・宗教対立、近隣諸国との紛争、貧困、政治的不安定、旧宗主国による過度な介入など、様々な問題をはらみ、その一部は様相を変えながらもいまだに残存している。

二〇二一年一二月に仏領ニューカレドニアで行われた独立を問う三回目の住民投票では圧倒的多数で独立が否決されたが、独立派がCOVID-19の蔓延を理由に延期を求めているなかで強行されたために禍根を残し、独立をめぐる闘いが未完であることを知らしめた。また、イギリスから中国への香港返還は租借期限通り一九九七年に平和裏に行われたが、その後香港が経験した中国当局による激しい弾圧と民衆の抵抗は、脱植民地化が最終的に穏便に帰結しなかった例として記憶に新しい。

宗主国に目をむけると、インドシナ戦争とアルジェリア戦争という二つの独立戦争を伴う脱植民地化を経験したフランスに比べると、イギリスは、一九四七年のインド独立を皮切りに、植民地への権力移譲を比較的速やかに成し遂げたとする見解が一般的であった。こうした主張をする歴史家は今もいるにせよ、近年の研究では、ケニアのマウマウ団に対する過酷な弾圧をはじめ、イギリスもまた脱植民地化の過程において、時には激しい武力行使をいとわなかったことが明らかにされている(Kennedy 2016: 4)。

宗主国にも痛みを強い、数十年かけて行われたヨーロッパ領土の脱植民地化に比べると、旧日本帝国のそれは異なる様相を見せる。アジア・太平洋戦争での敗北によって日本は他律的に植民地を手放したため、脱植民地化をめぐる苦痛に直接向き合うことはなく、また、東京裁判とサンフランシスコ講和会議においても植民地責任が追及されることはなかった(吉澤 二〇〇九:一三二―一三三頁)。無自覚な植民地の喪失は、戦後日本を、植民地支配の過去を清算することなく高度経済成長につき進ませた。しかし、占領下にあった東南アジアにおける、時に戦争をともなう国民国家の再編や、朝鮮半島および中華人民共和国と中華民国の分断など、これらすべては日本帝国の崩壊に端を発した出来事であり、日本帝国の脱植民地化がアジアに深い刻印を残していることは明白である。また、「日本帝国臣民」から突然排除され、基本的人権を奪われた在日朝鮮人の存在や、植民地からの戦後の引揚げをめぐる問題は、脱植民地化の過程が多くの混乱と犠牲を伴ったことを示している。

脱植民地化とは、狭義には植民地の政治的独立を意味するが、それは必ずしも経済的、軍事的、文化的な自立を意味するわけではなく、またそれぞれの分野における脱植民地化には時間差があり、異なるペースで進んでいく(Jansen et al. 2017: 172-173)。様々な面において旧植民地は、いまだにかつての植民地支配の影響をうけており、それはしばしば「未完の脱植民地化」と表現される。また、独立後も主に経済関係を通して、旧宗主国や先進国の支配が続いているとする「新植民地主義」は、一九八〇年代から国際通貨基金と世界銀行、主要援助供与諸国による経済統制により一層強化された(川端 二〇〇九：六二頁)。

脱植民地化の過程はおおまかに三つの時期に区分することができる。第一期は、一九四〇年代後半から五〇年代半ばにかけての主にアジアを舞台とする時期である。パキスタンの分離を伴ったインドの独立、インドネシアとインドシナにおける独立戦争などが起きたこの時期の脱植民地化は、第二次世界大戦が引き金となって急激に加速した。続く第二期は、一九五六年のチュニジア、モロッコの比較的平和裏な独立と、それに比して際立つ、泥沼化したアルジェリア戦争や、一九六〇年のアフリカ一七カ国の独立など、アフリカ大陸を中心とした脱植民地化の最盛期といえる時期である。第三期は、主にポルトガル領アフリカや、白人入植地である南ローデシアなど南部アフリカを舞台とした一九七〇年代であり、周辺国家や大国による介入と争点の拡大によって問題は複雑化し、独立をめぐる紛争は一九七〇年代後半から八〇年代まで続くこととなった。一九六〇年代から七〇年代にかけては、カリブ海やインド洋、南太平洋にある、ヨーロッパの海洋支配を支えていた島嶼地域も次々に独立を果たした。これらの地域の一部は依然として旧宗主国の統治下にあり、国連はこれらを、自治を獲得すべき「非自治地域」リストにあげている(Droz 2006:

12-14, 289-291)。しかし、このリストにあったフランス領のうち、海外県に「昇格」した地域はそこから削除されたように、本国への完全統合が実現すると「非自治」とはみなされなくなるという矛盾がみられる。

脱植民地化の過程は多様であるが、その主な要因は三つに分類することができる。まず、植民地側における独立を志向する潮流である。徐々に醸成されていったナショナリズムが運動や闘争という形をとり、宗主国に対して独立付与を要求するに至り、それが脱植民地化の根源的な要因となった。次に、宗主国側の政策である。国力の疲弊や批判的な国内・国際世論を考慮し、「秩序ある」権力の移譲を果たすことで、旧植民地における影響力を維持しようとする戦略が、脱植民地化を推し進めることになった。最後に国際的な状況である。第二次世界大戦後に設立された国際連合は民族自決を旗印の一つに掲げており、一九六〇年には植民地独立付与宣言を採択し、脱植民地化委員会が活動を開始するなど、反植民地主義の最大の牙城となった(平澤 二〇〇一：八一頁)。大戦後、ヨーロッパに代わって超大国となったアメリカとソ連の存在もまた、脱植民地化に重要な影響をあたえた。両国はそれぞれ別の意味で帝国主義的な側面を有していたにせよ、ヨーロッパ植民地主義の存続に対しては批判的であった。アメリカの関心は、一九四一年の大西洋憲章で提示した民族自決の原則を推し進めると同時に、帝国を解体してブロック経済を終わらせ、貿易を自由化することであった(Kahler 1984: 364)。この米ソ両国の対立を頂点とする冷戦の深化が脱植民地化に大きく作用することになった。植民地における共産主義の台頭を懸念したアメリカは、脱植民地化の急速な進展には慎重であった一方で、ソ連の介入を懸念し、ヨーロッパ宗主国に植民地への穏便な権限の委譲をするよう働きかけたのである。これら三つの要因の比重はケースによって異なるが、相互に絡み合い、脱植民地化は進行していった。

脱植民地化はこのように、他諸国が介入したきわめて国際的な事象であり、そのことが事態を一層複雑にした一方で、独立運動は植民地や帝国の枠組みを超えて様々な運動や思想と交流することで強化されていった。実際、独立運動の指導者たちには宗主国や外国で生活したものが多く、彼らはそこでの経験から祖国に新たなイデオロギーや運動をもたらした。植民地の境界を超えて作られたネットワークは、一九〇〇年以来何度も開催されたパン・アフリカ会議、一九四五年に創設されたアラブ連盟、アジア・アフリカ二九か国が参加した一九五五年のバンドン会議などに結実し、こうした国際的な連帯は脱植民地化の後押しとなった(Jansen et al. 2017: 52-53)。

本稿では、脱植民地化のすべての諸相を論じることは不可能であり、主にアジア・アフリカにおける政治的独立の過程に焦点をあて、脱植民地化の過程の見取り図を描く。二〇世紀前半まで世界の秩序を形成していた植民地支配からの脱却がいかに多くの困難と予期せぬ波乱に満ち、現在のわれわれの世界に深い刻印を残しているのかを明らかにしたい。

一、脱植民地化の起源

脱植民地化の起源をどこに求めるのかについては明確なコンセンサスがあるわけではない(Jansen et al. 2017: 35)。宗主国が植民地の「文明化」を掲げて支配を行い、いずれ自らに向けられることになる、制度や思想など様々な「武器」を現地住民に与えたことを考えると、支配の開始と同時に脱植民地化は始まっていたともいえる。とはいえ、二つの世界大戦が植民地支配の終焉を加速させることになったのは論を俟たないであろう。

まず、脱植民地化にむけた胎動を引き起こしたのは、社会主義国ソ連を誕生させ、アメリカの台頭を決定付け、世界秩序を再編することになった第一次世界大戦である。英仏は、同盟国が保有していた植民地を委任統治下におさめ、帝国の規模を最大としたが、そのほころびはその後あちこちで露呈し始めた。「文明」を体現するヨーロッパで悲惨な戦闘が繰り広げられたことはヨーロッパの威信に深刻な打撃をもたらした。さらに、ヨーロッパ列強は戦争のために、現地住民の大規模な動員をはじめとする多大な戦争協力を植民地に求めたが、戦後に与えられたその見返りは、住民の期待とは大きく乖離していた。

一九一八年に出されたウィルソンの「一四カ条」で示された民族自決の概念は、植民地の住民に解放への希望を抱かせたが、この概念はヨーロッパに限定されたものであり、アジアやアフリカの民族解放を想定したものではないことが明らかとなり、人々を失望させた。このことは、中東やアジアにおける反植民地ナショナリズムを活発化させる大きな契機となった(Manela 2007: 5)。

そして脱植民地化の決定的な引き金となったのは第二次世界大戦である。この戦争は交戦国である列強諸国においてだけでなく、これらの国々が支配する植民地世界においても多大な災禍をもたらした。それはとりわけ日本占領下のアジアにおいて過酷であり、経済が破壊され、疫病と飢饉が広がり、戦争の遂行や強制労働のために大量の現地住民が動員され、その過酷さゆえに多くの人々が死亡した(倉沢 二〇一二)。それと同時に日本による占領は、欧米植民地支配を大きく揺さぶることにもなった。植民地から宗主国を駆逐し、フィリピンとビルマに対しては形式的とはいえ独立を付与し、植民地支配に一旦終止符が打たれたことの意味は大きい。日本の攻撃によって撤退した宗主国が不在となった間に、これらの地では民族主義者たちがその活動を活発化させ、加速した独立への動きはもはや不可逆的であった。

インドにおいても、第二次世界大戦が植民地支配に決定的な一撃を与えた。戦争協力を得るためにイギリスは、インドに対し戦後の自治を約束したが、その内容と時期をめぐって交渉は難航した。国民会議派は一九四二年八月にクイット・インディア決議を採択し、これに対しイギリス当局はガーンディーやネルーをはじめとする指導者を逮捕し、反発した民衆は暴動やストライキを起こした。数カ月前の日本軍によるシンガポール陥落は、イギリス支配の終焉を予想させ、抵抗運動を勢いづけることになった(Droz 2006: 75-78)。

アジア以外の地においても、第二次世界大戦は植民地体制に重大な転機をもたらした。戦争に巻き込まれるなかで、他国による占領や接触が宗主国との関係を再編する契機となった。一九四二年一一月に連合軍はフランス領であるモロッコとアルジェリアに上陸し、ローズヴェルトがモロッコのスルタン・モハメド五世に将来的な独立を約束したといわれている(池田 二〇一三:三二頁)。フランスの弱体化と、それとは対照的な米軍の勢いが人々にあたえた影響は大きく、とりわけ、民族自決の権利を標榜した大西洋憲章のメッセージは強いインパクトをもたらし、アメリカが植民地体制を一変させることへの期待が各地で広がっていった(Droz 2006: 70-72)。

北アフリカへの連合軍上陸の後、ド・ゴールが一九四三年六月にアルジェでフランス国民解放委員会を組織した。植民地はフランス臨時政府の拠点を提供することになっただけでなく、戦闘のために約二八万人のマグレブ現地住民の動員も可能にした。彼らは、一九四四年八月に米国艦隊によって輸送され、プロヴァンス地方に上陸し、宗主国の解放に参加することとなった(Pervillé 1993: 89-90)。

ドイツに敗北し、親独ヴィシー政府が統治していたフランスが戦後、戦勝国として認められるには、「亡命政府」が連合国軍とともに対独戦線に参加することが不可欠な過程であり、それを可能としたのが植民地の存在であった。戦後フランスでは政府からマスコミにいたるまでこぞって「祖国を解放するために海外からやってきた」植民地兵を称え、帝国がかつてないほど肯定的に受け入れられた(Ageron 1991: 105)。こうした状況が、フランスの植民地への執着を一層強めることとなった。

ド・ゴールは、一九四四年一月に戦後の植民地の在り方を話し合うために、サハラ以南アフリカの総督や植民地官僚を集め、コンゴでブラザヴィル会議を開催した。この会議では、原住民法と強制労働の廃止などの改革が決定されたが、その一方であらゆる自治の可能性は否定された。この会議を踏まえ、戦後、植民地帝国は「フランス連合」に再編された(平野 二〇一四:三六—三八、二一五—二一九頁)。連邦制的な外観は「みせかけ」にすぎず(Pervillé 1993: 111-112)、実質的な権力はフランスの手中にあり、そもそも「フランス連合」の是非は、植民地での住民投票にかけられることはなかった。アルジェリアとマダガスカルのナショナリストは、これを「誰も入りたくはない檻」と非難し、モロッコとチュニジアは加盟を拒否した(Ageron 1991: 74)。

このように、第二次世界大戦期における植民地の様々な経験が脱植民地化を加速させた一方で、フランスは戦争の経験によって植民地への執着を強め、支配継続の途を模索していった。

二、脱植民地化の始動

第二次世界大戦後、植民地の独立機運がいち早く高まったのはアジアであった。独立運動の指導者たちにとって日本による占領を伴った大戦は、独立を獲得するための好機となった。日本の敗戦後、蘭領インドでは、一九四五年八月にスカルノがインドネシア共和国の樹立を、インドシナでは、九月にホー・チ・ミンがベトナム民主共和国の設立を宣言する。しかし、それぞれの宗主国であるオランダとフランスは独立を認めようとはせず、植民地への復帰を果たし、軍事攻撃がまもなく開始された。

アジアでいち早く始まったこの二つの独立戦争における共通点は、宗主国がおかれていた状況である。フランスもオランダも、第二次世界大戦開戦直後にナチスドイツに敗北し、その占領下におかれていた。こうした本国の敗北と占領の経験は、戦後、国の復興と威信の回復に植民地をとりわけ必要とした。自らが不在のあいだに日本に奪われたアジアの重要拠点を簡単に手放すわけにはいかなかったのである。

しかし、独立の歓喜を一度味わった現地住民にとって、宗主国の復帰は受け入れがたいものであった。彼らの激しい抵抗により、インドネシア、インドシナ両地において戦争は激化していった。アジアにおける共産主義国家の樹立を恐れるアメリカにとって、ヨーロッパ諸国の当面の植民地への復帰は容認せざるをえない流れであった。しかし、インドネシアでは一九四七年にスカルノが、スマトラで起きた共産主義運動を弾圧したことによってこの懸念はほぼ払しょくされた。アメリカは、一九四八年末のオランダによる二度目の軍事攻撃以降、オランダ政府に対する圧力を強め、スカルノへの速やかな政権譲渡を働きかけた。さらに、中国での共産党の勝利によって、アジアにおける独立した非共産主義国家の早期誕生をアメリカは一層必要とした(MacMahon 1981; Devillers 1995)。こうして一九四九年一二月にインドネシア連邦共和国が成立する。

「反共」であることを証明し、アメリカの後押しを受けて独立を獲得したインドネシアと対照的なのがインドシナであった。一九四六年末に始まったインドシナ戦争でフランスは、ベトミンの激しい抵抗と巧みな戦術によって苦戦を強いられた。共産主義を標榜するベトミンとの戦いが冷戦の強い刻印をうけるようになったのは、中華人民共和国の成立と朝鮮戦争の勃発以降である。これによってインドシナ戦争は「国際化」し、もはやフランスだけの問題ではなくなった。戦争の続行のために、フランスはアメリカの全面的な援助に頼らざるをえなかった。アメリカの資金援助は増大し続け、一九五二年には戦費の四六%、五四年には八〇%に達した(Ageron 1991: 90-92)。一九五四年五月のディエンビエンフーの戦いでフランスが敗北しインドシナからの撤退が決定するが、アメリカがその後、インドシナの共産化を阻止するためにこの戦争を引き継いでいくことになる。

ヨーロッパ植民地主義に対して強い反発を抱いていたローズヴェルトの死後、アメリカの反植民地主義はトーンを弱めていった。アメリカにとって当面の優先事項は、植民地支配の清算よりも、共産主義国家の誕生を阻止することにあった。しかし、インドネシアとインドシナにおいてアメリカの対応が異なっていたことに顕著に表れているように、アメリカの方針は状況によって変化した。それは、共産主義の唯一の「解毒剤」はナショナリズムにあると認識していたと同時に、植民地主義が退場したとき、共産主義がそれにとってかわることを懸念していたからである(*Ibid.*: 81)。

インドシナ戦争には他の植民地出身者が大量に動員されていたことも指摘しておかなくてはならない。合計すると、マグレブから一二万人、サハラ以南アフリカから六万人の兵士が戦争に動員され、一九五四年には全兵士に占める彼らの割合は四割以上に及んだ(Bodin 2000: 6-10)。つまりフランスは、財政的にも人的にも自力でこの戦争を遂行することは不可能であった。一九五一年八月に仏軍の最高責任者であるドゥラトル将軍は、この戦争に他植民地の兵士を動員したことの影響を次のように懸念している。「これはインドシナでは止まらないだろう。我々は無茶なことに、我々の指揮下で、ムスリムと黒人を黄色人と戦わせ、時に彼らは黄色人に打ち負かされたりしたのだ。仏領アフリカはもはや終わりだろう」(Ageron 1991: 94)。実際、インドシナにおけるフランスの敗北後、次の脱植民地化の舞台はマグレブ、そしてアフリカへと移っていくのである。

独立戦争を経た脱植民地化とは異なる途をたどったのはインドである。多大な困難を伴いつつも発展していった独立運動は佳境にはいり、戦後、イギリス労働党のアトリー政権は、速やかにインドから撤退する政策を決定した。広大なインドにおける抵抗運動を阻止できるだけの軍事力をもはや有してはいないこと、独立を阻むことに対する、党内、国内、国際世論の反発を懸念しての決断であった(木村 二〇二〇：一九八頁)。また、経済的にもインドは不可欠な存在ではなくなっていた。戦後イギリスはドル不足に苦しむが、インドの貿易収支は対ドル赤字であり、スターリング圏におけるドル獲得には貢献しえず、インドからの早期撤退は戦後復興にむけた合理化の行動としてとらえることができる(White 2011: 216)。もはや独立付与に議論の余地はなく、残された課題は、インド撤退を秩序正しくおこない、独立後のインドをコモンウェルスの一員として確保することであった。

しかし、独立が濃厚となるなかで、インドにおけるヒンドゥー教徒とイスラム教徒の対立が激化し、一九四六年八月にはコルカタで五〇〇〇人の死者が出た。国民会議派とムスリム連盟の間の度重なる和解・協調の試みは失敗し、分割は不可避となり、イギリスの目指す秩序ある撤退は不可能となった。イギリスは、宗教対立の泥沼に巻き込まれることを恐れ、一九四八年半ばまでに実現するとされていた権力譲渡は一九四七年八月に前倒しされた(木村 二〇二〇:二〇四－二一六頁)。インド独立に伴い、ビルマとセイロンも独立を果たし、こうして南アジアにおけるイギリス植民地は解体された。

イギリスのインド撤退とパキスタンの分離が起きた一九四七年は、イギリスの委任統治下にあったパレスチナの分割が国際連合にて採決された年でもあった。第一次世界大戦後、中東において委任統治による支配を確立していたイギリスは、パレスチナで激化する宗教対立を解決することはできず、第二次世界大戦後、パレスチナ問題を国際連合に諮った。インドとパレスチナの分離・分割問題に深くかかわった歴史家のクープランドは一九四六年に、「インドをめぐる問題は、明らかな違いはあるにせよ、パレスチナ問題と根本的なところでは似かよっている。ユダヤ人同様、〔インドの〕ムスリム少数派は、ほかの「国民」による多数派支配には従うことのない「独立国家としての地位」にかきたてられるのだ」と述べている(Louis 2006: 392)。これら二地域での民族・宗教対立に直面したイギリスの「撤退」は、決して平和裏かつ計画的に完遂されたものではなかったのである。

三、戦後ヨーロッパの復興と植民地開発

戦後まもなくアジアの一部の植民地が独立を果たした一方で、戦争によって荒廃したヨーロッパにとって、経済再建のために不可欠な存在であると強く認識されたのもまた植民地であった。戦後の食糧不足を解決するためにイギリス政府は、一九四七年に「できる限りすべての帝国資源から食糧を獲得するためのあらゆる努力」を行うことを決定し、植民地がイギリスの経済危機の打開に重要な貢献をなしうるとの見解を示した(Hyam 2006: 131)。英領マラヤは世界一の錫とゴムの生産量を誇っており、これらの輸出によってイギリスはドル不足をカバーしていた。モータリゼ

ーションの発達によりアメリカにおけるゴム需要は高く、「ゴム生産が損なわれたらドル事情はかつてなく厳しくなる」と考え、イギリスはマラヤに強い執着をみせた（White 2011: 215）。一九四八年六月、マラヤ共産党を中心としたゲリラ闘争が開始されると、イギリスは非常事態を宣言し、厳しい弾圧体制を敷き、多くの犠牲者が出ることになった。

フランスでも同様に、自国の復興に際して植民地に大きな役割が期待された。植民地省の後継組織である海外領土省はブラザヴィル会議の決定にのっとり、帝国特恵関税制度の廃止を主張したが、フランス製品の売却と原料確保のために、植民地における保護主義の継続を強調する国民経済省によって却下された。食糧省もまた、帝国をフランスの食糧需要に完全に従属させることを求めた（*Ibid*.: 212-213）。

こうして、「第二次植民地占領」（Second Colonial Occupation）とよばれる、ヨーロッパ経済復興のための植民地開発が五〇年代半ばまで続くことになる。そこでとりわけ重視されたのはアフリカ植民地であった。イギリス経済相が植民地総督たちに、「ドル市場で売れるあらゆるものの生産を促進させ、アフリカの経済発展の速度をみちがえるほど早めなくてはならない」と述べたように、それまで開発から取り残されてきたアフリカが、西ヨーロッパ諸国のドル不足と原料・食糧不足の解消のために注目されたのである。カカオなど輸出用農産物の増産や鉱物資源の開発が推し進められ、本国の経済復興に大きく貢献した。仏領コートジボワールでは、コーヒー生産が一九三七年から六〇年にかけて一四倍に増加した（*Ibid*.: 211, 215, 222）。こうした国家主導の植民地開発はアフリカ各地で展開され、フランスは一九四七年から五八年の間に、戦前の五〇年間にあてた資金の三倍に相当する額をサハラ以南アフリカに投入した（Ageron 1991: 119）。

しかし、こうした開発計画はかならずしも成功しなかった。イギリス本国の食用油不足を解消するために実施されたタンガニーカの落花生増産計画が、莫大な資金を投入したにもかかわらず、結局予定地の一・四％しか開墾できず大失敗に終わった事例は有名である。仏領西アフリカにおいても、輸出用の綿花と落花生の生産増強が目指され、農業予算の半分以上がつぎ込まれたものの、目標とされた綿花生産の〇・三％しか実現できずに終わった。こうした失敗は、急激な生産増強ゆえの調査不足や、コストと維持の手間がかかる大規模な機械化などによるものではあったが、それ以上に、長年のモノカルチャーの弊害や、貧困な土壌や水資源、複雑な土地保有形態など、それまでの植民地支配に由来する根源的な問題に起因するところが大きかった(Hyam 2006: 133-136; Ukelina 2017: 124-129)。

こうした開発には、植民地の近代化を促進することで植民地支配に対する批判をかわそうとする意図もあった。しかし、衛生対策や教育の向上、農林水産業の発展などにおいて新たな取り組みがみられたとはいえ、真の意味での現地住民の生活の向上に資源が投入されることはほとんどなかった(Hyam 2006: 132; Kennedy 2016: 38)。

このように戦後の一定期間、植民地は西ヨーロッパの経済復興に確かに貢献した。しかし、こうした状況は長くは続かなかった。五〇年代半ばの世界的な一次産品価格の下落は植民地の経済的価値を低下させた。イギリスの経済政策委員会は一九五一年三月に、未整備のインフラゆえに、植民地の生産増加には限定的な見通ししかないとの見解を内閣に伝えていた。フランスにおいても、戦後一〇年間は植民地が本国経済にとって重要であると認識されていたものの、帝国保護主義はフランス産業の非効率性を増長させ、フランスの競争力を低下させることになり、一九五〇年代後半にはフランス資本主義の植民地からの「離別」が進んでいったのである(White 2011: 228-229)。

アフリカにおける急激な経済開発は現地社会にインフレを引き起こし、住民の生活を圧迫することにもなった。一九四六年から五〇年にかけてストライキの波が職種や地域を越えて各地に広がった。抗議運動は職場にとどまらず、アクラでは一九四八年に破壊活動や略奪などを伴う暴動が起きた。農村部にも影響は広がり、ケニア、ガーナ、タンガニーカにおいて、農業の効率性を向上させるために導入された厳しい管理制度が農民の強い反発を生んだ(Cooper 1996: 225-260; White 2011: 232-233)。仏領アフリカの民族指導者たちは、投入された資本の大半はフランスに還元されており、農民の生活水準は下がり続けていると断言しフランスを非難した(Ageron 1991: 119-120)。このように、大規模でしばしば無計画な植民地の経済開発が、その後の本格的な脱植民地化にむけた土壌を準備することになったのである。

四、脱植民地化と人の移動

インドシナ戦争でのフランスの敗北は、アフリカ大陸においても脱植民地化のサインととらえられ、五〇年代半ば以降、植民地独立への動きが加速していく。戦後、「フランス連合」への参加を拒否したチュニジアとモロッコでは反仏運動が盛んとなった。両国における脱植民地化の特徴は、一九五一年から五六年まで毎年、チュニジア・モロッコ問題が国連の議題に挙げられたように、独立を宗主国との二国間問題ではなく、積極的に国際問題化したことである(Droz 2006: 106)。一九五五年のバンドン会議開催など、広がる第三世界の連帯も、もはや植民地の独立問題を宗主国との二国間にとどめてはおかなかった。

フランスは、モロッコにおける軍事基地設置の権利をアメリカに与えることでその批判をかわそうと試み、実際それはある程度は功をなした(Ageron 1991: 82)。しかし結局、植民地内部の混乱や国際的圧力などによってフランスは、ナショナリストを協力者として確保し、自らの影響力を最大限残すためにも、一九五六年にこれら二国の独立を承認した。

同じく北アフリカの植民地であるアルジェリアは、これら二国とは異なる途をたどった。フランスがチュニジアとモロッコの独立問題の解決を急いだのも、アルジェリアにおける状況の悪化に直面したからである。内務大臣であったミッテラン曰く、「アルジェリア、それはフランス」であった。それは、アルジェリアが内務省の管轄下におかれていたことからも明らかであり、約一〇〇万人のヨーロッパ系住民が数世代にわたって定着し、一八六〇年にイタリアから割譲されたサヴォア地方よりも古いこの領土に対するフランスの執着は強かった。さらには石油の発見、核開発や宇宙事業の実験場としてのサハラ砂漠の利用が、この地の支配を続ける新たな動機として付け加わった(ストラ二〇一一：一九三―一九四頁)。

一九四五年五月の終戦記念日でのデモ弾圧を皮切りに、フランス当局と民族主義者たちの溝は深まり、一九五四年にはアルジェリア戦争が勃発する。戦争が泥沼化するなか、内乱の危機によって第四共和政が崩壊し、アルジェリア問題の解決を担うべく五八年に政界に復帰したド・ゴールは、独立容認へ向けて急速に舵を切った。独立が確定路線となるなかで戦争末期には、フランスとFLN(民族解放戦線)の戦い以上に、独立をめぐって分裂したフランス内部の戦いの様相が強まることになった。一九六一年に急進派軍人によって結成された、フランスのアルジェリア撤退に抵抗するOAS(秘密軍事組織)は、フランスとアルジェリア双方でテロ活動を行い、多数の死傷者を出した(Shepard 2006: 84-89)。

ここで注目したいのは、この戦争に伴う人の移動である。植民地支配の過程では多くの人の移動が生じたが、脱植民地化は、兵士や入植者、現地住民協力者など大量の人の脱出を短期間で引き起こすことになった。第二次世界大戦以降、各地の植民地独立に伴い、全体で五四〇万から六八〇万人がヨーロッパの本国に帰還した(Smith 2002: 11)。

アルジェリアには一九六二年の時点で、ピエノワールと呼ばれる約一〇〇万のヨーロッパ系住民が住んでおり、彼らの大半が短期間でフランスに退去することになった。フランスの政策決定者は、独立後もヨーロッパ系住民のフランスへの大量帰還を予測していなかったし、アルジェリアとフランス双方にとって望ましいとも思っていなかった。彼らは、ヨーロッパ系住民の多くは、フランス国籍を維持しながらアルジェリアに残ることを望んでいると確信していた(Shepard 2006: 141)。実際、彼らにとってアルジェリアこそが故郷であり、本土に縁故をほとんどもっていなかった。入植者には、スペイン、イタリア、マルタ島など地中海諸国の出身者が多く含まれており、彼らにとってフランス本土は先祖の出身地ですらなかった(松沼 二〇一三：一三一頁)。

一九六二年三月のエヴィアン協定締結による停戦後、OASによるテロとFLNの応酬によって暴力は激化し、人々の大量脱出が加速した。アルジェリアをめぐる暴力の連鎖に辟易していたフランス国民は、大量の帰還者が国内にトラブルを持ち込むことを懸念し、彼らを歓迎せず、彼らへの公的支援にも批判的であった。メディアも彼らを、OASの手先、極右ファシストとして描いたが、政府が喫緊の課題として彼らの定着と雇用に取り組むなかで、彼らは手を差し伸べるべき苦しむ同胞であるという論調へと次第に変化していった。政府は、彼らのコミュニティーがゲットー化することがないよう国内各地に分散させながら、雇用と居住の供給を進めていった(Shepard 2006: 218-224)。

ピエノワールよりもさらに冷遇されたのが、一九六一年時点で一八万人いた、フランス側について戦ったアルキといわれるアルジェリア人である。エヴィアン協定発表当初は、彼らはヨーロッパ系住民と同様、送還可能な対象としてとらえられていたが、次第に政府はアルキの送還にかんして消極的な姿勢をとるようになった(Harbi et al. 2004: 462, 477)。アルキに対する措置が遅れたことによって、アルジェリアに残された彼らの多くが報復のために虐殺され、生き残った者も多くが悲惨な拷問をうけたといわれる。結局、家族を含めて一四万人がフランス本国に渡ったが、彼らは不安定な身分のまま、ヨーロッパ系引き揚げ者と同等に扱われることはなく、隔離、差別、貧困にあえぐことになった(松沼 二〇一三：一三五―一三六頁)。

ピエノワールやアルキの存在は、植民地支配の加害の側面と、脱植民地化の被害の側面の両面を併せ持つが、いずれにせよ、アルジェリア戦争の負の記憶を呼び起こすものであり、経済成長やヨーロッパ統合などに人々の注意が向けられ、この戦争が国民的記憶から抹消されていく過程で、彼らの存在もまた忘却の隅に追いやられていった。

五、相次ぐ独立と苦悩

一九五六年に起きたスエズ戦争は、英仏の帝国支配に大きなくさびを打ち込んだ。スエズ運河の国有化を宣言したエジプトに対しイギリスは、フランスとイスラエルとの共謀のもと軍事攻撃を行い、これに対しエジプト人統領ナーセルは、スエズ運河を封鎖し徹底抗戦した。国際世論の反発と、とりわけアメリカからの強い政治的・経済的圧力を受け、英仏は撤退を余儀なくされ、もはや帝国主義的介入がいかなる国際的支持もえられないことが明らかとなった。アルジェリア戦争でFLNを軍事支援していたナーセルを失脚させようとするフランスの思惑も失敗に終わった(ストラ 二〇一一:二二三―二二四頁)。

スエズ戦争の対処の失敗によってイギリス首相イーデンは辞任に追い込まれ、その後任マクミランが設置した植民地政策委員会は、一九五七年一月に報告書を発表した。それによると、植民地支配をめぐるコスト・ベネフィットにかんして、植民地を直接支配するよりも、権力を徐々に移譲し、旧植民地と友好関係を維持しコモンウェルスに参加させるメリットのほうが大きいとされた。冷戦にともなう軍事費の増大と、国内の福祉政策を充実させる必要性を考慮すると、植民地維持のために多大な支出を続けることはもはや不可能であった(Cooper 1996: 394-396)。

一九五七年にサハラ以南アフリカでいち早く独立を遂げたガーナは、比較的良好な経済状況、親英指導者層の存在、白人入植者をめぐる深刻な問題の不在などによって、イギリスにとってアフリカにおける脱植民地化の試金石となった。都市部におけるインフレや食糧不足なども相まって暴動が起きるなかで、独立運動の指導者ンクルマは、イギリスとの交渉の末、一九五七年にコモンウェルス内での独立を勝ち取った(Springhall 2001: 112-113)。

マクミランはその後、一九六〇年二月に訪問中の南アフリカにおいて、有名な「変化の風」の演説を行い、植民地に独立を与える方針を宣言した(木畑 二〇二〇：二五頁)。フランスが一足先にアフリカ諸国に独立を付与したことに加え、アルジェリア戦争の泥沼化や後述するコンゴの動乱などが、イギリスのアフリカ撤退を加速させ、一九六一年以降、相次いで植民地が独立を果たした。もはや脱植民地化の波に乗り遅れることはリスクでしかなかった。親英ナショナリストたちに権力を移譲し、もしいない場合は作り出し、彼らを通して間接的に影響力を行使する途を選んだのである(Springhall 2001: 110; Flint 2016: 169)。

とはいえ、その過程は決して穏便なものではなかった。アフリカにおいてもっとも過酷な弾圧がみられたのがケニアであった。長らく大英帝国史から抹消されていたマウマウ団への弾圧にかんしては、二〇〇九年に起こされた英国政府に対する訴訟によって広く知られるようになった(津田 二〇〇九)。植民地支配以来、白人の入植によって土地を奪われていたキクユ族からなるマウマウ団の反乱に対し、イギリスは一九五六年から六〇年にかけて大量の軍を投入して弾圧し、一万人以上のマウマウ団闘士が殺された。数十万のキクユ人が隔離・収容され、その過程で多数の死者がでた(Anderson 2005: 4; Elkins 2005: 366-367)。収容されたキクユ人に対する弾圧の実態が報道されるようになり、そうしたなかでさらにおきたマウマウ団闘士の惨殺がイギリス議会で大きな問題となり、イギリスの撤退は不可避となり、一九六三年にケニアは独立を果たした(Elkins 2005: 311-353)。

フランスはイギリスより一足早くアフリカからの全面的な撤退を実行した。戦後のサハラ以南アフリカへの莫大な資金投入は結局大きな赤字を生み、植民地行政にかかる費用や生産コストの高さ、世界的な第一次産品の価格下落を鑑み、アフリカ植民地はもはや本国に特別な利益をもたらさないとの認識がフランス国内では広がっていった(Fieldhouse 1986: 14-17; Cooper 1996: 402-403)。

アフリカ各地で自治を求める動きが強くなるなか、一九五六年に誕生した社会党政権は「基本法」(Loi cadre)を制定し、アフリカ領に一定の自治権を与えた。これは、それまでのフランス植民地政策の根幹である、「単一不可分の共和国」への植民地住民の参加を理念とする同化主義との決別であり、そうした理念が実現不可能であると認めたことを意味していた(Cooper 1996: 424-425)。これにより、個々の海外領土議会に権限が委譲され、国防や通貨などにかんしてはフランスが権限をもつものの、教育や警察など各領土の問題にかんしては、住民によって選出される議員からなる領土議会が立法権をもつことになった(池田 二〇一八：一二〇頁)。一部のアフリカ人指導者はこれに満足したが、セネガルのサンゴールやギニアのセク・トゥーレは、連邦を分断し個々の植民地の操縦をフランスに容認するものだと批判した(ベッツ 二〇〇四：一五二―一五三頁、Nugent 2004: 48)。

一九五八年に誕生したド・ゴール率いる第五共和政の新憲法は、植民地との関係再編にかんして、「フランス連合」に代わって「共同体」を制定した。これは、各領土にある程度の自治権を認めつつも、外交、防衛、通貨、司法等の重要問題は共通管轄に属すると定め、「基本法」で認められていたよりも、実質的なフランス支配が強化されたものであった。フランスは、経済援助と引き換えに共同体への帰属を各領土に迫り、これを拒否して独立を果たしたのはギニアのみであった。ギニアからの撤退に際し、フランス人は制裁の意味を込め、インフラを破壊しあらゆる資産を根こそぎ本国に持ち帰った(Vermeren 2015: 41)。他のアフリカ植民地においても「共同体」に対するコンセンサスが形成されていたわけではなく、共通問題を担当する大臣が全員フランス人であることなどに対する反発は強かった。結局、完全独立を求める声を無視することができなくなり、一九六〇年にフランスは一四カ国の独立を認めることとなり、「共同体」は失効した(Ageron 1991: 150-151; Nugent 2004: 48-49)。

ド・ゴールの最大の関心事は、強いフランスの創出と、フランスが立役者となるべきヨーロッパ統合計画であり、植民地独立を支持する世論を背景に脱植民地化を容認していった。オランダがインドネシアを喪失したにもかかわらず、一九五〇年代に飛躍的な経済成長を達成したことから、「オランダ症候群」といわれる、植民地よりも国内投資を重視する傾向が強まり、また、ジャーナリストのレイモン・カルティエによる、低開発国への投資の非効率性を指摘した記事が反響を呼び、アフリカからの撤退を後押しした。一九六一年四月にド・ゴールは、「少なくとも私がいえることは、アフリカは我々に利益をもたらすよりも高くつくということだ」と述べ、「脱植民地化は我々の利益であり、よって我々の政策である」と宣言した(Cooper 1996: 402; Springhall 2001: 111)。

ド・ゴールの思惑は、仏領アフリカを「分解」し、多数の小国を誕生させ、それぞれの独立国家とフランスの結びつきを強化し、軍事や財政の実権を維持することであった(Birmingham 1995: 22)。「スムーズな」独立付与によって、フランスはこれら新たな独立国家と友好な関係を保ち、協力の名のもと様々な協定を締結し大きな影響力を残したのである。これらの国は独立後もフラン通貨圏にとどまり、フランスとの強い経済関係を維持し、フランスの「縄張り」(pré carré)と形容されることになった(Bost 2010: 131-135)。

英仏のアフリカからの撤退は、それぞれの国が想定していたよりも早くに実行された。イギリスは一九四七年の時点で、ガーナの独立を二、三〇年後と予想していた(Jansen et al. 2017: 101)。マクラウド植民地相は後に、「〔アフリカの〕国々は独立の準備ができていただろうか？　もちろん否である。〔中略〕急いで去ることにはもちろんリスクがあった。しかしもたもたすることのリスクのほうがずっと大きかったのだ」と述べている(Low 1991: 246)。アフリカからの独立要求に応じるという姿勢をとりつつ、その実は植民地支配を維持しつづけることのリスクや負担から逃れるための戦略的な撤退であり、それは独立後の旧植民地の政治的・経済的状況を著しく不安定なものとした。

宗主国の拙速な撤退が大きな悲劇を生んだのはベルギー領コンゴである。一九五九年に独立を求める暴動がおき、翌年六月にベルギーは独立を認めた。しかしベルギー軍司令官が「独立前も独立後も変わらない」と言ったように、実質的な支配を手放したわけではなく、住民の不満は一層つのり治安状況は急速に悪化した。ベルギー軍の支援により、鉱物資源の豊富な東南部が分離独立を宣言し、これに対しコンゴの首相ルムンバは、ソ連の援助をうけて分離を阻止しようとしたが、アメリカやベルギーの関与のもと暗殺された。冷戦対立が、ウランを含む資源の豊富なコンゴの独立問題にもちこまれ、分離をめぐって激化する戦闘を収めるために国連の平和維持軍が派遣された。コンゴのこうした状況は英仏に、協力的なナショナリストへの穏便な権力移譲の必要性を強く認識させることになった。コンゴの混乱が未計画な脱植民地化によってもたらされたことは明らかである。一九五〇年代まで労働組合や政治組織の結成が禁止されており、また、一九六〇年の時点で大学教育を受けた現地住民は二〇人以下と、国の担い手となる人材が完全に欠如している状況のなか、ベルギーは、独立後も経済的利権を完全に支配下におくことが可能であるともくろみ、公式支配の撤退を実行したのである(Jansen et al. 2017: 106-108)。

一九六〇年代にほとんどの英仏植民地が独立したのに対して、第二次世界大戦の中立国であり、長期独裁政権が続いたポルトガルの植民地独立は七〇年代をまたなくてはならなかった。アンゴラ、モザンビーク、ギニアビサウでも六〇年代に民族運動が発達したが、当局は容赦なくこれらを弾圧し、一九七四年に本国の独裁体制がクーデターによって終焉を迎えるまで武装闘争が各地で繰り広げられた。民主化を達成したポルトガルは、植民地戦争の重い負担から逃れようとアフリカから素早く撤退をした。これにより政治的真空地帯が生じ、対立する様々な勢力間の武力闘争による内戦が長らく続くことになった。アンゴラでは、米ソだけではなくそれぞれの陣営の南アフリカ、キューバ、中国もかかわり、冷戦を体現した国際的な内戦となった(Cooper 2002: 139-144; Jansen et al. 2017: 151-152)。

ポルトガル領の独立は、隣国の南ローデシアにも決定的な影響を与えた。入植植民地であるこの地は、一九六五年にイギリスからの一方的独立宣言を行い、白人による支配を維持しており、国際的な非難や圧力にもかかわらず、周辺のポルトガル領や南アフリカとの関係維持によって持ちこたえていた。しかしモザンビークとアンゴラが独立すると経済制裁が効果を発揮し始め、また、モザンビークからゲリラの侵入も容易になり、黒人による解放闘争が激化し、一九八〇年にジンバブエが誕生した(小倉・船田 二〇一八：一〇五、一二四－一二五、二二九－二三〇頁)。脱植民地化の流れはその後も続き、一九九〇年に南アフリカのアパルトヘイトが撤廃され白人支配体制が終焉を迎えると、支配下に置かれていたナミビアの独立が翌年実現した。

こうしてアフリカでは多くの国が誕生したが、独立にあたり国民国家という枠組みが唯一の選択肢であったわけではない。指導者のなかには連邦制のような複合国家を目指すものもいた。そこには、一九世紀末に生まれたパン・アフリカ主義が大きな影響を与えていた。ンクルマやケニアのケンヤッタなど、パン・アフリカ主義に共鳴する指導者たちは、かつてヨーロッパ列強によって恣意的に引かれた境界線の踏襲によって、アフリカ大陸が小さく弱く、敵対する国家に分割されバルカン化することをおそれていた。それに対し、仏領アフリカで最も豊かなコートジボワールのウフェ＝ボワニは各国での独立を望んでいた(Nugent 2004: 48)。西アフリカでは、一足先に独立を遂げたガーナとギニアが一九五八年に連合を形成し、数年後マリも参加し、東アフリカでは、一九六七年にケニア、ウガンダ、タンガニーカが東アフリカ連邦を宣言した。しかし、一部の指導者によるこうした地域連邦の試みが成功することはなかった。独立後に政権をとった指導者たちは、民衆の支持をえるために「身近な」問題に取り組む必要があった。また、道路や鉄道、新聞や郵便といった、政治運動に不可欠なインフラは、植民地期に国境内で整備されたものであった。官僚制、法律、財政などの既存統治制度もまた、国民国家の基盤を提供しており、国境を超える他の選択肢を遠ざけることになった。独立後になされたいくつかの国境の引き直しの試みもことごとく失敗し、いかに既存の国境が恣意的であったとしても、それを引き継ぐ途をアフリカ諸国は選んだのである(Birmigham 1995: 5; Kennedy 2016: 84-85)。

こうして誕生した新たな国民国家は、内部の言語的、民族的、宗教的、その他あらゆる差異を架空の共同体のなかに押し込め、ノショナリズムが先行した、時に強引な統治を行い、それはしばしば内戦や民族浄化、強制移住につながった。とはいえ、国民国家を分断する「部族」もまた、植民地主義によって「発明」されたものであった。一九世紀以前の記録においては「部族」に関する言及はほとんどみられず、植民地期に当局が統治するための単位として「部族」が作り出されたのである(川端 二〇〇九：五七頁)。こうして強化されていった「部族」を内面化した人々が作り上げた国民国家は不安定であり、一九四五年から一九九九年の間に起きた内戦は、国家間戦争が二五であったのに対して一二七に及んだ(Kennedy 2016: 86)。そしてその内戦をさらに複雑にしたのが冷戦であり、米ソとその同盟国は、資金、武器、軍事的アドヴァイスをそれぞれの陣営に与え、内戦を激化させ長引かせることになった。

アジアにおいても、イギリスからの独立の際に分離したインドとパキスタンの対立は、その後三度にわたる戦争を引き起こした。最初の二つの戦争で争点となったのは、一九四七年の独立の際に帰属が決められなかったカシミール地方の領有問題であった。一九八〇年代後半以降、度重なる軍事危機と両国の核保有、頻繁なテロの行使が、この地域をきわめて不安定にする深刻な要因となった(Paul 2005: 3)。また、ポルトガル植民地であった東ティモールでは、本国の独裁体制崩壊後、実権を握った左派政党が一九七五年に独立を宣言したが、直後にインドネシアが軍事侵攻を行い、占領体制を確立した。ポルトガルを相手とした反植民地運動が、今度はインドシナを敵とした抵抗運動へと変貌し、二一世紀になって独立をはたすまで、世代をこえて独立闘争は継承されることになった(松野 二〇〇二:二頁)。このように、かつての植民地が独立後に他地域を侵攻・支配する例は、モロッコの西サハラ支配においてもみられ、西川長夫による「国民国家は植民地主義の再生産装置である」(西川 二〇〇六:二六八頁)との言葉の意味を強く実感させる。

各地で、国を独立に導いたという正当性を盾に、政権をとった「偉大な」立役者たちは、「終身大統領」を自ら宣言したチュニジアのブルギバのように、しばしば単一政党・長期政権によって、強大な軍を背景に権威主義的な圧制をしいた(Berman 2013: 361; Vermeren 2015: 56-59)。独立後の新たな国家は、国民国家という制度だけでなく、人々を威圧してきた軍や非民主的な統治制度、そして時には植民地主義そのものをも踏襲したのであり、植民地支配が残した刻印は長く、深い。

おわりに

脱植民地化を経て誕生した国の多くが独立後にたどった途は決して容易なものではなかった。独立は喜びであると同時に新たな困難の始まりでもあり、そうした苦汁を経験した旧植民地やそれにかかわった「虐げられた」人々が一九九〇年代以降、様々な形で植民地支配に対する謝罪や補償、承認を求める運動を起こすことになった(永原 二〇〇九:一一頁)。

イギリスやフランスがその長い歴史のなかで勝ち取り擁護してきた、自治や自由の原則と、抑圧的で非民主的な植民地支配の併存は内在的な矛盾をはらむものであったが、フランスでは共和主義の理念こそが植民地帝国を下支えしていたことが明らかにされたように(バンセル他 二〇一一)、その矛盾はほとんど自覚されることなく帝国は拡大を続けていった。しかし第二次世界大戦において、英米が枢軸国のファシズムに対する戦いを標榜した時、その自己矛盾は決定的なものとなり、まさに自治と自由を求める植民地側からの異議申し立てはもはや否定しようがなかったのである(Kennedy 2016: 64)。

その後徐々に行われた植民地からの撤退は、予期せぬ状況に直面し、しばしば計画通りには進まなかった。撤退は常に早すぎたり遅すぎたりし、いずれにせよ多くの混乱と犠牲を生むことになった。一見「秩序だった」ようにみえる脱植民地化の場合でも、歴史家ロジャー・ルイスが「脱植民地化の帝国主義」(Louis 2006: 451-502)と表現したように、そこには新たな支配に向けた列強諸国の思惑が錯綜していたのである。

参考文献

池田亮(二〇一三)『植民地独立の起源——フランスのチュニジア・モロッコ政策』法政大学出版局。

池田亮(二〇一八)「一九五六年基本法とフランス植民地帝国の変容」『国際政治』一九一号。

小倉充夫・船田クラーセンさやか(二〇一八)『解放と暴力——植民地支配とアフリカの現在』東京大学出版会。

川端正久(二〇〇九)「アフリカ独立五〇年を考える——アフリカ現代史の書きかえに向けて」『地域研究』九巻一号。

木畑洋一(二〇二〇)「「変化の風」のもとで——「一九六〇年」の国際関係と民衆」南塚慎吾編『国際関係史から世界史へ』ミネルヴァ書房。

木村雅昭(二〇二〇)『大英帝国の盛衰——イギリスのインド支配を読み解く』ミネルヴァ書房。

倉沢愛子(二〇一二)『資源の戦争——「大東亜共栄圏」の人流・物流』岩波書店。

ストラ、バンジャマン(二〇一一)『アルジェリアの歴史——フランス植民地支配・独立戦争・脱植民地化』小山田紀子・渡辺司訳、明石書店。

津田みわ(二〇〇九)「復権と「補償金ビジネス」のはざまで——ケニアの元「マウマウ」闘士による対英補償請求補償」永原陽子編『「植民地責任」論——脱植民地化の比較史』青木書店。

永原陽子(二〇〇九)「「植民地責任」論とは何か」同編『「植民地責任」論』青木書店。

西川長夫(二〇〇六)『〈新〉植民地主義論——グローバル化時代の植民地主義を問う』平凡社。

半澤朝彦(二〇〇一)「国連とイギリス帝国の消滅」『国際政治』一二六号。

バンセル、N、P・ブランシャール、F・ヴェルジェス(二〇一一)『植民地共和国フランス』平野千果子・菊池恵介訳、岩波書店。

平野千果子(二〇一四)『フランス植民地主義と歴史認識』岩波書店。

ベッツ、レイモンド(二〇〇四)『フランスと脱植民地化』(今林直樹・加茂省三訳)、晃洋書房。

松沼美穂(二〇一三)「脱植民地化と国民の境界——アルジェリアからの引揚者に対するフランスの受け入れ政策」『ヨーロッパ研究』一二号。

松野明久(二〇〇二)『東ティモール独立史』早稲田大学出版部。

吉澤文寿(二〇〇九)「日本の戦争責任論における植民地責任——朝鮮を事例として」永原陽子編『「植民地責任」論』。

Ageron, Charles-Robert (1991), *La décolonisation française*, Paris, Armand Colin.

Ageron, Charles-Robert, Marc Michel (dir.) (1995), *L'ère des décolonisations: Actes du Colloque d'Aix-en-Provence*, Paris, Karthala.

Anderson, David (2005), *Histories of the Hanged: Britain's dirty war in Kenya and the end of Empire*, London, Weidenfeld & Nicolson.

Berman, Bruce J. (2013), "Nationalism in Post-colonial Africa", John Breuilly (ed.), *The Oxford Handbook of the History of Nationalism*, Oxford, Oxford University Press.

Birmingham, David (1995), *The decolonization of Africa*, London, UCL Press.

Bodin, Michel (2000), *Les Africains dans la guerre d'Indochine 1947-1954*, Paris, L'Harmattan.

Bost, François (2010), "France, Afrique, mondialisation: Le «Pré carré» français à l'épreuve de la décolonisation et de la mondialisation de l'économie", *Bulletin de l'Association de géographes français*, 87.

Cooper, Frederick (1996), *Decolonization and African Society: The Labor question in French and British Africa*, Cambridge, Cambridge University Press.

Cooper, Frederick (2002), *Africa since 1940: The past of the present*, Cambridge, Cambridge University Press.

Cooper, Frederick (2011), "Reconstructing Empire in British and French Africa", *Past & Present*, 210, Supplement 6.

Devillers, Philippe (1995), "Indochine, Indonésie: deux décolonisations manquées", Charles-Robert Ageron et Marc Michel (dir.), *L'ère des décolonisations*, Paris, Karthala.

Droz, Bernard (2006), *Histoire de la décolonisation au XXe siècle*, Paris, Éditions du Seuil.

Elkins, Caroline (2005), *Imperial Reckoning: The untold story of Britain's Gulag in Kenya*, New York, Henry Holt and Company.

Fieldhouse, D. K. (1986), *Black Africa 1945-1980*, London, Allen & Unwin.

Flint, John (2016), "Planned decolonization and its failure in British Africa", Martin Thomas (ed.), *European decolonization*, London, Routledge.

Harbi, Mohammed, Benjamin Stora (2004), *La guerre d'Algérie*, Paris, Hachette.

Hyam, Ronald (2006), *Britain's declining Empire: The road to decolonisation, 1918-1968*, Cambridge, Cambridge University Press.

Jansen, Jan C., Jürgen Osterhammel (2017), *Decolonization: A Short History*, Princeton and Oxford, Princeton University Press.

Kahler, Miles (1984), *Decolonization in Britain and France: The Domestic Consequences of International Relations*, Princeton, Princeton University Press.

Kennedy, Dane (2016), *Decolonization: A Very Short Introduction*, Oxford, Oxford University Press.

Louis, Wm. Roger (2006), *Ends of British Imperialism: The Scramble for Empire, Suez and Decolonization*, London and New York, I. B. Tauris.

Low, David (1991), *Eclipse of Empire*, Cambridge, Cambridge University Press.

MacMahon, Robert J. (1981), *Colonialism and Cold War: The United States and the struggle for Indonesian independence 1945-1949*, Ithaca and London, Cornell University Press.

Manela, Erez (2007), *The Wilsonian Moment: Self-Determination and the International origins of anticolonial nationalism*, Oxford, Oxford University Press.

Moumen, Abderahmen (2003), *Entre histoire et mémoire: Les rapatriés d'Algérie*, Éditions Jacques Gandini.

Nouschi, André (2005), *Les armes retournées: Colonisation et décolonisation françaises*, Paris, Belin.

Nugent, Paul (2004), *Africa since independence*, Basingstoke and New York, Palgrave Macmillan.

Paul, T. V. (2005), "Causes of the India-Pakistan enduring rivalry", T. V. Paul (ed.), *The India-Pakistan Conflict: An enduring rivalry*, Cambridge, Cambridge University press.

Pervillé, Guy (1993), *De l'Empire français à la décolonisation*, Paris, Hachette.

Shepard, Todd (2006), *The Invention of Decolonization: The Algerian War and the remaking of France*, Ithaca and London, Cornell University Press.

Smith, Andrea L. (ed.) (2002), *Europe's Invisible Migrants*, Amsterdam, Amsterdam University Press.

Springhall, John (2001), *Decolonization since 1945: The collapse of European overseas Empires*, Houndmills and New York, Palgrave.

Ukelina, Bekeh Utietiang (2017), *The Second Colonial Occupation: The legacies of British rule in Nigeria*, Lanham, Lexington Books.

Vermeren, Pierre (2015), *Le choc des décolonisations: De la guerre d'Algérie aux printemps arabes*, Paris, Odile Jacob.

White, Nicholas J. (2011), "Reconstructing Europe through Rejuvenating Empire: The British, French, and Dutch Experiences Compared", *Past & Present*, 210, Supplement 6.

コラム｜*Column*

脱植民地化と史料の破棄・隠匿

佐藤尚平

次頁の写真は、東アフリカでイギリスが統治していた植民地、ウガンダで作成された文書である。厚紙の上下に記された「機密」(CONFIDENTIAL)という印字が物々しい。題は、「遺産」作戦」。どこか不思議な表現だが、さらに違和感を与えるのは、右上に大きく「DG」という赤いハンコが押されていることだ。

文書の日付は、一九六一年四月一七日。それまで植民地支配を受けていたアフリカ諸国が次々と独立を達成していた頃だ。ウガンダが独立するのは翌年まで待つが、前の年にイギリスの首相が「変化の風」と呼んだ民族自決の機運は、この地にも到達しつつあった。劣勢にまわったイギリスの撤退はもはや不可避と、植民地官僚たちが帝国の店仕舞を急ぐ中、ウガンダのエンテベに置かれた総督府から各執行部にこの文書は送られている。文書内の説明によると、ゴム印で押された「DG」の文字は、植民地官僚の中でもヨーロッパ系の者しか閲覧してはならないという意味の暗号だという。

書類を扱う資格を、なぜ職階や所属ではなく出自によって決める必要があったのだろうか。折りしも植民地政府は独立という一大事に向けて準備を進めている真っ最中だ。ただでさえ忙しいこの時期に、奇妙な暗号を開発してまで、わざわざ書類仕事を増やすようなことをした背景には、植民地官僚たちの人種・民族観と歴史に向けられた意識が潜んでいる。

イギリス帝国は世界各地に広がった行政機構を持ち、そこに務める官僚たちは多人種多民族構成であった。ウガンダの植民地政府にも、ヨーロッパ系のイギリス本国出身者に加えて、アフリカ系の官僚もおり、さらに南アジアからも多くの者が移住して働いていた。しかし、ウガンダ独立が不可避となったこの時期、ある重要な政策については、アフリカ系・南アジア系の構成員を完全に排除して、ヨーロッパ系の者だけで処理することを植民地政府は決定する。そして、行政機構の内部でこのような差別的な処理を行っていることを他の同僚たちに気づかれないように、副総督(Deputy Governor)の略号「DG」に見せかけたゴム印を押して、その政策に関わる書類を分別したのである。

植民地独立という土壇場で、それまで共に働いてきた同僚たちを排除してまで、秘密裡に行わなければならなかった政策とは何か。実は当時イギリス帝国では、各植民地が独立する際、それまで蓄積された行政文書を新政府に対して完全な形では移管せずに、一部の文書を破棄したり秘密裡にイギリスに移送したりしていた。この文書隠蔽工作は、第二次世界大戦が終結して間もない一九四〇年代後半には始まっており、ゴールドコースト（ガーナ）やマラヤ連邦（後のマレーシア）の独立を経て、ウガンダが独立する一九六二年までには慣例化していた。

写真の文書は、この文書隠蔽工作についての司令書である。新生ウガンダ政府に移管して問題のない「きれいな」文書と、ウガンダに残しておいては不都合な「汚れた」文書を選り分けること。その手筈が指示されている。文書の題が「「遺産」作戦」となっていることからも、この司令が歴史に向けられた何かしらの意識を持って企図された周到な政策であったことがうかがい知れる。行政機構にありがちな日常的な書類の整理・廃棄ではなく、また突発的な混乱が招いた事故でもなく、帝国の記録のうち都合の良いものだけを後世に「遺産」として残すための隠蔽工作だったのだ。

しかも、植民地政府の執行部は、暗号を使ってまで、この文書隠蔽工作から非ヨーロッパ系の同僚を徹底的に排除した。

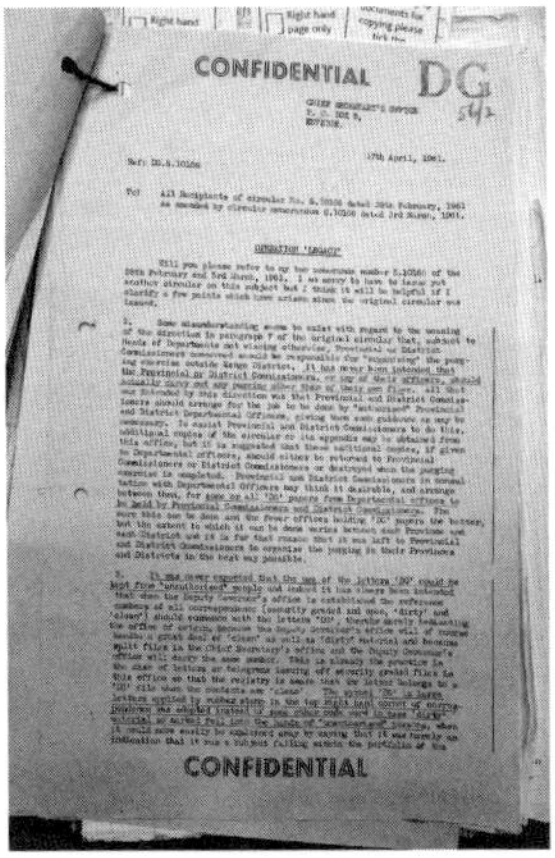
CONFIDENTIAL
DG
CONFIDENTIAL

イギリス統治下のウガンダで作成された文書「「遺産」作戦」（“Operation ‘Legacy’”, by Marquand, 17 April 1961, FCO 141/6957, The National Archives, Kew, UK）.

そこからは、帝国の中枢を司ったイギリス出身者たちの複雑な人種・民族観が垣間見える。植民地官僚の間でのこれほど露骨な差別は、ゴールドコーストやマラヤ連邦での文書隠蔽工作からは確認されない。他方で、例えばウガンダの隣のケニアでは同様の事例が見られた。東アフリカの植民地で特に人種・民族間の軋轢が高まっていたことを感じさせる。

歴史が現在と過去の対話だとすれば、隠蔽とは現在による過去の否定だ。では、その根源的な動機は何だったのだろうか。文明を牽引してきたはずの自分達が劣勢にまわりつつあるという危機感、あるいは過去の行動についての罪悪感だろうか。時期と地域にもよるだろうが、いずれにせよ考えなければならないのは、こうした意図的な過去の否定が、それを引き継いだ社会に深い爪痕を残すことがあるということだ。

時代を下って二〇一一年。イギリス政府は、二〇世紀中葉のケニアで展開した反英植民地闘争に関連して、賠償を求められていた。この裁判の過程で、かつてイギリス帝国が世界的な文書隠蔽工作を行ったこと、そしてそれによって移送された膨大な植民地文書がイギリス政府の施設内に保管されていたことが初めて公にされた。これを機に、脱植民地化に伴う史料の破棄と隠匿についての検討が本格化することになる。問題の文書が作成されてから実に半世紀後のことである。

※本稿はJSPS科研費17KK0033, 21K00814の成果である。

問題群｜*Inquiry*

地域統合の進展

川嶋周一

はじめに

フランスのストラスブール市の中心にあるクレベール広場からトラムD線に乗ると、ライン川にかかる欧州橋を通ってドイツに入り、終点のケールに二〇分強で到着する。降車した乗客はパスポートチェックを受けることも通貨の交換もすることもない。イタリアのパルマ近郊の工場で作られたパスタは、貨物列車やトラックに載せられ近隣国のスーパーマーケットに国境管理もなく運ばれる（イントラスタットと呼ばれる物品移動の統計上の申告は求められる）。これらはどちらも欧州連合（EU）がもたらした日常である。

このように、EUが単なる国際機関ではない作用を発揮し、国家でなくとも一つの国家に類似した空間を作り上げその中で人々が暮らしている例は枚挙に暇がない。地域統合は二〇世紀に登場し進展した国際的現象だが、EUほど経済、通貨、国境管理等の多領域で高度な地域統合を実現している例はない。EUは一九九三年のマーストリヒト条約の発効によって成立した。確かに二一世紀の現在、EUは多数の課題を抱えるが、欧州の政治経済を考える際無視できぬ存在であり、人々の日常生活に明らかな影響を与えている。しかしその状況は一夜にして生まれたのではなく、第二次世界大戦後の欧州統合(以下本文で単なる統合は欧州統合を意味する)の動きの積み重ねの中で生成されていった。また地域統合はASEAN、アフリカ連合、メルコスールなど欧州以外の地域にも登場するが、ここまでの深化を果たしたのは欧州だけである。なぜ欧州で地域統合が進み、EUという形に至ったのだろうか。本稿は、この欧州統合という第二次世界大戦後初めて実現する地域統合がどのように成立・進展し、EU成立とどうつながり、そして戦後の現代史にどう位置づけられるのかについて、九三年のEUの成立を終着点として概観する。

一、欧州統合史研究と統合の前史

統合史研究の発展

欧州統合は、その制度的な成立は第二次世界大戦後であり、歴史的に見ればごく最近に登場した新しい歴史事象である。しかし早くから歴史研究は行われ、統合史研究という一つのジャンルを作り上げてきた。統合史研究の先駆けは七〇年代後半から行われたドイツ人研究者リプゲンスと言われる(Lipgens 1977)。彼の研究の特徴は「レジスタンス神話」に基づいていた点にある。すなわち、ナチスドイツと戦う各国のレジスタンスが戦後国民国家体系を克服すべく欧州連邦を目指して統合を推進したという説明である。しかしこの説明は統合を推進する側が望むストーリーに沿っている点で、充分批判的な研究とは言えなかった。実証的な歴史研究は、八二年に立ち上げられた欧州各国の国際関係史研究者による通称リエゾンと呼ばれる研究グループによって本格的に着手された(Poidevin 1986)。リエゾンは、欧州各国の統合政策を分担しながら、各時代の統合について実証的かつ体系的な研究を推し進めた。世代が交代しながら、現在も統合史研究はスタイルも欧州的とも言えるリエゾンを中心に進められている(Schwabe 1988; Serra 1989; Deighton & Milward 1999; Loth 2001; van der Harst 2008; Gehler & Loth 2020)。またイギリス出身の経済史家ミルワードが発表した『国民国家の欧州的救済』は、リプゲンスが提示した親統合運動を重視する視角よりも、加盟各国が抱える利害から統合を読み取る視角の重要性を打ち立てた決定的な研究となった（Milward 1992）。

では、現在の統合史研究で重視されている論点はなんだろうか。それは、相互に結びつき合う二点があるように思われる。第一に、統合を現在の姿から振り返り、現在へと直線的に結びつくような成功史観として描くべきではないこと、第二に、何が統合されたのか、そもそも「統合される」とは何を意味するのか、という問いをより広く捉えながら改めて強調することである（Patel 2013, 2020; Warlouzet 2014）。リエゾンの統合史研究は、安全保障を含めて各国の対統合政策や統合に関する政府間の外交交渉を対象とする政治外交史／国際関係史研究が主流であるが、二一世紀以降は共同体組織そのものも研究対象となり（Ludlow 2006）、統合に参与する非国家アクターに焦点を当てるトランスナショナルな統合史（Kaiser et al. 2009）、EU法や司法関係者がいかに統合を進めたのかという法統合史研究（Rasmussen 2008; Vauchez 2013）も本格化している。また、グローバリゼーションとの関係（Warlouzet 2018）、グローバルサウス（Garavini 2012）、一九八〇年代以降の新自由主義の興隆（Ventresca 2021）といった、戦後の国際関係史の中に統合を位置づけて研究する傾向がみられている。これらの研究動向は、統合という現象が政治および経済のみならず、多層的な統治活動を意味するようになっていることを示唆しているだろう。

その意味で近年、ますます欧州統合をめぐる史的視角は、統合（というかEU）の相対化を志向する傾向が強まっている。ドイツ出身のパテルは『プロジェクト・ヨーロッパ』にて、戦後欧州には国際的協調を志向する数多くのフォーラムが立ち上がり、そのフォーラム間の競争の末、現在のEUにあたる統合の形が主流となり「ヨーロッパ」そのものを代名するまでに至ったという統合史観を提示している（Patel 2020）。日本の統合史研究者が編んだ『複数のヨーロッパ』もこれに類似する（遠藤・板橋 二〇一一）。もちろん、今後も統合の歴史ナラティブには常に修正が加えられるだろう。しかし統合が政治外交、経済、行政、法、社会の次元で展開しその次元に応じた多層な空間を作り上げたこともまた確かであり、その歴史研究も本質的に多元で多層的なものとならざるを得ない。

欧州統合の前史――「欧州理念」から戦間期まで

統合の成立は二〇世紀の事象であっても、その試みは時代を遡って存在していた。欧州の歴史において「欧州とは何か」という問いは、変奏的に繰り返し問われ続けてきた。欧州は地理的というより文明的な存在であり、国家を超えて精神的な紐帯を持つものであるという理解は、古代からあり中世には成立した(フェーヴル 二〇〇八)。それが一九世紀にはいると、国民国家の輪郭が明確となる中で、マッツィーニのようにナショナリズムと両立する欧州の連邦を論じる声が出てくるようになる。『レ・ミゼラブル』を書いたヴィクトール・ユゴーが一八六八年のパリ平和会議で行った「欧州合衆国」演説は、現在の統合とは直接つながらないとはいえ、欧州共同体のイマジネーションを提供するものだった。これらは、実際の制度として成立する統合と対比して、欧州理念と称される(Guieu et al. 2006)。

このような理念から脱し、制度としての地域統合の具体的な出発点となったのは、第一次世界大戦の衝撃だった。欧州列強同士が正面から総力戦を戦い合い、銃後の国民的資源をすり潰し合ったこの戦争は、その人的被害もさることながら、大戦前の欧州文明に対する信頼の崩壊、欧州より強大なアメリカの政治的経済的パワーの認識など、欧州に対して幾重にも衝撃をもたらした。シュペングラーはいうに及ばず、数多くの知識人が「欧州の没落」を論じた。

この没落への恐怖に呼応して、欧州各国の知識人や貴族、実業家たちが、様々な形での欧州統一／連邦を求める運動を開始する。一九二〇年代に、リヒャルト・クーデンホーフ＝カレルギーのパン・オイローパ構想、ロマン・ロランによる雑誌『ユーロップ』の創刊、マイリッシュ委員会と粗鋼カルテルなど、国家間のみならず経済、文化など多岐に渡る欧州の紐帯を回復しようとする運動が生まれた。さらに、五〇年代に実際に成立する統合の下絵を書いたジャン・モネが、第一次世界大戦中に英仏間で設置された連合国海運輸送理事会に参加した後、国際連盟の事務次長を務めたことは、欧州統合が政府間の政策共有と国際機関の結節点に位置していることを象徴的に示していた。

しかしこのような数多くの民間の統合運動とは対照的に、政府としての取り組みは二九年のフランスのブリアン構想に留まり、ほとんど協議のないまま消滅した。第二次世界大戦勃発後の四〇年代前半、皮肉なことに欧州統一はナチによって実現してしまう。大戦においてナチスとその同盟国によって大陸欧州があらかた占領されたことで、反民主主義、反自由主義、人種差別的で全体主義的な統一欧州が実現してしまったのである。

ファシズムは大陸欧州を席巻したが、それへの対抗理念もまた統合の形をとった。ナチスの全体主義に対抗し、欧州各国のレジスタンスは民主主義的で自由な戦後統一欧州を構想した。フランスのアンリ・フレネやイタリアで執筆された「ヴェントテーネ宣言」は、その代表例である。他方で、戦後に欧州統一を推進する連邦主義を奉じる知識人の中には、三〇年代フランスの知的世界に登場した非順応主義、コルポラティスム、人格主義論者だけでなく(Dard & Deschamps 2005)、ヴィシー政権期に国民共同体主義を標榜した人々もいた(Cohen 2012)。第二次世界大戦後に欧州統合を奉じる人々が大戦前にどのような思想を抱いていたのかを全ては紹介できない。しかし、戦間期から戦後まで一貫した統合思想を抱いていた親統合派は相対的に少ないことは強調してもよかろう。そもそも、実際に成立する共同体は自由で民主主義の理念に根差していたが、戦間期にそのような政治体制を抱いていた国は少なかった。数多くのバリエーションに富む戦間期の思想が、戦後にそれぞれ形を変えて欧州統合に接合していくのである。

二、統合の成立——戦後における統合の模索からローマ条約まで

第二次世界大戦後、統合はそれまでの紙の上の構想に留まっていた状況から脱却し、現実の制度となった。しかし統合の在り方はそこに参加する国家の関係性と不可分であるため、国際秩序や戦後体制の如何に大きく規定された。

それゆえ戦後の統合は、グローバルな国際秩序（冷戦）の成立と欧州の戦後体制の鍵となる敗戦国ドイツの国際的位置づけと連動しながら進展する。と同時に、統合の進展の程度は、それを望む／望まない人々の動きとも連動した。上からの動きが持つ拘束力と、下からの動きが持つダイナミズムの交錯の中で欧州統合が展開するのである。

冷戦とドイツ問題

冷戦は欧州統合の生みの親の一人である。戦後の欧州統合は、東西対立によってドイツと欧州が分断されていく中で、西欧に求められた勢力結集の一つの様式だったからである。その具体的な動きは、一九四七年六月のマーシャル・プランの発表から始まった。この欧州に対する大規模な経済支援の実施に当たり、受益国間での自由貿易の推進や国際組織の設立という形での経済協調が求められた。ソ連は同計画を拒否するだけでなく、参加を望むチェコスロヴァキアを参加させなかった。マーシャル・プランの受け入れを分ける線は、欧州東西の分断線に相当した。四八年四月には、マーシャル・プランの受け皿として欧州経済協力機構（OEEC）が設立された。OEECは現在のEUに連なる組織ではない。しかし同時代的にはOEECも欧州統合の重要な受け皿と見なされた組織だった（Griffiths 1997）。西欧諸国間の関税引き下げに加え、経済協調を核とした自由貿易を通じて、欧州統合を実現することがこの時期は考えられたのである。

東側に対抗する西欧の一体性の模索は、安全保障でも求められた。四八年三月には、英仏ベネルクスの五カ国による集団安全保障機構であるブリュッセル条約機構が設立された。この頃、分割占領したドイツの処理をめぐる戦勝国間の合意が見込めず、米英仏の占領地域を合併して西独の成立を求めるロンドン勧告が同年六月に出され、ソ連の反発はベルリン危機を引き起こした。冷戦は決定的になり、四九年四月には西独基本法が発効、同年九月に西独政府が発足しドイツも分断された。他方でアメリカを含む大西洋の枠組みで西側欧州諸国の安全保障を行う考えがイギリス政権内で有力になると、四九年四月に北大西洋条約が締結され、ここに米欧一体の安全保障秩序の端緒が成立した。

ハーグ会議から欧州審議会の成立へ

一九四八年五月には、もう一つの意味で戦後欧州統合の出発点と言えるハーグ会議が開催された。連邦主義や自由主義、カトリックなどの、戦後に誕生した多数の民間統合推進団体が連携して開催に至ったこの会議には、欧州全域から八〇〇人を超える参加者を得、連邦主義的な統合を求める声が可視化された。政治、経済、文化の三つの分科会に分かれて議論が進められたハーグ会議は、最終的に「欧州議会」の設立決議を採択して閉会した。

ハーグ会議はあくまで民間会議であり、その決議に法的拘束力はなかったが、フランス政府は決議を受けて設立を提案し、同年一〇月より英仏を中心に設立交渉が開始した。フランスは、将来の欧州的組織の第一歩として欧州議会を設立することを望む一方で、イギリスは各国の閣僚級・政府代表による政府間協議の場とすることを求め、両国は対立した。この英仏対立はイギリスが勝ち、翌四九年五月に成立したのが欧州審議会(CE)だった。

CEは史上初めて成立した「欧州共同体」だった。西北欧一〇ヵ国で発足したCEは設立規約において「個人の自由、政治的自由、法の支配、民主主義に基づく原則」に立脚した上で、「欧州諸国をより緊密な結合体へと導く組織の設立」を謳い、その成立は第二次大戦後の欧州統合を求める動きの頂点になるはずだった。しかしCEは政府間協議の場に過ぎず、親統合派、特に連邦主義者が求めるレベルに至っていないと設立当初から見なされた。その後CEは欧州人権条約レジームという重要な機能を獲得し現在まで存続しているが、統合の中心とはならなかった。

シューマン・プランの成立

一九四〇年代が終わろうとしていた時、西欧にとっていくつかの前提条件が明確になっていた。第一に冷戦状況の中で統合はアメリカからの支持を必要とした。第二次大戦後の統合はまず「大西洋欧州」である必要があった。第二に分断されたドイツの西側を西側欧州の中に組み込む必要があった。第三に、英仏協調を基盤とした統合は不発に終わった。このような状況で、新しいイニシアティブがフランス政府内から生まれ、これが現在の欧州統合の画期の一つとなった。それがシューマン・プランである。シューマン・プランは、五〇年五月九日に仏外相ロベール・シューマンが発表した独仏の石炭鉄鋼資源を共同で管理する構想である。この構想を起草したのは、当時仏計画庁長官のモネだった。モネは独仏主導の、超国家的欧州を生み出そうとした。

興味深いことに、この五〇年五月において、シューマン仏外相、西独首相のコンラート・アデナウアー、伊首相のアルチーデ・デ・ガスペリは、みなカトリックでドイツ語が話せた(ロレーヌの出自のシューマンと南チロル出身のデ・ガスペリは仏伊の国民として生まれておらず、どちらもドイツ語で高等教育を受け、第一次世界大戦後の国境の変化に伴い国籍を変更した)。カトリック連合という意味合いは、反共という冷戦の文脈にもキリスト教による紐帯という欧州的文脈にもどちらにも適合した。こうして独仏に加え伊ベネルクス三カ国の計六カ国によって、五二年に欧州石炭鉄鋼共同体(ECSC)が成立した。

シューマン・プランは石炭鉄鋼の独仏共同管理を謳っているが、実は資源は西独側に遍在しており、この構想は実質的には西独の資源の欧州化を意味していた。これは、ドイツの封じ込めだけでなく、経済近代化を望むフランスが西独のエネルギー資源にアクセスできることを意味していた。他方で、封じ込められる側の西独のアデナウアーも、この構想の政治的含意を理解したうえで賛成した。独仏間の戦争を不可能にすることで平和をもたらすシューマン・プランは、たとえ経済的には西独には不利でも、戦後秩序と戦後西独の国際的地位の安定化に大いに資する構想と評価された。また、シューマン・プランでは石炭鉄鋼共同体を欧州連邦の一里塚とするとされたが、ECSCではそのような連邦主義的発想は消え、部分的な政策領域に主権をプールする超国家的統合が目指された。

欧州防衛共同体の失敗

シューマン・プランは、現在に連なる欧州統合の流れを決定づけたと言ってよい。しかし、確かに今から振り返ればシューマン・プランはEUに連なる出発点として位置づけられるが、シューマン・プランが時代の転機となりえたのはその後の五〇年代を通した統合をめぐる紆余曲折があったためだった。それが、西独再軍備と欧州防衛共同体(EDC)をめぐる混乱、そしてその混乱を乗り越えるために提示された経済統合構想だった。

EDCとは、シューマン・プラン発表からほどなく五〇年六月に勃発した朝鮮戦争を契機として始まる西独再軍備問題に端を発する構想である。モネはこの再軍備問題の解決のために、シューマン・プランの軍事版として西独軍が組み込まれる欧州軍を構想し、仏首相プレヴァンが同年一〇月に発表した。西独再軍備の実現と欧州の安全保障の確保を同時に実現するこの構想は、軍をコントロールする機構も必要ということから、より広義な共同体構想へと発展する。アデナウアーは再軍備を西独が防衛貢献を行う代償として主権回復を求める絶好の機会と捉え、五二年五月に西独の主権回復条約(ドイツ条約)とEDC条約(ECSCと同じ六カ国)が同時に調印された。

しかしこのEDC条約は、終戦から一〇年が経過していないフランスにとって受け入れ難かった。仏外務省では、EDCの裏で西独に利し自国を裏切る秘密条約が結ばれたという噂まで飛んだ(Bossuat 2009: 183)。親統合派で五三年一月に米国務長官に就任したダレスはEDCを強く支持するようになった。しかし西独をはじめとする五カ国が条約を批准していく一方で仏国内のEDC支持は広がらず、最終的に五四年八月に仏国民議会でEDC条約は否決された。西独再軍備と主権回復については、西独のNATOと西欧同盟の双方への同時加盟で解決されたが、軍事安全保障の共同体は非現実的だった。安全保障の枠組みを統合が担うことは出来ず、それはNATOの役割となった。

五〇年代前半にECSC以外の統合が失敗に終わった大きな要因として、このようなナショナリズム的反発や、例えば農業統合の試み(Thiemeyer 1999)における政策に対する加盟国間の利益調整の不能に加え、フランスのような植民地国家にとって植民地(海外領土)との紐帯と欧州内の協調を二律背反と捉え前者を優先する判断があった。

ローマ条約交渉から自由貿易圏交渉へ

統合の中核国たるフランスがEDC構想を否決したことの衝撃は大きく、統合への危機感はにわかに高まった。この危機においてイニシアティブを取ったのが、オランダとベルギーだった。両国とルクセンブルクは、EDCに付随して登場した欧州政治共同体交渉で五三年に提案されていたベイエン構想を引き継ぐ全般的経済統合(共同市場)と、モネ発案の原子力エネルギーの超国家的統合という二つの計画を覚書にまとめ、五五年五月にECSC六カ国に提出した。これを受け、イギリスを含めた七カ国が翌六月にイタリアのメッシーナで会談を開いた。

このメッシーナ会談が開かれた五五年から、欧州経済共同体(EEC)の発足と並行して議論された自由貿易圏(FTA)構想が潰えた五八年までは、欧州統合の枠組みと方向性が定まった決定的な時期だった。

メッシーナ会談では、政府代表による作業委員会設置が合意され、五五年七月から同委員会が始動して新しい共同体設立に向けた交渉が開始された。イギリスは当初この委員会に参加するものの、同年一一月には交渉から撤退した。残された六カ国は五六年二月には大方の意見をまとめ、四月に最終報告書(スパーク報告書)が執筆された。スパーク報告書は共同市場と原子力共同体の骨子を記したものであり、ここに共同体の草案が作成された。同年六月、ブリュッセルに六カ国首脳が集まり、スパーク報告書を草案として共同体の設立条約を協議する政府間交渉が開始した。

この政府間協議で問題となったのは何点もあり、西独は原子力統合をめぐる閣内対立があったが、特に独仏間での社会経済統合の原則をめぐる対立は激しかった(廣田 二〇〇二)。最終的にこの対立は五六年一一月の独仏会談で妥協に至るが、この一一月は交渉の大きな転換点だった。というのも、この交渉と同時期に勃発したスエズ危機を契機として、それまで海外領土の問題からも統合に消極的だったフランスが積極的な態度に転じたからである。この妥協を受け、翌五七年二月までに最終的な条約草案が合意され、三月にローマにて条約締結がなされた。こうして欧州経済共同体(EEC)と欧州原子力共同体(ユーラトム)が、一九五八年一月に成立した。

しかし注意すべきは、この六カ国による共同市場と原子力共同体が加盟国や西欧諸国にとってどの程度重要であるかは、その成立時に確定したわけではないことである。当時は欧州一六カ国が参加し自由化を担うOEECも同様に大きな存在感を持っていた。さらに、共同市場設立交渉から早々に退場したイギリスは、OEECでの枠組みでFTAを設立する構想を五六年一一月に発表していた。このFTA構想は共同市場の対抗提案と見なされ、特にフランスは否定的だったが、OEEC諸国内では支持を集め、共同市場交渉を進めるオランダや西独などは好意的にすら評価した。五七年三月にはFTAに向けたOEECの作業部会が議論を始めたが、そこで明らかになったのは、FTAは共同市場に取って代わるというより補完するものとして機能させようと考えられていたことだった(能勢 二〇一〇)。しかし当時経済状況が悪化していたフランスにとって、競争条件を備える前に自由化を進めようとするFTA構想は受け入れられなかった(Warlouzet 2008)。フランスは交渉延期を求め、そして五八年六月に政権に復帰したシャルル・ド・ゴールは、FTA構想の受け入れ拒否を同年一一月に発表した。ド・ゴールはかつてEDC構想に強く反対していたため、反共同市場論者と思われたが、FTAを拒否し共同市場は受け入れた。イギリスはFTA構想に賛同する七カ国で欧州自由貿易圏(EFTA)を六〇年に発足させた(OEECは日米等が加盟してOECDへと改編される)。

この時、四七年から始まった統合の枠組みと方式をめぐるジェットコースターのような試行錯誤の動きはようやく落ち着きを迎えた。五八年に成立したEECは、経済全般の統合の共同市場構築を掲げた点でのちのEUの直接の出発点となったが、政府間主義だけでも超国家主義でもない両者の融合として、軍事安全保障上の統合ではなく特定領域に限定されない経済全体の統合として、イギリスや北南東欧諸国を含めた大欧州や冷戦を超えた欧州ではなくアメリカに支持された大西洋欧州として、統合は形作られたのである。その意味で、EU-NATO-CE体制と呼ばれるように、統合は外交や安全保障を含めた戦後欧州体制そのものであった(遠藤 二〇一四)。他方で原子力共同体は、原子力産業や核エネルギー(燃料調達含む)の共同化を実現できず、六〇年代に入ると機能不全に陥り、グローバルな核秩序たるNPT体制が六八年に姿を現すと、その一要素として位置づけられることとなった(川嶋 二〇二三)。

三、欧州共同体の制度化と変容——一九六〇年代から八〇年代前半までの統合

ド・ゴールと欧州統合

一九五八年一月に成立したEECとして発進した欧州統合は、六〇年代においてフランスのド・ゴール政権によって大きな影響を受けることとなる。というのも、ド・ゴールはEEC委員会や連邦主義者のような統合推進派とは明確に異なる統合観を持っていたからである。ド・ゴールは大西洋的で超国家的な欧州統合を敵視していたが、欧州各国が結束する意味での広義な欧州統合を支持し、フランスにとって有利な政策は加速しつつ、加盟国の意見がより反映されやすいように統合を運用しようとした。

六〇年代初頭の統合の進展として挙げられるのは、六〇年五月に関税同盟完成に向けた加速に合意し関税同盟実現に道筋をつけ(能勢 二〇二〇)、六二年一月にはマラソン会議を経て共通農業政策(CAP)の市場化措置の基本合意に成功した点である。CAPはEEC最初の共同政策で、八〇年代まで予算の大半を使う共同体の代名詞的政策であり続ける。他方でド・ゴールは、六〇年より政治同盟と呼ばれる政治統合に向けた新しい制度の導入を目指した。これは、加盟国の政府首脳の定期会談を制度化するもので、なおかつその管轄に安全保障も含む、EECとNATOを合わせたような組織を目指す野心的な構想だった。六〇年から六二年四月頃まで構想をめぐる交渉が六カ国で行われた

が、欧州の安全保障秩序の変革に対する反対を受けて、政治同盟構想は頓挫した。

しかしド・ゴールの統合に対する挑戦は続いた。イギリスのEEC加盟への拒否と、空席危機である。イギリスはEFTAを設立したものの、EECの急速な経済発展やコモンウェルスの重要性の低下などを受け、西欧諸国内における政治的主導権の奪取を目指し六一年七月にはEEC加盟を表明した。この加盟申請に基づき、同年一一月からはEECとイギリス間で加盟交渉が開始した(同時期に加盟申請したデンマークも同様)。イギリスのEEC加盟は、イギリスのコモンウェルス特恵と共同市場との関係を調整しなければならない経済的ハードルがあった一方で、政治的にはド・ゴールはアメリカの「トロイの木馬」と強く反対した(益田・山本 二〇一九)。ド・ゴールは、六三年一月一四日に加盟申請拒否を表明してこれを頓挫させたが、この構図はEFTAに対するEECの政治的優位を示した。

さらに一九六五年六月には農業政策の関連予算措置の更新を拒否し、七月一日からEEC内のフランス代表をボイコットさせた。このボイコットは「空席危機」と呼ばれ、その解決のためフランスが要求したのが、六八年より全会一致から特定多数決に移行することが予定されていた閣僚理事会における票決方法の見直しだった。六六年二月、「ルクセンブルクの妥協」と呼ばれる、加盟国の「死活的利益」が問題となった場合は全会一致を取る申し合わせが合意された。EECは委員会という超国家的機関の力学と閣僚理事会という政府間主義の力学の両方が埋め込まれる形で発足したが、意思決定においては政府間主義の力学が定着した(しかし統合の執行においては、共同体と加盟国政府の双方が緊密に協働する形で運用されるようになり、EU発足後は欧州議会の権限が増す)。なお六七年にECSC、EEC、ユーラトムの三共同体の行政機構が合併し、以後三共同体を総称してECと呼ばれるようになる。

他方でこの六〇年代には、法統合という統合の強力な推進力となる論理が登場した。欧州司法裁判所は、六三年にEC法の直接効を肯定し(ファンヘントエンロース判決)、翌年EC法の国内法に対する優位を認めた(コスタ対エネル判決)。この二つの判決はEUに固有の法秩序を育む二大原理となる。法統合は自動的な動きではなく、委員会内部で有用性が議論され、その実現には各国法曹との協力を必要としたが、法は統合の理念と合致する強力な手段だった(Vauchez 2013)。これ以降欧州統合は、法を介して各国の制度(法規制)や経済(商品の流通)を統合していく側面を強く持つことになる。

一九六九年の再出発

一九六九年四月にド・ゴールがフランス大統領を辞任し、同年末一二月にハーグ首脳会談が開催されたことは統合の重要な転機となった。発足直後で制度的整備が発達途上だったEECはド・ゴールという個性的で指導力のある政治家に振り回されたが、その退場後、それまで制約されていた統合は飛躍と質的転換を模索し始めた。具体的には、このハーグ首脳会談において、経済統合に不可欠な通貨統合が本格的に着手され、ド・ゴールが拒否したイギリスの加盟が認められた。この六九年から八五年のドロール欧州委員会の登場までの時代は、欧州統合の深化にむけた試行錯誤と試練、そして構造変容の時代と位置づけられる。

さて六九年一二月の拡大合意により、イギリスなどの四カ国が加盟を表明し、最終的に七三年一月にイギリス、アイルランド、デンマークがECに加盟した(加盟条約を締結したノルウェーは国民投票で加盟を否決された)。その後も民主化を果たしたスペインとポルトガルが七七年に加盟申請し(実現は八六年)、ギリシャも八一年に加盟した。

拡大したのは加盟国だけでなく、ECの政策領域も同様だった。社会政策、地域政策、環境政策といった政策にもECは取り組みはじめる。さらに国際政治上の有効で自立的アクターたろうとして、加盟国間の対外政策協調枠組みとして欧州政治協力(EPC)が登場し、ユーロ＝アラブ対話やヘルシンキ宣言に至る交渉などで模索され始めた。

ECは制度的改革にも着手した。ECは六九年以降政府首脳会談を数度開催しており、ヴァレリー・ジスカールデスタン仏大統領とヘルムート・シュミット西独首相が主導して、七四年にこれを欧州理事会として制度化することが合意された。八〇年代以降、欧州理事会は最重要の議論の場となり、統合の方向性はここで決定されることとなる。さらに加盟国政府を含む幅広いECの主要アクターが、経済統合のみならず政治統合を進めて共同体(Community)から連合(Union)へ統合を一段高いレベルに引き上げるべきと意識し始めた。七二年には、ECの目標として、欧州政府を設立し、社会経済政策の協調を深化させ、国境管理を廃止し、欧州市民権を打ち立てることが委員会内部で議論された(Loth 2015: 183)。七三年のコペンハーゲンEC首脳会談では「ヨーロッパ・アイデンティティ宣言」が発表され、七五年のティンデマンス報告書では、ECの民主的正統性を確保することが議論された。補完性という概念を使って加盟国と共同体における多次元統治の概念を基礎づけ始めるのもこの頃であった。七九年に欧州議会議員を選挙による直接選出制としたのも、ECが民主主義のゲートキーパーたろうとする志向性の現れでもあった。

そしてこの七〇年代に最重視された政策は通貨統合だった。六九年には通貨協力の必要性をまとめたバール覚書が作成され、七〇年一〇月に合意されたヴェルナー報告書では、経済通貨同盟を一〇年間で三段階を経て実現することが設定された。七一年一月から第一段階に入ったことが同年二月には確認され、通貨統合に向けECが動きだした。

一九七五年以降の停滞

しかしこのような六九年以降のダイナミックな展開は、七一年八月のニクソンショック以降、歯車が狂うようになっていった。それは通貨統合に特に当てはまった。七一年のブレトン・ウッズ体制の崩壊と変動相場制への移行によって通貨統合への状況は突如変転し、独仏は強く対立するも七二年四月に通貨変動幅に制限を設ける「トンネルの中のスネーク」制度が開始する。しかし、ポンドとリラはスネーク発足から一年もせず離脱してしまい、フランも七四年一月には離脱を余儀なくされた。

変動相場制への移行は、複数加盟国通貨の為替変動幅を固定することで実現する通貨統合を飛躍的に困難にした。

しかし同時に、ブレトン・ウッズ体制が崩壊したからこそ、フランスをはじめとする加盟国は本気で通貨統合に取り組まざるを得なくなったと言える(権上 二〇一三)。だが七六年には欧州通貨危機が起こり、一旦スネークに復帰していたフランが再び離脱した。その後七八年七月に独仏主導で欧州通貨システム(EMS)が合意され、七九年から始動したが、域内固定為替制度であるEMSとて通貨統合を決定的に確立した制度ではなく、七〇年代の通貨統合は統合の停滞を表しているように思われた。

同様にECは共同市場についても現実味のある見通しを立てられなかった。予定より早く関税同盟が六八年七月には実現したが、非関税障壁の撤廃はその後なかなか進まなかった。なぜならば、非関税障壁の撤廃は典型的な積極的統合の事例だったからである。積極的統合とは、加盟国間で共通の法や規範、標準を新しく設定し全加盟国に適用することで統合を進める考えである(これに対して消極的統合とは、加盟国間の物理的障壁をなくすことで統合を進展させる考えで、関税引き下げはその典型的政策である)。関税同盟完成後の共同市場の建設には、「調和化」と呼ばれるこの積極的統合が必要と考えられた。しかし「調和化」や非関税障壁の撤廃は現実的には非常に困難だった。というのも、各国の商品や法制はそれぞれの国の文化的な背景が刻まれており、共通の法規や標準を新しく設定することは各国固有の文化や慣習の喪失や変更を強いるものと理解されたからだった。ビールやリキュール、チョコレートといった嗜好品は特に各国の食文化を体現しており、数多くの自由流通への抵抗と裁判を引き起こした。

ECをさらに混乱に陥れたのが、七九年にイギリス首相に就任したマーガレット・サッチャーだった。サッチャーは同年一一月のダブリン欧州理事会の席上、イギリスがECに予算上持ち出しであるとして、自国への予算の還付を求めた。「私のお金を返して」という直截な批判と強硬姿勢により、ECの重要な審議事項はブロックされた。

経済的に見ても、八〇年代に入る時期に一層欧州経済は惨めな状況に陥っていく。七九年の第二次オイルショックは西欧各国を直撃し、GNP成長率は日米に落伍し、失業率は高止まりするなど、欧州硬化症と呼ばれる根深い経済不振に見舞われた。このように八〇年代初頭、EC各国は政治的にも経済的にも停滞と内紛を抱えて、統合の進展を望める状況ではないように思われた。

一九七〇年代における統合の構造変容

とはいえ現在の統合史研究では、この一九七〇年代から八〇年代前半に進展した過程こそが、八〇年代中盤以降の統合の再活性化を用意した重要な移行期と考えられている(Patel 2020)。では、この約一五年間に進展したことは何か。それは以下の四点にまとめることができる。

第一に、多様な政策領域で統合政策が実施されていく中で、共同体と加盟国による問題解決の仕組みが整えられ、両者が地続きになったガバナンス構造が構築され始め、制度的イノベーションの必要性が認識されたことである(Ludlow 2013)。経済統合を実施していく中でECは、共同体と加盟国が有機的に結びつき、加盟国の人材を効率的に用いて共同体の政策を遂行する体制を形成していった。この点に関し七〇年代の加盟国拡大も重要だった。なぜなら新規加盟が、遵守すべき共同体の法令・規制を再認識し体系化する機会となったからである(川嶋 二〇一三)。

第二に、七〇年代の国際政治経済上の変動が欧州に自立を強いたことである。政治的にはデタントの進展と米欧関係の緊張により、ECは冷戦的な西欧の結集よりも冷戦を超えた欧州の結集に関心を示すようになった(Pons & Romero 2011)。経済的にはブレトン・ウッズ体制の崩壊により、西欧自身の経済協調枠組みを作り出す必要性に迫られたが、その枠組みとして統合はうってつけだった。

第三に、ECに対する政治的社会的な性格付けの生成である。七〇年代を通じて民主的正統性の必要性と人権意識の重要性が自覚され始めると同時に、六八年革命を受けて新しい社会的価値が登場し、原加盟国六カ国がカトリックの共同体と揶揄されたものから、より普遍的な価値の共同体へ至ることが意識され始めた(Varsori 2011)。

第四が、非関税障壁撤廃のハードルを乗り越える方法もまた実はこの期間の中で醸成されていたことである。七四年のダッソンヴィル判決から七九年のカシス・ド・ディジョン判決に至るまで、標準化と域内自由流通に抗する争いは、国内規制を理由に域内輸出入の制限を行うべきではない論理を逆に積み上げていった。後者の判決で示された相互承認原則は、商品の域内自由流通を実現する鍵をもたらすこととなる。

四、欧州統合のメタモルフォーゼ――一九八〇年代の活性化から欧州連合の成立へ

域内市場完成に向けた新動向

一九八〇年代初頭の欧州は経済的には追い詰められ政治的には停滞していたが、八四年以降一転して別次元と言えるほどの統合の深化をダイナミックに実現していく。その帰結が八六年調印の単一欧州議定書であり(発効は八七年)、通貨統合であり、そして八九年のベルリンの壁崩壊から生まれたドイツ再統一過程と不可分の形で登場したマーストリヒト条約とEUの成立だった。冒頭で触れたような、現在のEUが政治的経済的そして社会的に一定程度連続している一つの空間を形成しつつあるのは、もちろんEU成立後の変容も重要だが、この「メタモルフォーゼ」とも呼ぶべき統合の劇的な質的変化があったからと言っていいだろう。

このメタモルフォーゼは、八一年から八四年にかけての、統合の停滞打破を狙う複合的な試みから始まった。その試みの第一は、何よりも八四年六月のフォンテーヌブロー欧州理事会での英国予算問題の解決だった。その背景には主要国における二重の路線の収斂があった。一方で八一年にフランス大統領に就任した際に一国社会主義政策を掲げたフランソワ・ミッテランが、八三年にUターンと呼ばれる政策転換を行い親欧州統合路線に転じ、他方で低インフレかつ安定した通貨を軸とする西独の反ケインズ的経済政策に英仏も同調するようになった。予算問題の解決は、

七〇年代以来の統合の停滞を打破し更なる深化の機運をもたらした。

第二に、制度改革の動きの蓄積があった。八一年の独伊外相によるゲンシャー=コロンボ計画を経て八三年の「欧州連合に関する厳粛な宣言」では、外交協力を含めた政治的統合の深化と「欧州連合」建設を目標とすることが確認された。八四年の欧州議会では欧州連邦を求めるスピネッリ構想が提示された。このような流れを受け、フォンテーヌブロー欧州理事会でも、制度改革を議論するドゥーグ委員会と市民的権利を論じるアドニノ委員会が設置された。

第三に、七〇年代末から進むグローバリゼーションないしは国際経済の圧力に対する対応があった(Harryvan 2020)。企業人の団体であった欧州ラウンドテーブルの結成と彼らからの勧告は、経済的停滞と国際経済の動的転換の中で欧州経済の産業力の復活を要求した。

単一欧州議定書とドロールの登場

このような統合の活性化が再起動する中で、一九八五年一月に新しく欧州委員会委員長に就任したのがジャック・ドロールだった。ドロールは就任早々、域内市場(共同市場と同義)の完成に向けた動きを加速させるため、域内市場担当の欧州委員会委員のアーサー・コーフィールドを責任者として、具体的な計画の策定に乗り出した。

この計画の焦点は、統合の制度的イノベーションを実現する要望に沿う、商品の自由流通に関する相互承認原則と規制の調和化に関する新しいアプローチの導入にあった。七九年二月のカシス・ド・ディジョン判決で提示された相互承認原則は、翌八〇年の欧州議会内の審議で、非関税障壁撤廃を進展させる手法として有用と論じられていた(Bussière 2020)。規制の調和化の困難性については理事会でも議論されており、それを克服するため、安全と保護規制のみ最低限の標準的基準を設定し、技術的に標準の設定が必要な場合は民間機関に委託するという、それまでの調和化要請基準を大幅に緩和する方式(「新方式 New Approach」)を採用することとなった。

コーフィールドの名のもと、「新方式」と相互承認原則を取り入れた覚書は八五年一月末に作成された。この二つを突破口として六月に「域内市場白書」がまとめられ、同月ミラノ欧州理事会で提出された。ここで、ドゥーグ委員会とアドニノ委員会の最終報告書も同様に採択され、域内市場だけでなく、理事会の意思決定メカニズムの改革、社会政策の導入、政治協力(対外政策協調)の制度化を含む、EC全体を修正する設立条約改正の交渉開始が合意された。

こうして、域内市場完成に向けた強化方針、欧州連合を志向する制度改革、人々の欧州を志向する社会政策の包摂、共同体の外交的な役割強化の要請という四つの動きが一つになって八六年二月に成立したのが、単一欧州議定書だった。九二年までに単一市場を建設すると宣言する単一欧州議定書の成立により、EC各国に多大な成長と投資を呼び込む「九二年ブーム」が起こった。委員長ドロールの次の狙いは、通貨統合の実現だった。八九年六月には、通貨統合に向けた専門家委員会による「ドロール報告書」が理事会にて採択され、通貨統合実現に向けた三段階の具体的計画と統一通貨の発行主体となる欧州中央銀行制度が合意され、通貨統合実現に向けた堅固な基盤が確立した。

他方で、このようなドロールが統合を牽引する姿にサッチャーは反発し、八九年九月にはブルージュでの演説で統合は域内市場建設に留めることを訴えた。この演説を契機として英国の統合参加に批判的な団体であるブルージュ・グループが発足するなど、統合の深化に批判・反対する欧州懐疑主義は、この頃本格的に誕生した。

ドイツ再統一とマーストリヒト条約の成立

このように、一九八四年中ごろから統合進展の機運はにわかに盛り上がり、八九年六月には通貨統合に向けた道筋もほぼ見えている状況になっていた。これがさらに同年一一月九日の予想もしなかったベルリンの壁崩壊に伴う国際政治の地殻変動によって、一層飛躍的な統合の展開をもたらした。一一月二五日の西独首相ヘルムート・コールによる一〇項目提案の発表によって、ドイツ再統一がアジェンダと認識され、この八九年一一月末から九〇年の二月頃まで、西独と英仏両国は再統一をめぐる問題で強く対立した。西独とフランスは、この対立関係を収め統一実現と安定的な欧州国際秩序構築のため、統合をめぐる協調関係の強化に転じた。ドイツ統一と欧州統合は表裏一体だった。ミッテラン仏大統領は再統一了承の代価として、通貨統合実現の日程確約のみならず共同体への統一ドイツの政治的な埋め込みをコールに求めた。そのために提示されたのが、九〇年四月のダブリン欧州理事会における政治同盟(ここでは民主的正統化、制度的効率化、政治的一体性と一貫性、共通安全保障政策を意味する)構築に関する独仏共同提案だった。

六月の第二ダブリン欧州理事会において、この政治同盟構築に向けた政府間交渉(IGC)の開催が合意された。そして同年末のローマ欧州理事会から、ドロール報告書に基づく経済通貨同盟創設のためのIGCと政治同盟創設のためのIGCという、二つのIGCが同時並行的に始まった。域内市場と単一通貨の実現を目指す経済通貨同盟は、ドロール報告書という設計図が既に合意されていたため、議論は相対的にスムーズに進んだ。しかし政治同盟にはそのような合意がなく交渉は難航した。

とはいえ、共同体の民主的正統性を高める措置を講じ、国際政治上の役割を果たす共通対外政策の実施は共通了解となっていた。問題は、前者の具体的制度であり、後者が共同体的統制に服すか政府間的に留めるかだった。最終的に、前者には、閣僚理事会の特定多数決の適用領域の拡大、議会と理事会の共同決定手続きの導入、委員会委員長人事の欧州議会による承認と、スペインが要求した欧州市民権が導入されることとなった。

後者については、九一年四月に欧州理事会の議長国ルクセンブルクが、フランスの意見を取り入れ、域内市場に関する諸政策は共同体の統制に服す一方で、新しく統合に加えられる共通安全保障と司法内務協力政策は政府間統制に服す構造を提案し、受け入れられた(遠藤 一九九二)。こうして新しく誕生する共同体は、従来のEECを発展的に継承し、主に域内市場と通貨統合に関する政策領域を管轄する(ただし環境、社会、消費者保護等の権限も含む)第一の柱、独仏がとくに求めた共通安全保障・防衛政策が第二の柱、そして七五年よりトレヴィ・グループという形で取り扱っていた移民、査証、亡命、犯罪対策等の司法内務協力という第三の柱という三つの柱で構成され、欧州理事会が全ての柱に権限を有する(つまり屋根のように三つの柱全てに被さる)いわゆる神殿構造として生まれた。

条約は九二年二月のマーストリヒトにて調印され、こうしてEUは、それまでの経済中心の共同体とは異質のはるかに広範な政治体として成立した。統合は、EU以前は国際政治上の現象だったが、EU成立後は市民が生活する一体的な社会経済圏の作用となった。これには、のちにEUの枠組みに取り込まれる、国境管理の撤廃に関する協定(シェンゲン協定)が八〇年代から多国間条約の形で成立していたことも重要な役割を果たした。

EU成立後の地域統合

最後に見逃してならないのは、欧州統合のその後展開を考える際、マーストリヒト条約の批准完了までの経緯(条約発効は調印から一年半以上後の九三年一一月)にも重要な論点が多く登場する点である。第一に、デンマークで批准のための国民投票が否決され(再投票で可決)、フランスでも過半数ぎりぎりで批准されるなど、一時はかつてのEDCと同じ運命を辿るのではと危惧されたほど、批准への反対の声が大きかったこと。第二に、九三年六月のコペンハーゲン欧州理事会で旧東欧諸国を念頭に置いた加盟基準が合意され、将来的な東方拡大の道が準備され始めたこと(東方拡大は二一世紀のEUに多大な影響を与える)。第三に、九二年五月に欧州経済地域協定が締結され、EUは非加盟国とも一体的経済圏構築を可能とする緩やかで多層的な経済連携の枠組みを打ち立てたこと(この問題はイギリスのEU離脱後にクローズアップされる)。第四に、九一年六月にユーゴスラヴィア内戦が勃発し、思いも寄らず共同安全保障政策が実地で試され、その脆さやEUが有効な国際政治アクターとして振舞うことの難しさを示したこと。そして第五に、条約発効前の九二年九月に通貨危機が起こり英伊の通貨が通貨統合の準備メカニズムから離脱を余儀なくされるも、最終的に通貨統合は予定通りに九九年に実現し、その点でEUは着実に進展・定着した点である。これらは、

EUが成立した時点で、その後の統合が抱える問題の構図の多くが浮かび上がっていたことを示している。

欧州統合の成立と進展は戦後史の展開と不可分だが、他の地域統合に与えた影響の研究は緒についたばかりである。ただし六〇年代末に成立したASEANを除き(Kuroda 2019)、九〇年代に成立した北米のNAFTAと南米のメルコスールについては、欧州統合以上に冷戦の終焉と新自由主義的論理の世界的席巻も考慮に入れるべきだろう。

最後に地域統合を現代史の中で考える際、地域統合は国家との関係に本質的に規定されると同時に、グローバルな視点と地域固有の視点の狭間に置かれ、両者に引き裂かれる存在である点に留意する必要がある。冷戦の申し子として生まれた欧州統合の展開が脱植民地化やブレトン・ウッズ体制の崩壊そしてデタントとリンクしたように、グローバルな秩序の動向は地域統合に大きな影響を与えた。他方で、欧州現代史の中の二〇世紀前半は炎と血の暗い時代だった(マゾワー 二〇一五)。それゆえ、戦後成立した「理性のプロジェクト」たる欧州統合には道義的な視点が不可避的に投影される(ジャット 二〇〇八)。地域統合が二〇世紀後半の歴史を形作る一つの歴史事象なのであれば、それはグローバルな秩序自体への考察と二〇世紀史の再検討も伴う必要があるだろう。地域統合が国民国家体系に挑戦する試みであることに、われわれは一層真剣に向き合わなければならないのである。

参考文献

網谷龍介他編(二〇一九)『戦後民主主義の青写真――ヨーロッパにおける統合とデモクラシー』ナカニシヤ出版。

池本大輔・板橋拓己・川嶋周一・佐藤俊輔(二〇二〇)『EU政治論――国境を越えた統治のゆくえ』有斐閣。

遠藤乾(一九九二)「ヨーロッパ統合のリーダーシップ――ジャック・ドロールの権力と行動」佐々木隆雄・中村研一編『ヨーロッパ統合の脱神話化――ポスト・マーストリヒトの政治経済学』ミネルヴァ書房。

遠藤乾編(二〇〇八)『原典 ヨーロッパ統合史――史料と解説』名古屋大学出版会。

遠藤乾編(二〇一四)『ヨーロッパ統合史 増補版』名古屋大学出版会。

遠藤乾・板橋拓己編著（二〇一一）『複数のヨーロッパ――欧州統合史のフロンティア』北海道大学出版会。
川嶋周一（二〇一三）「ヨーロッパ共同体域内の〈一体的〉法・政治秩序生成の模索――二大憲法秩序原理の登場から第一次拡大交渉まで」『政経論叢』第八一巻、五・六号。
川嶋周一（二〇二三）「ユーラトムとヨーロッパの「核」」岩間陽子編『核共有の現実――NATOの経験と日本』信山社。
権上康男（二〇一三）『通貨統合の歴史的起源――資本主義世界の大転換とヨーロッパの選択』日本経済評論社。
ジャット、トニー（二〇〇八）『ヨーロッパ戦後史』（上・下）、森本醇訳、みすず書房。
能勢和宏（二〇二〇）『初期欧州統合 一九四五―一九六三――国際貿易秩序と「6か国のヨーロッパ」』京都大学学術出版会。
廣田愛理（二〇〇二）「フランスのローマ条約受諾――対独競争の視点から」『歴史と経済』第一七七号。
フェーヴル、リュシアン（二〇〇八）『〝ヨーロッパ〟とは何か』長谷川輝夫訳、刀水書房。
益田実・山本健編著（二〇一九）『欧州統合史――二つの世界大戦からブレグジットまで』ミネルヴァ書房。
マゾワー、マーク（二〇一五）『暗黒の大陸――ヨーロッパの二〇世紀』中田瑞穂・網谷龍介訳、未来社。
Bossuat, Gérard（2009）, *Histoire de l'Union européenne: Fondations, élargissements, avenir*, Paris, Belin.
Bossuat, Gérard, et al.（eds.）（2010）, *L'expérience européenne: 50 ans de construction de l'Europe 1957–2007*, Baden-Baden, Nomos.
Bozo, Frédéric, et al.（eds.）（2008）, *Europe and the End of the Cold War*, London, Routledge.
Bussière, Eric（2020）, "Le Livre-Blanc sur le marché intérieur objectif et instrument de la relance Delors", Michael Gehler and Wilfried Loth（eds.）, *Reshaping Europe*, Baden-Baden, Nomos.
Cohen, Antonin（2012）, *De Vichy à la Communauté européenne*, Paris, P. U. F.
Dard, Olivier et Étienne Deschamps（dir.）（2005）, *Les relèves en Europe d'un après-guerre à l'autre*, Bruxelles, Peter Lang.
Deighton, Anne and Alan Milward（eds.）（1999）, *Widening, Deepening and Acceleration: The European Economic Community, 1957–1963*, Baden-Baden, Nomos.
Dinan, Desmond（ed.）（2006）, *Origins and Evolution of the European Union*, Oxford, Oxford University Press.
Garavini, Giuliano（2012）, *After Empires: European Integration, Decolonization, and the Challenge from the Global South 1957–1986*, Oxford, O. U. P.

Gehler, Michael and Wilfried Loth (eds.) (2020), *Reshaping Europe: Towards a Political, Economic and Monetary Union, 1984-1989*, Baden-Baden, Nomos.

Griffiths, Richard (ed.) (1997), *Explorations in OEEC History*, Paris, OECD.

Guieu, Jean-Michel, et al. (eds.) (2006), *Penser et construire l'Europe au XXe siècle*, Paris, Belin.

Harryvan, Anjo (2020), "The Single Market Project as a Response to Globalisation", Michael Gehler and Wilfried Loth (eds.), *Reshaping Europe*, Baden-Baden, Nomos.

Kaiser, Wolfram, Brigitte Leucht, Morten Rasmussen (eds.) (2009), *The History of the European Union: origins of a trans- and supranational polity 1950-72*, London, Routledge.

Kuroda, Tomoya (2019), "EC-ASEAN Relations in the 1970s as an Origin of the European Union-Asia Relationship", *Journal of European Integration History*, 25-1.

Lipgens, Walter (1977), *Die Anfänge der europäischen Einigungspolitik 1945-1950*, Stuttgart, Klett.

Loth, Wilfried (ed.) (2001), *Crises and Compromises: The European Project 1963-1969*, Baden-Baden, Nomos.

Loth, Wilfried (2015), *Building Europe: A History of European Unification*, Berlin, De Gruyter.

Ludlow, Piers (2006), *The European Community and the Crises of the 1960s: Negotiating the Gaullist Challenge*, London, Routledge.

Ludlow, Piers (2013), "European Integration in the 1980s: on the Way to Maastricht?", *Journal of the European Integration History*, 19-1.

Milward, Alan (1992), *European Rescue of the Nation-State*, London, Routledge.

Patel, Kiran Klaus (2013), "Provincialising European Union: Co-operation and Integration in Europe in a Historical Perspective", *Contemporary European History*, 22-4.

Patel, Kiran Klaus (2020), *Project Europe: A History*, Cambridge, Cambridge University Press.

Poidevin, Raymond (ed.) (1986), *Histoire des débuts de la construction européenne, mars 1948-mai 1950: Actes du colloque de Strasbourg, 26-30 novembre 1984*, Bruxelles, Bruylant; Milano, Giuffré; Paris, LGDJ; Baden-Baden, Nomos.

Pons, Silvio and Federico Romero (2011), "Europe between the Superpowers", Antonio Varsori and Guia Migani (eds.), *Europe in the International Arena during the 1970s: entering a different world*, Bruxelles, Peter Lang.

Rasmussen, Morten (2008), "The Origins of a Legal Revolution-The Early History of the European Court of Justice", *Journal of the European Integration History*, 14-2.

Schwabe, Klaus (ed.) (1988), *Die Anfänge des Schuman-Plans 1950/51: Beiträge des Kolloquiums in Aachen, 28.-30. Mai 1986*, Bruxelles, Bruylant; Milano, Giuffré; Paris, LGDJ; Baden-Baden, Nomos.

Serra, Enrico (ed.) (1989), *Il rilancio dell'Europa e i Trattati di Roma. Actes du colloque de Rome 25-28 mars 1987*, Bruxelles, Bruylant; Milano, Giuffré; Paris, LGDJ; Baden-Baden, Nomos.

Thiemeyer, Guido (1999), *Vom „Pool Vert" zur Europäischen Wirtschaftsgemeinschaft: Europäische Integration, Kalter Krieg und die Anfänge der Gemeinsamen Europäischen Agrarpolitik*, München, Oldenbourg.

van der Harst, Jan (ed.) (2008), *Beyond the Customs Union: The European Community's Quest for Deepening, Widening and Completion, 1969-1975*, Baden-Baden, Nomos.

Varsori, Antonio (2011), "The European Construction in the 1970s: The Great Divide", Antonio Varsori and Guia Migani (eds.), *Europe in the International Arena during the 1970s: entering a different world*, Bruxelles, Peter Lang.

Vauchez, Antoine (2013), *L'Union par le droit: L'invention d'un programme institutionnel pour l'Europe*, Paris, Les Presses de Sciences Po.

Ventresca, Roberto (2021), "Neoliberal Thinkers and European Integration in the 1980s and the Early 1990s", *Contemporary European History*, 31-1.

Warlouzet, Laurent (2008), "Négocier au pied du mur: la France et le projet britannique de zone de libre-échange (1956-1958)", *Relations internationales*, n° 136.

Warlouzet, Laurent (2014), "European Integration History: Beyond the Crisis", *Politique Européenne*, 14-2.

Warlouzet, Laurent (2018), *Governing Europe in a Globalizing World: Neoliberalism and its Alternatives following the 1973 Oil Crisis*, London, Routledge.

Warlouzet, Laurent (2022), *Histoire de la construction européenne depuis 1945*, Paris, La Découvert.

焦　点 | *Focus*

集点 Focus

さまざまな社会主義

南塚信吾

はじめに

本稿では、資本主義の抱える諸問題を何らかの共同化によって解決しようという意識的な変革の思想と運動を社会主義と考え、それを標榜するとともに、資本の自由な機能を停止ないしは規制する政策を実施した体制を「現存社会主義」と捉えて、その戦後における動きと意義を検討する(南塚他 二〇一三：総論)。つまり、社会主義の思想や運動ではなく、体制としての社会主義を対象とする。ただし、ソ連と中国については別稿があるので、ここでは扱わない。なお紙面の制約上、概観にとどまることをお断りしておきたい。

一、戦後社会主義

一九三〇年代にソ連では、スターリンの下で農業集団化、重工業化、計画経済、一党制、国家の党への従属、個人崇拝などを特徴とする「スターリン型社会主義」が形成された。そのような社会主義が、第二次世界大戦後に、ソ連の影響のもと、ドイツや日本の支配から解放された東欧や東アジアに広がった。

大戦後、ソ連の軍事力でファシズムから解放された多くの東欧諸国では、民主主義諸勢力の連合政体ができ、徹底した土地改革やファシスト資産の没収が行われた。その体制は「人民民主主義」と呼ばれた。その中で、ポーランド、チェコスロヴァキア(以下、チェコ)、ハンガリー、ルーマニアは、複数政党制と議会制を維持しつつ社会主義を目指した。一方、独力で解放を勝ち取ったユーゴスラヴィア(以下、ユーゴ)は、戦争中の広汎な人民戦線を生かした一党制の社会主義を目指した。アルバニアもこれにならった。これらは「スターリン型社会主義」ではない道を模索する動きであった。しかし、一九四七年に米ソの「冷戦」が始まると、翌年には「バルカン連邦」を構想してスターリンと対立したチトーのユーゴを除いて、他の東欧諸国は「ソ連・東欧圏」に統合され、「スターリン型社会主義」が社会主義への唯一の道として各国に導入された。ただ東欧の場合、土地を国有化したソ連とは違って、農民の土地所有を認め、それを生産協同組合に組織したのだった。一九四九年にはマーシャル・プランに対抗して経済相互援助会議(セフ/コメコン)が設立された(百瀬 一九七九:第四章)。対して、ユーゴは、一九五〇年以降、労働者の作る評議会を基礎にした「自主管理社会主義」を目指した。農業は個人農を基礎とし、その共同化が図られた(歴史学研究会 二〇一二:一〇五―一〇七頁)。このユーゴの道は、やがて社会主義圏全体に重要な影響を与えることになる。

アジアでもソ連の影響下に社会主義体制ができた。モンゴルでは、すでに一九二四年にソ連の「衛星国」として人民共和国ができていたが、戦後はこれは「ソ連・東欧圏」の一員となった。そして牧畜業の「集団化」を基礎にした社会主義を目指した(小松 二〇〇〇:三六八―三六九頁)。一九四九年にできた中華人民共和国は、「新民主主義」を基礎にした社会主義を作ろうとし、一九五〇年から五三年までの朝鮮戦争後には朝鮮民主主義人民共和国(以下、北朝鮮)が、農業の協同化を柱に独自の社会主義的な体制を目指した。このほか一九四八年に独立したビルマは、当初から社会主義を取り入れ、ユーゴの影響を受けた憲法を採択した(荻原他 一九八三:一三八―一四七頁)。さらにラテンア

は途上国に広い影響を及ぼすことになる。

「ソ連・東欧圏」内の東欧では、ポーランドとハンガリーにおいて、「スターリン型社会主義」を改革しようとする第一の波が起こった。ポーランドでは、一九五六年六月のポズナニでの労働者と市民の暴動をきっかけに、一〇月には、改革派のゴムウカが登場し、言論や宗教の自由、集団農場の解散などを約束した。ただゴムウカは、一党制を堅持し「ソ連・東欧圏」を離脱しないことで、ソ連の介入を防いだ(伊東他 一九九八：三七六―三七七頁)。ポーランドの影響のもと、ハンガリーでは、一〇月に首都において民衆蜂起が発生し、改革派のナジの政府が、農業集団化を見直し複数政党制を導入した。この中で労働者評議会も結成された。だがポーランドと違って、ナジが複数政党制と「中立」を掲げたため、一一月にはソ連の軍事介入を招き、この後カーダールが新政権を立てた。カーダールは五六年の教訓を生かした「改革」を求めることになる(南塚 一九九九：三六三―三六六頁)。

こうして五〇年代後半には社会主義が「脱植民地化」に利用され始め、東欧では「スターリン型社会主義」の改革が求められた。「社会主義の多様な道」が追求され始めたのである。

三、社会主義体制の世界的展開――一九六〇―七〇年代

一九六〇年に始まる中ソ対立は、社会主義イデオロギーの役割を相対化し、社会主義も「国益」など歴史的現実によって規定されることを示し、諸国民の置かれた諸条件に応じて異なる多様な社会主義を促進した。一九六〇―七〇年代は中ソの対立を反映しつつ社会主義体制が世界的に広がった時期である。ただし、一九七〇年代の石油危機のもとその歩みは困難であった。

アジアの多様な社会主義

一九六二年に中印武力衝突が生じた後、インドは対米接近を強め、「社会主義型社会」の政策も後退させた。しかし、その他のアジア諸国では多彩な社会主義が追求された。中ソに挟まれたモンゴル人民共和国は、ソ連を支持して中国と断絶し、「ソ連・東欧圏」の分業に組み込まれた(小松 二〇〇〇:三七〇頁)。北朝鮮は、中ソに距離を取った独特の「朝鮮式社会主義」の建設を目指し、六〇年代中頃から「主体思想」を打ち出し、金日成体制を確立した。七二年には、新しい社会主義憲法が採択され、翌年からは思想・技術・文化の「三大革命」が推進された。この間計画化のもとで経済の質的向上が追求されたが、石油危機の影響を受けることになった(武田 二〇〇〇:三五九—三六一、三八八—三九八頁)。

北ベトナムは一九六〇年に南ベトナム解放の戦争を始め、同時に五か年計画を開始して、重工業化、農業、手工業、商業の「社会主義的改造」を進めた。六一年からは農地を完全に合作社の所有にする高級合作社を組織し始めた。高級合作社は、集団労働、労働成果の平等配分、老人・女性による労働体制を可能にした。六五年から米軍による北爆が開始されると、生産と生活に必要な物資を、党・国家の手ですべて供給するという中央管理制度を作り上げた。これは戦争のための独自の社会主義体制であった。ベトナム戦争は七三年に終結、七六年に南北が統一されてベトナム社会主義共和国が成立した。統一されたベトナムは、北にならって、南の急速な社会主義的改造を進めた。しかし、北のモデルの導入への反発もあって、社会主義的改造は順調には進まなかった。さらに七九年には中越戦争が起き、カンボジアとの関係も悪化した(古田 二〇〇九:二四—二八頁、菊地 一九八九a:三二八—三三六頁)。

隣国のラオスでは、一九七六年に王政が廃止され、ベトナムにならって、ラオス人民民主共和国の樹立が宣言され、計画経済、農業の集団化(合作社)、私的商業の規制が実施された。その後七九年には、合作社脱退の自由、市場統制の緩和などが導入されて、政策が調整された。対外的には、ラオスはベトナムおよびソ連の影響下に入り、半面、中国との関係を断絶した(桜井 一九七七:四二一—四二四頁、石井 一九九九:四七九頁)。

ソ連にならったベトナム、ラオスと違って、カンボジアのシハヌークの進める仏教的な「王制社会主義」は、中国にならった「自力更生」の新路線を採用した。一九六三年末に労働を義務付ける労働法を導入し、六四年に入ると、貿易の国営化、銀行の国有化を行い、農業の協同組合化を促進した。この政策は七〇年のクーデタで中断したが、七五年にできたポル・ポト政権は国名を「民主カンプチア」とし、中国の文化大革命に影響された性急な社会主義化を目指した。市場経済は否定され、貨幣は廃止された。全国に集団労働組織ハサコーが作られ、全住民がこれに加入させられた。ハサコーは共同生活、共同労働の単位となり、一切の個人生活は許されなかった。また、憲法上は認められていた仏教は事実上禁止された。このような狂信的な政策は経済混乱を招き、ポル・ポト政権は、問題をそらすためにベトナムへ侵攻したが、ベトナムに支援された反ポル・ポト派により七九年に打倒された(桜井 一九七七:三三三—三三八頁、石井 一九九九:四五九—四六一、四六九—四七一頁)。

ユーゴの影響を受けていたビルマでは、一九六二年のクーデタ後のネーウィンらの軍事政権が、「社会主義へのビルマの道」を掲げ、仏教とマルクス主義を調和させつつ、特定の階級ではなく全人民の利益の実現を目指した。これは軍制の「仏教社会主義」であった。以後、ビルマは、ユーゴの支援下に、工業化、商業国有化、外国資本の排除などを行い、土地や農業生産の共同化をしない体制を作った。七四年には新憲法が公布され、連邦社会主義共和国となった。しかし、七一年からの計画経済は、石油危機などのため順調には進まず、労働者・学生の不満が絶えず、政治は安定しなかった(歴史学研究会 二〇一二:一六五—一六六頁、荻原 一九八三:一三八—一五二頁、石井 一九九九:四八四—四八八頁)。

こうして、中ソの影響や仏教の影響を受けて、東・東南アジア諸国にそれぞれ独特の社会主義体制が生まれた。しかし、中ソの対立や石油危機の影響を受けて、多くは不安定であった。

ラテンアメリカの社会主義

アメリカ資本の圧倒的な圧力を受けていたラテンアメリカでは、アメリカへの従属を断ち切るために、社会主義を選ぶ国がいくつか現れた。

一九五九年のキューバ革命で権力を握ったカストロらは、当初社会主義を目指してはいなかった。六〇年に米系製糖工場や農地を接収し、米系大企業を国有化した。ただし、目的は反米の独立闘争であった。だが、アメリカが六一年に断交すると、キューバは社会主義を目指し、ソ連に急速に接近した。六二年一〇月の「キューバ危機」を経て、キューバはいっそうソ連と歩調を合わせた。六三年には、多くの土地を接収して国営農場に組織し、農業を大規模な国営農場と多数の小農経営という形にした。またチェコから計画経済を学んで、工業化を目指した。七〇年代には、キューバは、砂糖を購入し石油を輸出してくれるソ連の援助を受けて、経済的に安定し、七六年には憲法を制定して社会主義を法制化し、カストロが大統領に就任した(歴史学研究会 二〇一二：一四六–一四八頁、ヒューバーマン他 一九六九：上巻一四〇–一四四頁、下巻三二–三三頁、Staten 2015: 108-113, 120-127)。この間、キューバは「第三世界」の革命運動を積極的に援助し、七〇年代には、「従属理論」の影響を受けたペルーやチリの革命に期待を寄せた(二村他 二〇〇六：四一二–四一三頁)。

ペルーでは、一九六八年以後六年間にわたって、「資本主義でも共産主義でもない」体制ができた。軍部革命政権は、米系石油企業や砂糖農場を接収し、大地主の土地を収用して、その多くを協同組合的な集団生産に転換した。農業協同組合ではユーゴに倣って自主管理を導入した。対外的には、一九七〇年のチリ革命と連携し、七二年にはキューバと国交を回復した。しかし、石油危機による経済状態の悪化の中、七五年に軍部右派のクーデタで政権は崩壊した(中川他 一九八五：一八七–二〇〇頁、増田 二〇〇〇：四一四–四一七頁)。

チリでは、一九七〇年に「人民連合」(社会党、共産党など)に依拠するアジェンデが大統領に就任した。人民連合の政府は平和的・民主的に「議会制下の社会主義建設」を目指した。政府は、米系銅山や主要企業・銀行の国有化、土地改革などを実施した。だが、土地改革も国有化も、限定的であった。キューバ、ソ連と友好関係を樹立、ペルー革命とも連帯したが、「人民連合」は議会議席の三分の一しか持たず、一九七三年には軍部クーデタによって政権を失った(中川他 一九八五：二一九—二三〇頁、菊地 一九八九a：二九八—三〇八頁、増田 二〇〇〇：四二一—四二七頁)。

こうしてペルーとチリでの社会主義の試みは短期に終わり、キューバのみが残った。

アラブ社会主義

石油利害を背景にアメリカが進出している中東では、エジプト以外にも社会主義を採用する国が次々と現れた。そのエジプトは、ソ連の援助のもと、一九六一年以降、主要企業と銀行の国有化、工業五か年計画を実施し、土地改革によって小農への土地分配と協同組合化を行った。六二年の「アラブ連合共和国・国民憲章」では、アラブ民族主義と社会主義を同時に追求することを宣言した。これは「アラブ社会主義」と称され、エジプトの経験は、アラブ各国のモデルとなった。だが、六七年の第三次中東戦争での敗北と七〇年のナーセルの死去後、エジプトは徐々に社会主義を放棄していった(歴史学研究会 二〇一二：一三七—一三八、一八九—一九一頁、清水 一九九二：二五—二九、三九—六六頁)。

しかし、一九六〇—七〇年代に、アラブ社会主義は、ソ連の援助を受けつつ広がった。イラクとシリアの二つのバアス(「復興」)党は、エジプトよりも「統制のとれた党組織とイデオロギーの体系化」をもって、アラブ社会主義を実現しようとした。一九六一年にクーデタで政権を握ったシリアのバアス党は、六三年に土地改革を行ったのち、産業・銀行の国有化などを実施した。五八年に王制が打倒されていたイラクでは、六八年のクーデタによって一党独裁体制を成立させたバアス党が、石油や産業・銀行の国有化や土地改革を行い、七〇年にサダム・フセインが実権を握ると、ソ連に接近した(佐藤 二〇〇二：五〇一―五〇三頁、Tripp 2007: 197-200)。中東やインド洋におけるソ連の重要な足場となったのがイエメンである。一九六七年に英領を脱して独立した南イエメン人民共和国は、六九年に社会党の一党制国家となり(翌年イエメン民主人民共和国)、外国資本の国有化、土地改革、農業の集団化、協同組合化そして計画化を導入、キューバ、ソ連等の支援を受けた。この社会主義はソ連崩壊まで続いた(Shillington 2005: 747)。

七年半にわたる独立戦争ののち一九六二年に独立したアルジェリアでは、初代大統領ベン・ベラが、社会主義を掲げて農民や労働者の自主管理組合を組織した。六五年に政権を取ったブーメディエンは、社会主義建設を一層推し進め、銀行や天然資源を国有化し、外国系石油会社を国の支配下に置いた。そしてソ連やキューバの支援を受けて、工業化のための計画経済を開始した。七〇年代初めには農業革命を始め、大土地所有の国有化、協同組合化、そして社会主義村の建設を目指した。しかし、この体制も、経済システムの硬直化と経済危機の中で、七〇年代末以降後退していった(清水 一九九二：六九―一〇一頁)。

アラブ社会主義として最後に注目したいのは、リビアである。リビアでは一九六九年のクーデタで王制が倒れ、ナーセル信奉者であったカッザーフィーらの軍部が政権を掌握した。政権は、七三年から「文化革命」を始め、イスラームとアラブ民族主義と社会主義とを融合した独特の「ジャマーヒリーヤ」(大衆の国家、直接民主制と訳される)という体制の建設を推進し、七七年には国名を「社会主義リビア・アラブ・ジャマーヒリーヤ国」と変更した。内政では、英米の軍事基地を追出し、ユダヤ人社会を排除し、外国資本の石油会社を接収し、土地もすべて国有化した。外交面では、ソ連との関係を強化し、パレスチナ解放機構(PLO)を強く支持し、資金援助などを通じて西アフリカを中心に影響力を拡大した。この体制はのちの「アラブの春」まで続くのである(Wright 2012: 199-218)。

アフリカ社会主義

英仏などの植民地支配のもとにあったアフリカでも、中ソの影響を受けつつ、社会主義体制が急速に広がった。アフリカ諸国にとって、資本主義は植民地主義であったから、脱植民地化の道として社会主義が採られた。「アフリカ社会主義」は、「植民地化以前のアフリカ社会に存在し、いまだ残存している伝統的な相互扶助・共同労働・平等な分配などのシステムを現代に再現し、近代技術の成果を利用しながら新しい社会主義社会を創造する」ことを目指した(吉田 一九七八：二二七頁、菊地 一九八九b：三六六頁、Oliver 2004: 244)。

アフリカで最初に社会主義政策が導入されたのは、一九六〇年前後の西アフリカにおいてであろう。一九五七－六〇年に独立したガーナのンクルマ、ギニアのセク・トゥーレ、マリのケイタ、セネガルのサンゴールらの指導者は、旧植民国撤退後の混乱を乗り越えるために、社会主義に依拠しようとした。しかしこれは短命に終わった(中村 一九八二：一七四－一七五頁)。

アフリカで社会主義を本格的に取り入れたのは、タンザニアが最初であった。一九六四年にタンザニアの初代大統領に就任したJ・ニエレレは、「家族的な連帯感」を意味する「ウジャマー」の社会主義を掲げた。六七年、ニエレレの指導するタンガニーカ・アフリカ人民族同盟は「アルーシャ宣言」を採択し、社会主義路線を明確に打ち出した。政府は外資系銀行、貿易会社、サイザル麻農園の国有化、重要な製造工業への政府の経営参加を進めた。農業については ウジャマー村建設が計画され、散村の集村化、協同作業による共同農場、完全共同農場の形成という二段階をつうじて社会主義化が進められることになった。この農村政策には、中国の影響を見ることができる。中国は軍事的にも支援し、鉄道建設も支援した。しかし、タンザニアが社会主義の道に進んだ時期には、旱魃や石油危機の影響が及んだ。加えて、共同農場が成果を生まず、農村が混乱し農業生産が停滞した。そのため八〇年代初めにはウジャマー村政策は実質的に放棄された(吉田 一九七八：二二九－二三〇頁、宮本他 一九九七：四八四－四九二頁、小倉 一九八九：四三—四七頁、菊地 一九八九b：三六八—三七七頁)。それでも、このようなタンザニアの社会主義はアフリカ諸国に大きな影響を及ぼしたのである。

一九六〇年に独立したコンゴ共和国は、六九年に国名をコンゴ人民共和国に改めて社会主義国となり、七五年から五か年計画を始めた。同じく六〇年に独立したダホメ共和国は、七二年に社会主義でも資本主義でもないダホメ独自の道を進むと宣言していたが、七四年には、社会主義の建設を国家目標にすると宣言し、翌年には国名をベナン人民共和国に改称し、一党制の社会主義国となった。この七四年に独立したギニアビサウにおいても、ソ連とキューバの支援を受けて社会主義が取り入れられた。六〇年代半ばからの独立戦争の結果、七五年に独立したモザンビークは、労働者と農民から成る人民民主主義に基づく一党制の社会主義国となった。七五年の独立以来内戦状態になっていたアンゴラでは、七六年に、ソ連とキューバから支援を受けたアンゴラ解放人民運動が他の勢力を破って社会主義共和国を宣言し、計画化など社会主義路線に沿った国造りを進めた(小田 一九八六：一八七—一九六頁、中村 一九八二：一七四—一七五、二四二、二四五頁)。これらは「脱植民地」化のための必死の模索であった。

タンザニアに並んで重要なアフリカの社会主義は、脱植民地のためではなかったが、エチオピアに見られた。一九七四年九月、帝政を廃して政権を掌握した軍部は、エチオピアを社会主義に基づく国家とすると宣言し、翌年には外資系の銀行・繊維企業・製糖企業・石油精製企業等を国有化した。とくに土地改革の法律は、全農地の人民共有財産化(国有化)、雇用労働の禁止などを定め、農業生産協同組合などの設立を規定した。エチオピアは、ソ連とキューバの支援を受けて、八七年には新憲法を発布し、人民民主共和国を発足させた。そして同年九月には軍政から民政への移行も実施した。しかし、農業政策はうまく機能せず農業は停滞した(吉田 一九七八：二六〇—二六二頁、小倉 一九八九：八四—一〇五頁)。

以上に見たように、一九七〇年代には、ソ連、東欧、中国、ベトナム、朝鮮などに加えて、アジア、アフリカ、ラテンアメリカに「脱植民地化」のなかで「途上国社会主義」と呼ぶべき社会主義国が次々と生まれた。しかし、「途上国社会主義」の多くは、七〇年代末には消滅ないしは停滞してしまった。その理由は、いろいろ考えられる。一つは七〇年代の石油危機とそれに伴う物価高、二つは依存するソ連の経済的不振、三つは農業政策の挫折とそれに伴う工業化の挫折、四つは国営企業の効率の悪さ、五つに、軍事政権の元での国民的基盤の欠如と官僚支配の蔓延などである。とくに三つめは、植民地時代のモノカルチャーからの脱出の困難、「脱植民地化」の難しさを表している。

多方向を向く東欧

中ソ対立後の一九六〇―七〇年代には、東欧の社会主義は一定の安定を基礎に改革を求めた。戦前の貧しかった農村はかなり豊かな農村に変化した。国の工業生産力も高まり、国民は必要なものは入手できるようになった。電気やガスは行きわたり、社会福祉も整った。西欧との交流も少しずつ始まった。そして、国によって差はあるものの、東欧諸国は六〇年代後半には、「スターリン型社会主義」の「改革」の第二の波を迎えた。

スターリン批判の遅かったチェコでは、一九六七年から改革の要求が高まり、六八年四月には、ドプチェクら改革派のもと、党は党内民主主義の確立や秘密投票、言論の自由、地方自治の回復などを公約した。ここに「人間の顔をした社会主義」の実現が目指され、この動きは「プラハの春」と呼ばれた。しかしその後、共産党以外の政治団体が結成されたりしたために、八月にはソ連などの軍事介入を招いた(南塚 一九九九：三七四―三七八頁)。ハンガリーではカーダールが、一九六一年末に「敵でないものは味方である」という政治姿勢を打ち出して、五六年に分裂した国民の統合を回復していった。経済的には、農業の集団化をやり直して、六〇年代初めには完了した。その上で、六八年からは中央集権的な計画経済の改革に乗り出した。量的な生産目標が達成されると、生産の質が要求されるようになり、各企業に一定の自主性を持たせて、消費者の需要に対応するための改革が導入された。農業の協同組合は地方自治の基礎ともなって、農村を安定させた。石油危機に発する経済危機の中で、それを乗り越えるために、六八年の経済改革のいっそうの推進が図られた（南塚 二〇一三：二二一―三〇四頁）。ポーランドのゴムウカ体制は保守的となったが、個人農が復活し、教会も一定の自由を獲得し、体制を批判する運動が社会に根付いて、七〇年代には、無理な重工業化政策による経済情勢の悪化に、国民が不満を表出させ続けた（伊東他 一九九八：三七五―三八九頁）。一方、ルーマニアは、中国にも鼓舞されて、「民族的スターリン主義」ともいうべき道をたどり、六五年に権力を握ったチャウシェスクは、「プラハの春」を反面教師として、家父長的な独裁体制を強化したが、巨大な工業建設などが経済困難を蓄積していった（菊地 一九八九ａ：二九四―三〇五頁）。他方ユーゴは、一九七四年憲法などによって、自主管理制度をさらに徹底させる改革を導入し、独自の自主管理社会主義を進めた。だが、経済危機の深刻化の影響で経済格差が拡大していった（柴 二〇二一：一三四―一三六頁）。

一九六〇―七〇年代に東欧各国では、なんらかの改革が試みられ、各国の道は多様化したが、石油危機にともなう経済危機に見舞われ、改革は順調ではなかった。その中でポーランドとハンガリーの改革の動きは、次の時期にさらに具体化することになった。

四、「新自由主義」との対決――一九八〇年代以降

一九七九年の中越戦争とソ連のアフガン侵攻が社会主義体制の衰退と変質の契機となった。「中越戦争」により、社会主義国は「戦争をしない権力」であるという観念が崩壊した（山川 一九七九：一〇八―一一五頁）。アフガン侵攻によって、ソ連の経済が悪化し、ソ連の政治に倫理的「堕落」が生じた（和田他 二〇一一：第九巻二九八―三一四頁、ブラウン 二〇〇八：一三〇―一三一頁）。加えて、この侵攻は米ソ「新冷戦」を生み、ソ連の軍事的負担を拡大し、一九八

〇年代後半には、ソ連は東欧やアラブ諸国やアフリカ諸国への支援を放棄せざるをえなくなった。このような社会主義に対して、「新自由主義」が「構造調整」政策、つまり規制緩和、民営化、市場化を掲げて対抗した。「市民社会」が豊かさと自由を保証すると宣伝された(Chossudovsky 2003: 17, 242, 260)。加えて、この八〇年代にはITなど技術革新が急速に進み、国家主導の社会主義はしだいに技術革新に後れていった。

東欧・ソ連の社会主義の崩壊

東欧では、一九八〇年から「スターリン型社会主義」の「改革」の第三の波がやってきた。まずポーランドで、八〇年夏以降、独立自主管理労組「連帯」の運動によって、共産党の権力が揺るがされ始めた。この運動は、既存の社会主義体制のなかでも可能な政治運動の範囲を広く諸国民に示した。ハンガリーでは、八〇年からの経済改革が、私的経営や小規模な協同組合の設立を認めた。この経済改革は政治的流動性をも高めて、八三年には複数立候補制の選挙法が導入された。政治を公然と論ずる事が出来るようになった(南塚 一九九〇：七〇―七二、八〇―八五頁)。「連帯」運動とハンガリーの改革は、ソ連での改革の環境を準備した。八六年にソ連で「ペレストロイカ」が始まると、ソ連は長年の東欧への経済的・軍事的支援を放棄するとともに、東欧内部での改革の動きを容認した。ソ連の内部では、バルト三国において八八年に独立運動が高まり、八九年夏に三国で「人間の鎖」運動が展開された。そしてそれは秋に「東欧革命」を刺激した。

一九八九年九―一二月には、ポーランド、ハンガリー、東ドイツ、チェコ、ブルガリア、そしてルーマニアにおいて共産党一党制が終焉し、複数政党制による自由選挙が行われることになった。翌年にはアルバニアもこれにならった。各国で、「新自由主義」の政策である民営化、市場化が導入された。国有企業は民営化され、農業の生産協同組合は解散され、土地は分配された(南塚 一九九〇：一九九―二一三頁)。東欧諸国にも刺激されて、一九九〇年以降ソ連の連邦構成各国の独立運動が高まり、九一年八―一二月に共産党が活動を禁止され、ソ連邦は解体され、各国は社会主義を放棄した(塩川 二〇二一：一八九〇―九五頁)。モンゴル人民共和国も九二年に社会主義を放棄した。東欧・ソ連の体制崩壊に影響を受けたユーゴでは、九一年にスロヴェニアとクロアチアが独立を宣言、その後内戦を経て、九二年には多民族ユーゴスラヴィアも解体した(柴 二〇二一：一七六―一八六頁)。

「途上国社会主義」の終焉

ソ連・東欧の社会主義の崩壊を受けて、「途上国社会主義」は終焉を迎えた。アフリカのタンザニアは、一九八六年に「構造調整」を受け入れ、アンゴラは八八年に社会主義路線を放棄し、そしてエチオピアでは、九一年に社会主義政権が崩壊した。これでアフリカの社会主義は消滅した。アラブにおいても、九〇年にイエメンの社会主義が終焉し、二〇〇三年には「湾岸戦争」によってイラクの、二〇一一年の「アラブの春」においてリビアの社会主義が崩壊させられた。ラテンアメリカのニカラグアでは、一九七九年に政権を奪取したサンディニスタ民族解放戦線が、社会主義を掲げたが、九〇年にその体制は崩壊した(菊地 一九八九a：三〇九―三一九頁)。ベネズエラではチャベス政権が、一九九九年から二〇一三年まで「二一世紀の社会主義」を試みたが、長くは続かなかった。ここにラテンアメリカでも社会主義はほぼ消滅した。ただキューバは、ソ連が崩壊したのち、私的所有、民営化、市場化を徐々に取り入れる改革を進め、二〇〇八年にカストロが権力を弟のラウルに移譲したのち、一四年には対米国交も回復させて、中国のような市場社会主義の体制を維持している(Staten 2015: 171-176)。

アジアの変貌する「社会主義」

中国とベトナムの社会主義は、「新自由主義」の挑戦に対して、「市場化社会主義」によって対応しようとした。ベトナムは、一九八六年にドイモイ(刷新)政策を採択し、社会主義の枠内での市場経済の活用をめざすようになった(菊地 一九八九a:三五二―三六〇頁、古田 二〇〇九:二二六―二三六頁)。他方、北朝鮮は、独自の路線を強化して、「新自由主義」の挑戦に対抗しようとした。ソ連などが崩壊すると、「主体思想」に基づく独自の「朝鮮式社会主義」の建設をいっそう前面に掲げた。一九九四年に金日成が死去しても金一族の支配は続き、「ネポティズム社会主義」は継続された。しかし、深刻な食糧問題や不安定な対外関係のため「朝鮮式社会主義」の行方は見通せない(武田 二〇〇〇:四二九―四三五頁、和田 二〇一一:第九巻三二三―三三三頁)。

終わりに

以上の素描からは、社会主義体制はときどきの世界史のなかで問題が比較的集中しているところで、革新的勢力が存在する場合に、登場していることが見て取れるだろう。だが、社会主義は極めて意識的、自覚的な資本主義批判の動きであるがゆえに、内部の対立も多く、資本主義からの反発も大きかった。いぜん社会主義を掲げる体制の試みは続くとはいえ、社会主義はその体制内部の諸問題、世界経済の状況、そして「新自由主義」の攻勢などの結果、ほとんどが終焉した。歴史的に見るならば、「現存社会主義」はロシアの場合で七〇年余り、東欧で四〇年、途上国で一〇年前後の歴史しか持たなかった。だが、社会主義が存在したことによって、資本主義自身が自己変革してきたのであり、その新しい資本主義の持つ問題への批判は、名称は別にしてまた別の形で生まれざるを得ないと思われる。

参考文献

石井米雄・桜井由躬雄編(一九九九)『新版 世界各国史5 東南アジア史I 大陸部』山川出版社。

伊東孝之・井内敏夫・中井和夫編(一九九八)『新版 世界各国史20 ポーランド・ウクライナ・バルト史』山川出版社。

岩波講座(一九六七)『岩波講座 現代3 社会主義世界の形成』岩波書店。

荻原弘明・和田久徳・生田滋(一九八三)『世界現代史8 東南アジア現代史Ⅳ ビルマ・タイ』山川出版社。

小倉充夫(一九八九)『現代アフリカへの接近』三嶺書房。

小田英郎(一九八六)『世界現代史15 アフリカ現代史Ⅲ 中部アフリカ』山川出版社。

辛島昇編(二〇〇四)『新版 世界各国史7 南アジア史』山川出版社。

菊地昌典編(一九八九a)『社会主義と現代世界1 社会主義革命』山川出版社。

菊地昌典編(一九八九b)『社会主義と現代世界2 社会主義の現実』山川出版社。

小松久男編(二〇〇〇)『新版 世界各国史4 中央ユーラシア史』山川出版社。

桜井由躬雄・石澤良昭著(一九七七)『世界現代史7 東南アジア現代史Ⅲ ヴェトナム・カンボジア・ラオス』山川出版社。

佐藤次高編(二〇〇二)『新版 世界各国史8 西アジア史Ⅰ アラブ』山川出版社。

塩川伸明(二〇二一)『国家の解体――ペレストロイカとソ連の最期 Ⅲ』東京大学出版会。

柴宜弘(二〇二一)『ユーゴスラヴィア現代史 新版』岩波新書。

清水学編(一九九二)『アラブ社会主義の危機と変容』アジア経済研究所。

武田幸雄編(二〇〇〇)『新版 世界各国史2 朝鮮史』山川出版社。

東京大学社会科学研究所編(一九七七)『現代社会主義――その多元的諸相』東京大学出版会。

中川文雄・松下洋・遅野井茂雄著(一九八五)『世界現代史34 ラテンアメリカ現代史Ⅱ アンデス・ラプラタ地域』山川出版社。

中村弘光(一九八二)『世界現代史16 アフリカ現代史Ⅳ 西アフリカ』山川出版社。

中村平治(一九七七)『世界現代史9 南アジア現代史Ⅰ インド』山川出版社。

ヒューバーマン、L、P・M・スウィージー(一九六九)『キューバの社会主義』(上・下)、柴田徳衛訳、岩波新書。

二村久則・野田隆・牛田千鶴・志柿光浩著(二〇〇六)『世界現代史35 ラテンアメリカ現代史Ⅲ メキシコ・中米・カリブ海地域』山川出版社。

ブラウン、アーチー(二〇〇八)『ゴルバチョフ・ファクター』小泉直美・角田安正訳、藤原書店。

古田元夫（一九九五）『ベトナムの世界史――中華世界から東南アジア世界へ』東京大学出版会。

古田元夫（二〇〇九）『ドイモイの誕生――ベトナムにおける改革路線の形成過程』青木書店。

星昭・林晃史（一九七八）『世界現代史13 アフリカ現代史Ⅰ 総説・南部アフリカ』山川出版社。

増田義郎編（二〇〇〇）『新版 世界各国史26 ラテン・アメリカ史Ⅱ 南アメリカ』山川出版社。

南塚信吾（一九八七）『静かな革命――ハンガリーの農民と人民主義』東京大学出版会。

南塚信吾（一九九〇）『ハンガリーの改革――民族的伝統と「第三の道」』彩流社。

南塚信吾編（一九九九）『新版 世界各国史19 ドナウ・ヨーロッパ史』山川出版社。

南塚信吾他（二〇一三）『人びとの社会主義』有志舎。

南塚信吾・秋田茂・高澤紀恵編（二〇一六）『新しく学ぶ西洋の歴史――アジアから考える』ミネルヴァ書房。

宮本正興・松田素二編（一九九七）『新書アフリカ史』講談社。

百瀬宏（一九七九）『ソビエト連邦と現代の世界』岩波書店。

山川暁夫（一九七九）「中越戦争と社会主義の難所」『現代の眼』二〇、六月号。

吉田昌夫（一九七八）『世界現代史14 アフリカ現代史Ⅱ 東アフリカ』山川出版社。

歴史学研究会編（二〇一二）『世界史史料11 二〇世紀の世界Ⅱ 第二次世界大戦後／冷戦と開発』岩波書店。

和田春樹他編（二〇一一）『岩波講座 東アジア近現代通史』第7・8・9巻、岩波書店。

Berend, I. T.（1996）, *Central and Eastern Europe 1944-1993*, Cambridge, Cambridge UP.
Calhoun, D. F.（1991）, *Hungary and Suez, 1956: An Exploration of Who Makes History*, Lanham/New York/London, University Press of America.
Chossudovsky, Michel（2003）, *The Globalization of Poverty and the New World Order*, 2nd ed., Global Research.
Fink, Carole, Frank Hadler and Tomasz Schramm（eds.）（2006）, *1956: European and Global Perspective*, Leipziger Universitätsverlag.
Goff, Richard, Walter Moss, Janice Terry and Jiu-Hwa Upshur（2002）, *The Twentieth Century and Beyond. A Brief Global History*, Boston etc., McGraw Hill.
Keylor, W. R.（2006）, *The Twentieth-Century World and Beyond*, New York, Oxford, Oxford UP.
Myint-U, Thant（2020）, *The Hidden Story of Burma*, New York, W. W. Norton & Company.

Oliver, Roland and Anthony Atmore (2004), *Africa since 1800*, 5th ed., Cambridge, Cambridge UP.

Palmowski, Jan (2008), *Dictionary of Contemporary World History*, Oxford, Oxford UP.

Salamon, Konrád (2006), *Világtörténet*, Budapest, Akadémiai Kiadó.

Shillington, Kevin (ed.) (2005), *Encyclopedia of African History*, vol. 2, New York, Fitzroy Dearborn.

Spellman W. M. (2006), *A Concise History of the World since 1945*, Palgrave.

Staten, Clifford L. (2015), *The History of Cuba*, Greenwood.

Tripp, Charles (2007), *A History of Iraq*, Cambridge, Cambridge UP.

Wright, John (2012), *A History of Libya*, New York, Columbia UP.

焦点｜Focus

中国のソ連型社会主義
――毛沢東の時代

久保 亨

一、戦後中国の出発

中国がソ連型社会主義[1]をめざしたのは一九五〇年代半ばのことであり、七〇年代末には、それから実質的に離脱する道を歩み始めた。曲折に満ちたその過程を理解するには、戦後中国が出発する原点となった第二次世界大戦の終結直後まで遡らなければならない。

一九四五年九―一〇月、国民政府主席蔣介石は、最大野党共産党の中央委員会主席毛沢東らを戦時の臨時首都であった重慶に招いて会談し、協力して戦後復興をめざす約束を交わした。中国民主同盟など国共両党以外の政治勢力もそれを支持し、一九四六年一月には、諸党派の代表と無党派知識人らが出席した政治協商会議で国共両党を中心にした連立政権の樹立が展望されるようになった(『新中国資料』第一巻：一九六―二一一頁)。四七年一月一日に公布され、一二月二五日に施行された中華民国憲法は、第一条で人民の人民による人民のための民主共和国たることを宣言し、現代台湾の統治体制を支える基礎になっている(同：三七二―三八七頁)。

しかし、戦後復興は容易な課題ではなかった。戦災で鉱工業生産が打撃を受け流通ルートも分断されていたことから、中国経済にはモノ不足と物価上昇が生じていた。その中でアメリカ主導の自由主義的国際秩序への対応を迫られ、一九四六年春、貿易を自由化したため、輸入が増え国内産業の復興を妨げた。生産が回復しないのでモノ不足は解消せず、物価はさらに高騰し政府財政を直撃した。四六年夏以降に拡大した国共内戦も財政の悪化に拍車をかけた。政府が当座しのぎに紙幣を乱発したため、異常なインフレーションが生じ、四七年の通貨発行量は前年の八・九倍に、物価上昇率は四・七倍にもなっている。戦後の通貨再統一をめぐる混乱も加わり、経済の破綻と生活の困窮化は、政権に対する国民の支持を一挙に失わせた(久保 二〇一一a:一二一一八頁)。

一方、国外からの復興支援が切望されていたこの時期、ソ連の世界的な影響力拡大に危機感を抱いたアメリカは、西欧復興と連合軍占領下の日本復興に力を入れ、中国に対する援助を後回しにした。ようやく一九四八年に議会が承認したアメリカ独自の対中国援助は四億六三〇〇万ドルであり、西欧復興のマーシャル・プランが一九四八―五一年に総額一三二億ドルに達したのに比べ、極めて少ない。国際連合救済復興機関(UNRRA《アンラ》)の対中援助も四六―四八年総額で四億二三〇〇万ドルにとどまり、日本から得られることが期待された戦後賠償は、対日講和会議の開催が遅れたため微々たる規模に終わっている(殷 一九九六)。

国内に目を転じれば、政治の主導権を失うのを恐れた国民党内の反発によって政治協商会議の合意事項が破棄され、憲法の制定と選挙の実施は、国民党と一部野党のみによって進められることになった。経済の破綻と非民主的な政治姿勢に対する批判が高まったのに対し、国民党政権はそれを強権で押さえ込もうとして民衆運動への弾圧を重ね、ますます政治的孤立を深めた。一方、共産党は独自の軍隊を維持し、ソ連占領下の満洲(東北)に軍隊を集結させ、国民党政権への対決姿勢を強めた。国共両軍の間では武力衝突が始まり、一九四六年夏以降、国共内戦が拡大していく。国民政府批判が広がる中、ついに国民党政権は倒壊し、一九四九年一〇月一日、共産党主導の新政権が統治する中華人民共和国が成立した(姫田 二〇〇一)。

こうして国民党政権は大陸を失い台湾に移ったとはいえ、元来、その統治には社会主義思想がとりいれられていた。一九三八年の抗戦建国綱領(『世界史史料』一〇:三二五―三二七頁)でも掲げられた民族・民権・民生の三民主義の一つ民生主義は、土地に関わる権利を均分化する「平均地権」と資本の利潤追求を抑制する「節制資本」を柱とし、小作料の二五%引き下げ、交通通信と重工業の国営化などの政策を含んでいた。ここには近代西欧で生まれた社会主義思想が反映されている(安藤 二〇一三)。そして戦時統制経済の下、国民党政権下にあった四川、雲南など西南の内陸地域では、経済への統制が強まり、重化学工業の国営企業が設立され、抗戦中国を支える戦時体制が形成された。一方、日本軍占領下の満洲、華北でも、日本の総力戦体制を支える統制計画経済がめざされていた。さらに戦後、国民党政権は、日本から接収した満洲の鞍山製鉄所や化学工場、上海、青島などの綿紡織工場を国営化している。このような動きは、全体として一九五〇年代にソ連型社会主義の成立を容易にする条件を形成した(久保 二〇一一b)。

二、新政権の誕生と朝鮮戦争の衝撃

共産党政権は、新民主主義の政府を標榜し、様々な勢力の協力を得ながら、日中戦争と戦後の混乱で傷ついていた中国の復興を進めようとした。政権成立前夜の一九四九年九月、人民政治協商会議共同綱領として採択された暫定憲法的な文書(『新中国資料』第二巻:五八九―五九七頁)は、前文で「中華人民共和国は新民主主義、すなわち人民民主主義の国家であって、……中国の独立・民主・平和・統一及び富強のため奮闘する」と宣言し、第三条には大多数の商工業者の経済的利益と私的財産を保護することも明記された。社会主義に向かうのは将来の課題であると、当時、共産党は繰り返し言明している。(2) 農村では一九五〇年に制定された土地改革法に基づいて土地改革が実施され、五三年までに地主から約七億ムー(約四七万平方キロメートル)の土地が暴力も伴いつつ没収されるとともに、その土地が約三億人に及ぶ農民に分配された。同じく五〇年に公布施行された婚姻法も、男女の平等と個人の自由な意志に基づく結婚の普及を促し、中国社会を大きく変えることになった。いずれも新民主主義の理念に基づく変革とされる。

冷戦が始まっていたとはいえ、新政権は東西両陣営と外交関係を築こうとした。一方では、新政権を承認したソ連・東欧諸国との緊密な関係が誇示され、ソ連とは一九五〇年二月に中ソ友好同盟相互援助条約を結んだ(石井 一九九〇)。他方、西側諸国との国交樹立も模索され、とくに植民地香港を維持する狙いを込め五〇年一月に中華人民共和国を承認したイギリスとの間では、国交樹立交渉が開始されている(山極 一九九四)。

しかし、一九五〇年六月二五日、新政権を大きく揺さぶる出来事が起きた。朝鮮戦争の勃発である。六月初めに開いた共産党の会議では国内の財政経済政策に議論が集中しており、朝鮮で戦火が広がったのは想定外の事態であった(久保 二〇二〇 a)。北朝鮮が南北統一をめざす軍事行動を企てていることは政権指導部も承知していたとはいえ、この時期の開戦を予想していたわけではない。北朝鮮軍は、五〇年九月以降、米軍を主体とする国連軍と韓国軍の反撃によって押し返され、中朝国境付近まで後退した。中国も危ういという意識が指導部の間に広がる。東アジア情勢に対する警戒心を高めたアメリカが国民党政権下の台湾を支援する姿勢を鮮明にしたことも、彼らの危機感を深めた。対応を迫られた新政権は、同盟国ソ連から支援の約束をとりつけたうえで、一〇月、中国人民義勇軍の名で朝鮮戦争に参戦する(朱 一九九一)。戦況は、五一年夏以降、膠着状態に陥り、五三年に休戦協定が結ばれるまで、北緯三八度線を挟み大軍が睨み合う状態が続いた。

新政権にとって朝鮮戦争は極めて大きな負担となった。一三〇万人を派兵し三六万人が死傷した中国は、国連の制裁決議によって政治的にも経済的にも世界から孤立し、西側諸国との国交樹立は困難に陥った。大国アメリカに対峙するため、中国は戦時統制を強化する一連の政策を展開する。各地の反政府武装勢力を一掃する「反革命」鎮圧運動、政治思想統制を強める「思想改造」、そして経済分野では民衆を動員して「三反五反」運動が進められた(泉谷 二〇〇七)。一九五一年一二月に始まった三反運動は、戦時経済の下で生じた汚職、浪費、官僚主義という三つのマイナス現象を摘発しようというものである。また五二年一月から展開された五反運動では、贈賄、脱税、情報漏洩、手抜き工事、公共財の窃盗など、民間企業の五つの問題行為を各職場から摘発するキャンペーンが展開された。三反五反運動を通じ、増産と節約が図られた反面、司法手続も顧みない追及行動や冤罪が広がり、自殺に追い込まれる経営者も相継ぐなど企業活動は萎縮した(楊 二〇〇六)。

この時期、中国経済は、その他にも様々な障害にぶつかっていた。商工業に対する統制が強化される中、民間企業の経営者・技術者らの出国が増加し、生産力の増強にも支障が出た。農業でも食糧調達のため統制が強化されたにもかかわらず、土地改革で激増した小規模な農家の農業生産量は十分な水準を確保できずにいた。

こうした状況の抜本的な打開策として、ソ連型社会主義をめざす路線が一九五二年秋頃から中国共産党指導部の中で模索されるようになった。(3) ソ連が成し遂げたと喧伝されていた経済発展と軍事力増強は大きな魅力だった。また現実の対外関係の面で、西側諸国との関係が縮小する中、中国はソ連東欧圏への依存を強めていた。集団農業と国営工業を軸に統制計画経済の構築をめざす過渡期の総路線(4)は、五四年二月の共産党第七期第四回中央委員全体会で正式に採択され、同年九月二〇日、全国人民代表大会で制定された中華人民共和国憲法の前文には「中華人民共和国の成立から社会主義社会を築きあげるまでは一つの過渡期である」と明記された(『新中国資料』第四巻:二三七—二五〇頁)。共産党管理下の間接選挙で選ばれた人民代表は、こぞってこれを支持している(毛里 二〇一二:二二、一三一—一三六頁)。農村に組織された協同組合(合作社)を基礎に農業の集団化が展開されるとともに企業の実質的国有化が推進され、ソ連の技術援助で国営の重化学工場群も姿を現し、五六年一月、中国は、社会主義化を達成したと宣言した。

社会主義中国の出現は、国際社会に衝撃を与えた。当時、第二次世界大戦後に独立を達成したアジア・アフリカ諸国の間では、東西両陣営との距離を測りつつ、国民国家の建設と経済発展をめざし、相互の協力を強める動きが生まれていた。中国は、一九五五年四月、インドネシアのバンドンにインド、エジプトなどを含む二九カ国の代表が集まったアジア・アフリカ会議にも積極的に参加している(『世界史史料』一一：九九―一〇〇頁)。

三、社会主義化強行後の動揺

中国が社会主義化の達成を宣言した一九五六年は、世界史的には、スターリン批判やハンガリー事件などを通じて、ソ連型社会主義の抱える諸問題が一挙に露呈する年になった。突然のスターリン批判に衝撃を受けた中国共産党指導部は、議論を重ねた末、結局、第二次世界大戦におけるスターリンの貢献を評価しつつ、その個人独裁を批判するという二面的な評価で乗り切った(5)。また東欧で起きたソ連型社会主義に反対する民衆運動については、ポーランドに関してはソ連の介入に異を唱える一方、ハンガリーに対するソ連の介入は支持するという微妙な立場をとった(『毛年譜』第三巻：一四―二四頁)。さらに同年一一月九日の国務院常務会議で、周恩来首相は、重工業に偏らず、軽工業や農業の発展にも注意を払い、民衆生活の向上を重視すべきことを、ソ連・東欧の事態からの教訓として強調している(『周年譜』上巻：六二九―六三〇頁)。そうした背景の下、中国共産党は、五六年九月、堅実に、比較的穏健なペースで社会主義建設を進める方針を第八回全国大会で採択する(『新中国資料』第五巻：二〇六―二六五頁)とともに、「百花斉放、百家争鳴」を呼びかけ、政権への批判も積極的に受けとめる姿勢を示した。

当初は様子を窺い、慎重に発言を控えていた党外の人々も、五七年春頃から、「共産党が何もかも決め、党の天下になっている」(同：三七九―三八四頁)、「生活水準に大きな格差がある」といった不満を次々に表明するようになる。すると批判の高まりに驚いた指導部は、一転して再び思想統制の強化に乗り出した(金 二〇〇九：第三巻八六一頁)。五七年六月以降、共産党は、批判者を弾圧する反右派闘争を展開し、後に共産党自身が誤りを認めた事例だけでも、五〇万人以上の教員、科学者、芸術家、思想家などが「人民共和国を敵視し資本主義を支持する右派」とされ、それまでの地位を追われた。人民共和国が成立した時点では新政権に期待していた多くの専門家が発言権を奪われ、経済政策などに問題が生じても、それを早期に修正する機会が失われた。

一方、中国経済は、社会主義化が強行された当初から困難に直面していた。物資が不足する中、無理な操業が行われて事故が多発し、さらに生産が低迷する悪循環すら生まれた。特定分野への投資の集中や人口の急増なども経済全体に対しては負担となった。とくに食糧・日用品類を供給する農業や軽工業の不振が続き、一九五六年秋から翌年春にかけ、生活の改善を求める労働者や学生のストライキが各地で起きた(叢 一九八九：三五頁)。農村では農作物売買の統制やそれに伴う収入減に対する不満が広がり、一部の農民は協同組合(合作社)から脱退し始める(同：六八—七〇頁)。焦慮した共産党指導部の中では、穏健な社会主義建設路線を転換し、急進的な路線によって事態の打開を図る考えが浮上した。五八年五月に開かれた党の全国会議は、毛沢東らの主張に沿って「多く、早く、よいものを無駄なく建設する」大躍進政策を採択する(『大躍進資料』上巻：一一五—一二〇頁)。工業の年成長率二六—三二%、農業の年成長率一三—一六%という異常に高い目標を設備の新増設と民衆動員によって達成しようとし、熱狂的な雰囲気が醸しだされた。簡便な小規模溶鉱炉(原語「土法高炉」)による製鉄やダム建設に多くの民衆が動員され、深く耕し稠密《ちゅうみつ》に植え込んで増収を図る農作業(原語「深耕密植」)が奨励され、「人民公社」と呼ばれる八〇〇〇—一万戸規模の大規模な集団農場化が推進された。

しかし、大躍進は無残な失敗に終わった。土法高炉製の鉄は、硫黄分などの夾雑物が多く強度を欠いた。深く耕された華北平原では、畑の土質が著しく悪化した。稠密に植え込まれた稲田は風通しが悪く、病虫害の蔓延を招いた。大規模化された集団農業は、個々の農家の勤労意欲を失わせ生産性を引き下げた。ひたすら増産を追求した操業時間延長は、機械設備の摩耗を早め破損を招いた。重工業偏重の下、軽工業部門の原材料や労働力が足りなくなった。彭徳懐らの修正意見も無視され(『世界史史料』一一：一二二―一二四頁)、工業生産は低迷し、農業は大凶作に陥り、中国経済は崩壊の危機に瀕した。人口統計に基づく推計によれば、二〇〇〇万人以上が飢餓や栄養失調により死亡している。惨状であった。

大躍進期の混乱は、中国の国際的な地位にも影響を及ぼした。同盟国であったソ連との間では、中国の無謀な政策にソ連が不信感を抱いたこと、アメリカとの平和共存の道を探り始めたソ連に中国が反発したことなどから対立が深まり、一九六〇年代にはソ連の対中援助は停止された。大躍進期の政策に一段と反発を強めたチベット自治区の人々は、五九年三月に反乱を起こした(毛里 一九九八)。さらにチベットを擁護するインドとの間で緊張が高まり、六二年一〇―一一月、中印両軍の間で大規模な軍事衝突が発生している。

一九六〇年以降、ようやく大躍進政策が停止され、経済調整と呼ばれる政策が実施された[6]。穏健路線の復活である。農村から政府が調達する穀物量が引き下げられ、六一―六二年に一〇七五万トンの穀物が緊急輸入された。集団農業の規模が縮小され、農民が野菜や加工食品を地元で自由に販売する市場経済が部分的に復活し、食糧難が緩和された。都市部でも商品流通に対する規制が緩和された。農業税を引き下げ、政府による農産物購入価格を引き上げ農民の生産意欲を刺激するとともに、西側諸国から化学肥料やその製造設備を輸入する支援策が打ち出された。工業の投資対象の削減と調整が図られ、過剰な生産施設が閉鎖される一方、日用品を生産する軽工業分野の生産が拡充された[7]。

しかし、国民に対しては大躍進の失敗は自然災害によるものと説明され、国家主席を退いた毛沢東も共産党の中では党主席としてトップの地位を保持し続けた。毛は社会主義教育運動を呼びかけ再び急進的な社会主義化政策に挑戦する機会を窺い、劉少奇らもそれには協力していた(奥村 二〇二〇)。要するに禍根は残った。一九六〇年から莫大な資金とエネルギーを要する核兵器開発が開始され、経済調整の政策の下でもそれは継続された。また六四年頃からベトナム戦争が激化する中、国防力強化という課題の優先順位があがり、内陸地域に軍需を支える重化学工業施設を建設すること（「三線建設」）が要に位置づけられるようになり、軽工業の位置づけは再び低下した。

四、転換点としての文化大革命

ソ連型社会主義の推進をめぐる穏健な路線と急進的な路線の党内抗争がさらに激化したのが文化大革命であった。しかし主導権を握った急進派（文革派）の下で中国経済の混迷はさらに深まり、ついにはソ連型社会主義そのものを実質的に見直す「改革開放」政策へ転換していく動きが生じた。文革には、低い生活水準を強いられていた青年層などの不満が爆発した民衆反乱という側面もあったが、それは短期間に軍により鎮圧されている。

文革の口火を切ったのは一九六五年一一月に発表された文芸評論「新編歴史劇『海瑞免官』を評す」である。『海瑞免官』は、皇帝を諌めた海瑞という官吏が逆に皇帝の怒りをかい罷免された明代の故事を題材に、愚かな皇帝として毛沢東を暗に批判するメッセージが読みとれる作品であった。そこで毛とその側近らの文革派は、そうした批判に反撃する評論を次々に発表し、急進的な社会主義路線の推進に向け、党員及び民衆の動員を図る。翌六六年五月一六日、一連のキャンペーンを踏まえ、文革の本格的な展開が宣言された（『世界史史料』一一：一二八—一三〇頁）。時期を同じくして北京大学に文革を称揚する壁新聞（大字報）が張りめぐらされ、清華大学付属高校に紅衛兵を名乗る文革支持の若者が出現した。瞬く間に同様の動きが全国へ波及する。赤い腕章を巻き『毛沢東語録』を手にした紅衛兵らの文革支持勢力が、穏健路線の下で経済調整を進めてきた党内多数派を非難し、その打倒を叫ぶようになった。そして八月、共産党第八期第一一回中央委員全体会は、委員の半数以上が欠席を強いられる異常な状況の下、文革派を支持する決議を採択した。

しかし、事態はこれで終わらなかった。最初に火をつけた毛沢東らの思惑もはるかに越え、文革は暴走を続ける。

六六年一二月末、上海で文革派が組織した労働者の団体と既存の共産党上海市委員会を支持する労働者の団体の間で暴力的な衝突が発生し、後者のメンバー九一人が負傷した(王 一九八八：一六八―一七〇頁)。相前後して山西、貴州、黒龍江、山東などの各省でも既存の党組織と行政機構が解体され、新疆や四川、武漢では民衆間の武力衝突を鎮圧するため軍が出動している(同：一八六―一八九、二〇二―二〇六頁)。どちらが急進的かを競いあうような紅衛兵内部の派閥抗争も激化した。その背景には、従来の社会秩序が破壊される中、民衆の不満が噴出した面があった。日本の団塊の世代に相当する紅衛兵世代は、経済が低迷を続ける中、定職に就けず屈折した思いを抱えていた。「請負工よ、臨時工よ、革命を起こそう」と呼びかけた西安の建設労働者のように、不安定で劣悪な労働条件の下に置かれてきた若者は、文革がそうした状況を打破することを期待した(マンダレ 一九七六)。

文革の呼びかけに忠実だった紅衛兵は、「四つの古いものを破壊する」(「破四旧」)というスローガンの下、中国の伝統ある思想・文化・風俗・習慣を全て打ち壊そうとした。道や公園の名が「反帝路」や「人民公園」などの「革命的な名称」に変更され、古寺の仏像や石碑も「封建時代の遺物」として破壊された。書籍や絵画が燃やされ、工芸品や美術品が打ち砕かれた。知識人を集会に引きずり出し、「学界の反動的権威」、「反革命分子」などと罵倒する行為も蔓延した(江 一九九四)。文革による混乱は経済にも大きな打撃を与えた。計画経済の管理運営が麻痺状態に陥り、工場の生産性が低下した。鉄道の沿線各地で生じた争乱状態に加え、紅衛兵が革命運動の「聖地」を巡礼して回る運動が奨励されたことも影響し、全国の交通や運輸に障害が生じた。一九六七年の農業・鉱工業総生産額は、前年より九・九%低下し、六八年にはさらに四・二%減少した。

全国に混乱が拡大したため、一九六七年から軍の介入によって秩序回復が図られていく。解体された地方政府や党の機関に代わり、軍の主導下、革命委員会という新たな権力機構が各地に設立された。大学などには監視部隊が配置され、紅衛兵を農村や工場に派遣する「下放」と呼ばれた動きも始まった。生産現場で農民や労働者に学ぶという理由の下、実際は、ていのいい厄介払いである。六九年四月の中国共産党第九回全国大会は、軍を代表する国防相林彪を毛沢東の後継者に指名する党規約を採択した。軍を前面に押し出した秩序回復策が効を奏し、経済活動は次第に常態を回復した。しかし文革派にとって、軍の風下に立つのは決して望ましい状況だったわけではなく、七一年九月、林彪は失脚した。

文革中、隣国ベトナムへのアメリカの侵略が激化し、ソ連との国境では武力衝突が起きるなど、対外関係は緊張していた。そこで核兵器やミサイルの開発は別扱いで推進され、一九六七年六月、中国は水素爆弾の実験に成功し、七〇年四月には人工衛星の打ち上げにも成功した。とくに後者は、大陸間弾道弾による核攻撃能力を中国が備えたことを意味し、国際政治の中で米ソと対抗する重要なよりどころになった。

五、改革開放の始まりと天安門事件

文革を終息に向かわせた一つの大きな要因は、国際環境の変化である(奥村 二〇二〇)。ベトナム戦争の泥沼化に苦しんだアメリカと対ソ警戒感をつのらせた中国が急接近し、一九七二年二月、訪中したニクソン米大統領と毛沢東、周恩来らが会談した(『世界史史料』一一:二八六―二八七頁)。米中和解の進展を背景に、同年九月、日中間の国交正常化も実現した(同:二八九―二九一頁)。七一年一〇月には国連総会で中華人民共和国の国連代表権が承認されている。政権内には西側諸国から資金的技術的な援助を得て経済再建を図る動きが生まれ、七二―七七年に鉄鋼圧延、合繊などのプラント三五億ドル分の購入契約が結ばれた。一方、こうした流れに反発する文革派との抗争も深まった。七六年一月八日、文革派の押さえ役と見られた周恩来が死去すると、先祖を祭る清明節を機に、周恩来を追悼する形で文革批判派の動きが広がる。清明節明けの四月五日には、文革派の北京市当局との間で衝突が発生し、多くの民衆が逮捕された(第一次天安門事件)。

しかし同じ一九七六年の九月九日に毛沢東も死去した。最後の拠りどころを失った文革派は、一〇月六日、政権指導部の親衛隊に逮捕され、その支配は終焉を迎えた。党内では政策の抜本的転換をめざす動きが強まり、七八年秋には民衆の間でも北京の繁華街西単《シータン》の街頭に壁新聞を張り、小冊子を配って政策転換を求める運動が広がった。同年一二月に開かれた党の第一一期第三回中央委員全体会が潮目の変わる場となる。新たに実権を握ったのは文革終息期の経済再建に携わってきた鄧小平であり、鄧政権が進めた「改革開放」政策によって、中国経済は、たんに毛沢東時代の社会主義の修正にとどまらず、ソ連型社会主義そのものからの離脱に向け、大きな変化を開始した。ただし鄧政権は、対外的にはベトナムに侵攻した中越戦争(8)に見られるように強硬な姿勢を誇示するとともに、知識人らの議論が民主主義と法制の整備を求め共産党の独裁を問題にするようになると、七九年三月、ミニコミ誌発行者の魏京生らを逮捕し、政治改革の流れは押しとどめている。

経済の大きな変化は農村から始まった。野菜や加工食品を売る自由市場が再開され、戸別農家の生産請負制が拡大した。一九八四年までに全国の農家の九六%が戸別の小農経営に戻り、人民公社による集団農業は解体された。新制度の下で農業生産が伸長し、農家所得も増加した。農業生産性の上昇で過剰となった労働力を郷鎮企業と呼ばれる中小規模の工場に振り向ける動きも進んだ。一方、八〇年、外国からの資本と技術の導入を容易にした経済特区が香港に隣接する深圳《しんせん》など四つの地区に創設され、輸出向け工業の振興が図られた。八四年以降、上海、天津などにも同様な試みが拡大され、沿海都市の経済成長が開始され、国営企業の地位が下がり始めた。物価統制、貿易統制などのシステムが次第に解除され、国民の生活水準を高める一人っ子政策も開始された。

改革開放の進展は、統制計画経済が占める比重を年々低下させ、様々な分野で市場経済の展開を促した。豊かになる都市近郊農民や民間企業経営者が生まれた反面、物価高に収入が追いつかず生活が苦しくなった都市住民の間には不満が鬱積していく。食事の改善など生活上の問題解決を求め、一九八六年末に安徽省の科学技術大学で始まった学生運動は、当局の横暴、官僚主義に抗議し、全国に広がった。運動は一時抑え込まれたとはいえ、東欧諸国でもソ連型社会主義から離脱する動きが広がる中で、次の嵐が近づきつつあった。

一九八九年四月一五日、政治改革にも積極的だった胡耀邦前総書記が急死すると、北京の学生は、その死を追悼しながら改革の加速と民主化を求め、報道の自由、汚職・腐敗の一掃、教育予算増額などを掲げデモ行進を始めた。厳家其らの改革派知識人も賛同声明を発表した。運動の急拡大に色を失った党指導部は、四月二六日の『人民日報』社説で、一連の活動を「社会主義制度の否定」をめざす「動乱」と呼び、その制圧を宣言する。これに対し学生らは天安門広場でハンガーストライキまで行い、支持を呼びかけた。年率二〇%を超える物価上昇や官僚の腐敗、格差の拡大に怒りを抱いていた北京市民もそれに応え、五月半ばには参加者一〇〇万人を超えるデモが行われるようになった。中ソ国交正常化に向けたソ連のゴルバチョフ書記長訪中で世界の報道陣が北京に集まり、デモ制圧の強硬手段をとりにくかったこと、共産党内に弾圧に慎重な意見があったこと、なども運動が空前の広がりを見せる条件になった。しかし五月二〇日、戒厳令が北京に施行され、六月四日未明、学生・市民の運動は軍によって鎮圧された(第二次)天安門事件)。その後に影響を増した保守的な勢力は、改革を抑え、共産党の指導権を強めて引き締めを図った。それに対し欧米諸国が人権抑圧を厳しく非難し経済制裁を加えたため、中国は国際的に孤立した。

だが一九八九年秋以降に起きたソ連東欧の社会主義体制の崩壊は、中国指導部に大きな衝撃を与える。しかも改革開放の停滞と国際的な孤立は中国経済を沈滞させ、体制の存続すら危ぶまれるようになっていた。指導部内で何度も激論が交わされた末、中国は、共産党の一党独裁は堅持しつつも、経済中心の改革開放を再開し、その範囲をさらに広げていく道を選んだ(馬・凌 一九九九)。鄧小平は「改革開放の基本国策は決して変わらない」と表明し、巨大な市場と経済発展の展望を示して西側諸国を引きつけた。九一年以降、最初に日本との、次いで西欧諸国・アメリカとの関係改善が続く。中国は、めざすべき目標を九三年の憲法改正で「社会主義市場経済」の発展に定め、共産党の統治の下、ソ連型社会主義からの離脱を加速しながら年率一〇％以上の経済成長を続けることになった。

六、中国のソ連型社会主義——その特徴、成果と離脱過程

多くの経済指標を国家が定め計画的に経済を動かそうとする計画経済は統制経済と密接に関係するシステムであり、二〇世紀に存在したソ連型社会主義の一つの特徴にもなっていた。集団農業と国営工業を軸とした統制計画経済という大枠では、毛沢東時代の中国社会主義もソ連型社会主義の一つだった。ただし、それは幾つかの特徴を持っていた。

まず第一に顕著な特徴は、中国の場合、ソ連・東欧諸国に比べ著しく計画性が乏しい社会主義だったことである。例えば、計画経済運営のため中央政府が掌握していた中央配分資材は、ソ連が約二〇〇〇種類だったのに対し、一九七二年の中国では一〇〇—二〇〇種類に限られ、軽工業の一部と重化学工業以外の分野では、在来技術と大量の低廉な労働力に依存した発展が追求された(エルマン 一九八二：三九頁など)。

第二の特徴は、とくに大躍進期や文革期に目立った傾向として、中央政府が主管する国有企業に対しては資金と人材が集中的に投下される一方、企業管理や財政面では地方分権的な措置がとられたことである(石原 一九九〇)。

第三に、一九六〇年代半ばから七〇年代にかけ、非効率を顧みず、内陸山間地域に重工業施設を分散配置する「三線建設」のような膨大な浪費も生じた(丸川 二〇〇二)。戦時に備え、内陸山間部に軍需工業基地を建設することが、当時、三線建設と呼ばれた。

こうした特徴を備えた毛沢東時代の中国社会主義は、公式発表によれば年率平均六・二％という高い成長率を記録した。しかし、比較的に信頼できる食糧生産量、鉄鋼生産量、エネルギー消費量、旅客回転量、貨物回転量の五種類

の物量データに基づく推計によれば、平均で年率三・五%程度であった可能性もある(中兼 二〇二一:七頁)。二〇世紀前半の一九一二―四九年の工業生産指数の伸び率は年率四・〇%程度であったと推計され(久保 二〇二〇b:九一頁)、恐らく毛沢東時代の中国経済が、それまでより際立って高い成長率を示したわけではない。大躍進や文革が経済活動にもたらした混乱は、決して小さなものではなかった。それにしても、公式統計の数字よりは緩慢であったとはいえ、また技術進歩の貢献は小さかったとはいえ、毛時代の中国経済は、ある程度成長していた。その下で、中華民国期の諸達成を踏まえ、教育の普及や医療水準の向上もみられた(中兼 二〇二一:一四―一五頁)。三反五反運動、反右派闘争、大躍進、文革などで無数の犠牲者が生まれていた一方、当時、喧伝された中国社会主義の成果を喜び、毛時代が過ぎた後も、それを懐かしむ相当数の人々がいたことは否定できない(曠・潘 二〇〇五)。

では中国が、天安門の悲劇を伴いつつも、毛時代のソ連型社会主義から比較的順調に離脱する道をたどった条件は何か。その一つは、大躍進期や文革期の失敗を踏まえ、集団農業や国営企業に執着せず、市場経済の発展を漸進的に進めたことにある(丸川 二〇二一)。西側諸国からの技術導入は、すでに一九六〇年代から開始され、八〇年代以降は外国資本の投資も積極的に受け入れた。ソ連型社会主義といっても、実は計画性が乏しく、それほど中央集権的ではなかったことも、市場経済の発展に際しては有利な条件として働いた。

また、そもそも中国のソ連型社会主義は、東欧諸国のようにソ連から強要されたものではなく中国の主体的な選択として採用されたものであったことが、転換を容易にする条件の一つになった。経済調整を主導した李富春、改革開放を推進した鄧小平らは、一九二〇年代前半の数年間、フランスで外国人労働者として暮らし、市場経済の特質もある程度理解していた。一九九七年までイギリス領だった香港を通じ、西側諸国との中継貿易が盛んに行われ、様々な情報や技術も香港経由で比較的容易に入手できた。台湾の存在、そして世界に散らばる華人・華僑のネットワークが果たした役割も大きい。改革開放政策が始まった頃、経済特区などに進出する先頭を切ったのは香港資本であり華人資本であった。

以上のような諸条件の下、中国は毛沢東時代のソ連型社会主義から離脱し、「社会主義市場経済」を掲げ、二〇年以上、年率平均一〇%を上回る経済成長への道を歩み出した。それは二一世紀の世界に新たな問題を投げかけていく。

注

(1) ロシアを中心にしたソビエト社会主義共和国連邦(一九二二年成立)などにあった集団農業と国営工業を軸にした統制計画経済(エルマン 一九八二)。一党独裁をはじめ、さまざまな政治社会統制システムが連動して機能していた。

(2) 一九五〇年六月六—九日の中共第七期第三回中央委員全体会(七期三中全会)で、毛沢東は「ある人々は資本主義を早く消滅し社会主義を実行することを提起しているが、こうした考え方は誤りであり、わが国の状況に適したものではない」(『中央文件』第三冊:一四三頁)と明言した。ただし東欧諸国では一九四八年に人民民主主義の実質的内容に劇的な変化が生じ、ソ連型社会主義に近いものになっている(吉岡 二〇一七)。中国の新民主主義が劇的に変化するのも時間の問題だったかもしれない。

(3) 一九五二年九月二四日の中共中央書記処の会議で初めて毛沢東が社会主義をめざす可能性に触れ、一〇月にソ連共産党第一九回大会に出席した中共代表団がスターリンの同意を得たという経緯があった(薄 一九九一:上巻二二一—二二三頁)。

(4) 社会主義への過渡期との表現は、党内では一九五三年六月一五日晩の中央政治局会議で初めて用いられ(『毛年譜』第二巻:一一五—一一七頁)、同年九月八日には、党外の人々にも向け、周恩来が中国人民代表大会第一期全国委員会第四九回常務委員会で「過渡期の総路線」を報告した(『建国以来文献』第四冊:三四八—三六二頁)。

(5) 五六年三月一二日から何度も開かれた中共中央政治局拡大会議(『毛年譜』第二巻:五五四—五五八頁)を踏まえ、「プロレタリート独裁の歴史的経験について」が四月五日付『人民日報』に発表された(『新中国資料』第五巻:一一一—一二二頁)。

(6) 一九六〇年一一月一五—二三日の国家計画委員会が転換点となり(薄 一九九一:下巻八九三—八九五頁)、共産党の公式文書としては、一九六一年一月一四—一八日の中共八期九中全会で李富春副首相が提出した「関於安排一九六一年国民経済計画的意見」(『中央文件』第三六巻:二五一—四九頁)が重要な意味を持った。

(7) 化学繊維工場も西側諸国の技術によって建設された。日本の倉敷レーヨン(現、クラレ)の合成繊維製造設備(ビニロン・プラント）輸入契約も六二年に結ばれている。

（8）　国境問題やカンボジア問題をめぐる対立の先鋭化を背景に、中国は一九七九年二月から三月にかけベトナムに侵攻した。

参考文献

『新中国資料』：日本国際問題研究所・中国部会編（一九六三―七一）『新中国資料集成』全五巻、日本国際問題研究所。

『大躍進資料』：日本国際問題研究所・現代中国研究部会編（一九七三―七四）『中国大躍進政策の展開――資料と解説』上・下巻、日本国際問題研究所。

『世界史史料』：歴史学研究会編（二〇〇六―一三）『世界史史料』全一二巻、岩波書店。

『毛年譜』：中共中央文献研究室編（二〇一三）『毛沢東年譜（一九四九―一九七六）』全六巻、中央文献出版社。

『周年譜』：中共中央文献研究室編（一九九七）『周恩来年譜（一九四九―一九七六）』上中下三巻、中央文献出版社。

『建国以来文献』：中共中央文献研究室編（一九九二―九七）『建国以来重要文献選編』全二〇冊、中央文献出版社。

『中央文件』：中央档案館・中共中央文献研究室編（二〇一三）『中共中央文件選集：一九四九年一〇月―一九六六年五月』全五〇冊、人民出版社。

安藤久美子（二〇一三）『孫文の社会主義思想――中国変革の道』汲古書院。

石井明（一九九〇）『中ソ関係史の研究　一九四五―一九五〇年』東京大学出版会。

石原享一（一九九〇）「一九七〇年代までの中国経済管理」毛里和子編『毛沢東時代の中国』日本国際問題研究所。

泉谷陽子（二〇〇七）『中国建国初期の政治と経済――大衆運動と社会主義体制』御茶の水書房。

殷燕軍（一九九六）『中日戦争賠償問題』御茶の水書房。

エルマン、ミッチェル（一九八二）『社会主義計画経済』佐藤経明・中兼和津次訳、岩波書店（原著、一九七九）。

奥村哲（二〇二〇）『文化大革命への道――毛沢東主義と東アジアの冷戦』有志舎。

久保亨（二〇一一ａ）『シリーズ中国近現代史④　社会主義への挑戦　一九四五―一九七一』岩波新書。

久保亨（二〇一一ｂ）「東アジアの総動員体制」『岩波講座　東アジア近現代通史』第六巻、岩波書店。

久保亨(二〇二〇a)「現代中国にとっての朝鮮戦争」『年報　日本現代史』第二五号。

久保亨(二〇二〇b)『二〇世紀中国経済史論』汲古書院。

朱建栄(一九九一)『毛沢東の朝鮮戦争――中国が鴨緑江を渡るまで』岩波書店(岩波現代文庫、二〇〇四)。

中兼和津次編(二〇二一)『毛沢東時代の経済――改革開放の源流をさぐる』名古屋大学出版会。

馬立誠・凌志軍(一九九九)『交鋒――改革・開放をめぐる党内闘争の内幕』伏見茂訳、中央公論新社(原著、今日中国出版社、一九九八)。

姫田光義編(二〇〇一)『戦後中国国民政府史の研究　一九四五―一九四九年』中央大学出版部。

丸川知雄(二〇二一)『現代中国経済』新版、有斐閣。

マンダレ、エクトゥールほか編(一九七六)『毛沢東を批判した紅衛兵――紅衛兵通信集』山下佑一訳、日中出版(原著、一九七四)。

毛里和子(一九九八)『周縁からの中国――民族問題と国家』東京大学出版会。

毛里和子(二〇一二)『現代中国政治[第三版]』名古屋大学出版会。

山極晃編(一九九四)『東アジアと冷戦』三嶺書房。

楊奎松(二〇〇六)「共産党のブルジョアジー政策の変転」大沢武彦訳、久保亨編『一九四九年前後の中国』汲古書院。

吉岡潤(二〇一七)「ソ連による東欧「解放」と「人民民主主義」」松井康治他編『ロシア革命とソ連の世紀二　スターリニズムという文明』岩波書店。

薄一波(一九九一)『若干重大決策与事件的回顧』上下二巻、中共中央党校出版社。

叢進(一九八九)『一九四九―一九八九年的中国②　曲折発展的歳月』河南人民出版社。

江沛(一九九四)『紅衛兵狂飆』河南人民出版社。

金冲及(二〇〇九)『二十世紀中国史綱』社会科学文献出版社。

曠晨・潘良編著(二〇〇五)『我們的五十年代』中国友誼出版公司。

王年一(一九八八)『一九四九―一九八九年的中国③　大動乱的年代』河南人民出版社。

集点｜*Focus*

アフリカ諸国の「独立」とアフリカ人エリート

砂野幸稔

はじめに

二〇世紀末、植民地支配からの独立後急成長したアジアと異なり、停滞する経済、貧困、飢餓に苦しめられ、腐敗した独裁政権やクーデタ、内戦が相次ぐアフリカは「絶望の大陸」と言われていた。希望に満ちていたはずの「独立」は、なぜそのような状況をもたらしてしまったのか。そもそも「独立」とは何だったのか。

この問いについてはさまざまな議論が行われてきたが、限られた紙数でそれらを包括的に論じることは筆者の力量を大きく超える。本稿では、現代アフリカに実践的に関与しながら、この問いに答えようとした二人のアフリカニストの議論を導きの糸に、二〇世紀後半のサハラ以南のアフリカが抱えた問題を考えてみたい。

卓越したアフリカ史家でありジャーナリストでもあったバジル・デヴィッドソンは、『黒人の重荷――アフリカと国民国家の呪い』(Davidson 1992)において、「独立」を主導したアフリカ人エリートの錯誤を厳しく指摘して次のように論じた。

アフリカ社会は植民地化以前、独自の社会システムを持ち、ガーナのアシャンティ王国のようにアフリカ的国民国家の萌芽とも言える国家も存在していたが、植民地国家を引き継いだヨーロッパ化したアフリカ人エリートは、過去のアフリカを野蛮で後進的なものとして否定し、ヨーロッパの近代を模倣しようとした。しかし、彼らが引き継いだのは、民族ブルジョワジーを中核として形成されたヨーロッパの国民国家とは異質な、市民社会が脆弱で、ヨーロッパ人が作った都市が、分割統治によって分断された農村を権威と暴力によって支配する国家だった。アフリカ人エリートの楽観的近代主義は挫折し、結局、彼らは国民国家システムの官僚、軍という抑圧的側面のみを引き継ぎ、権力を維持するために「部族主義」と呼ばれたパトロン・クライエント関係に依存することになった。そして、外部から流入する援助と資源がもたらす利権は、彼らを腐敗させ、暴力的な独裁や内戦の原因となった、と。

他方、内戦後のウガンダの政治再建にも関与したアフリカ政治学者マフムード・マムダニは、『市民と臣民――現代アフリカと後期植民地主義の遺産』(Mamdani 1996)において、「独立」後のアフリカを規定したものとして「分岐国家」(bifurcated state)という概念を提示している。

マムダニによれば、アフリカ国家に共通する植民地経験は間接統治のシステムであり、それは植民地を、直接統治され文明の法が適用される都市と、慣習的権力を通じて統治される農村の「部族的世界」に二分割した。アフリカ人は、都市では白人の人種特権によって市民的権利から疎外され、「部族的世界」では植民地国家によって強化された慣習秩序に囲い込まれた。独立後のアフリカ国家では、国家が非人種化されることで人種特権は解消したが、都市に蓄積された特権は維持され、都市と農村の分岐国家形態は存続した。アフリカ国家のパトロン・クライエント関係は、危機を孕んだ都市と農村の分裂を橋渡ししようとするものだったが、それはしばしば、再分配をめぐって地域、宗教、部族の対立を招いた。

デヴィッドソンが批判したアフリカ人エリートは、マムダニの言う「分岐国家」をどのように引き継いだのか。そもそも政治的「独立」とは何だったのか。

一、「独立」への過程――アフリカ人「ナショナリズム」

ネイションを形成しない「ナショナリズム」

アフリカにおけるナショナリズムは特異なナショナリズムだった。ナショナリズムを主導したのは、キリスト教ミッションなどを通じてヨーロッパ語を学び、西欧型の近代主義を身につけたアフリカ人エリートたちだった。彼らが生み出した政治運動は、西欧で国民国家《ネイションステイト》を生み出し、東欧やアジアで帝国の支配を排して「国民《ネイション》」を立ち上げようとしたナショナリズムとは少し異なっていた。それは、白人支配者に対する都市のアフリカ人エリート層による、いわば人種的ナショナリズムだった。彼らがまず求めたのは、植民地の人種主義的体制のもとで自分たちに拒絶されている権利だった。彼らはアフリカ人を代表して語っていたが、語りかける相手は白人支配者であり、彼らとは異なる現実を生きる大多数のアフリカ人農牧民からは遊離していた。

植民地体制が崩壊へと向かう大きな転機となったのは第二次世界大戦だった。しかし、大戦で弱体化した植民地体制をアフリカ人ナショナリズムが打倒した、という捉え方はやや単純すぎる。アフリカの「独立」は多くは交渉によって実現され、植民地体制の中ですでに一定の位置を占めていたアフリカ人エリートは、「独立」後、植民地国家の国境と統治体制を引き継ぎ、植民地宗主国との政治経済関係も多くの場合大きく変えることはなかった。

イギリス領、フランス領では、「独立」への過程は、宗主国自身の掲げる「自治」(イギリス領)や「平等」(フランス領)などの原則を盾にし、都市のアフリカ人の不満を背景に権利の拡大を求めるアフリカ人エリートと、できるだけコストをかけず植民地における利権と影響力を保持しようとする宗主国の間の交渉として進行し、同時にアフリカ人エリート間の主導権争いや調整が行われた。ただし、植民地体制にとって脅威となる「急進派」は武力で排除され、南アフリカなど白人入植者が政治的主導権を握る入植者植民地では、アフリカ人の要求は暴力的に押さえ込まれた。第二次世界大戦後も強権的な植民地体制が続いたポルトガル領でも、少数のアフリカ人エリートの改革要求は暴力的に弾圧され、武装解放闘争が七〇年代まで続くことになった。ベルギー領コンゴでは、イギリス領やフランス領のような準備過程もアフリカ人エリート間の調整もないまま政権が移譲され、コンゴ動乱として知られる「独立」直後からの混乱を招いている。

個別の植民地の「独立」への過程はさまざまだが、「独立」を主導し、「独立」後の国家を植民地支配者から引き継いだのは、ほぼ例外なく都市のヨーロッパ化したアフリカ人エリート層だった。ある意味では「独立」したのは都市であって、都市と農村の「分岐」はそのまま残されたのである。

パン・アフリカニズムの挫折

主に植民地支配者との交渉過程として展開した個別植民地のナショナリズムと異なり、多くのアフリカ人エリートの想像力を動員する強い輝きを放ったのは、アフリカという「ネイション」を想像したパン・アフリカニズムだった。

パン・アフリカニズム運動の主導者として知られているのは、一九一九年に第一回パン・アフリカ会議をパリで開催し、その後二七年までに四回のパン・アフリカ会議を主催したアメリカ黒人のW・E・B・デュボイスだが、彼が組織した運動は、アフリカ系人とアフリカ人の尊厳と権利を主張する国際的な政治運動として大きな意味を持ったとはいえ、基本的には新大陸のアフリカ系人エリートによる白人世界への請願運動の域を超えなかった。

パン・アフリカニズムをアフリカ人ナショナリズムに変貌させたのは、第二次世界大戦直後の一九四五年一〇月、カリブ海のトリニダード出身のジョージ・パドモアとゴールドコーストのクワメ・ンクルマが中心となり、マンチェスターで開かれた第五回パン・アフリカ会議だった。この会議では、アフリカ人代表が多数を占め、主導権がアフリカ人ナショナリストの手に移っただけでなく、はじめて植民地の独立が目標として掲げられた。

四七年に帰国したンクルマが強烈なカリスマをもって人々をガーナの独立へと導くことができたのは、漸進的な自治への移行を求めていた地元のアフリカ人エリート層と異なり、植民地の独立、そしてアフリカの解放という明確な目標があったからである。五七年、ガーナの独立式典で、ンクルマはただちにアフリカ大陸の完全解放のためのたたかいを組織することを宣言し、そのことばのとおり独立の直後から全アフリカの解放を目指して強力な指導力を発揮した。五八年四月には当時のすべての独立国を招いてアクラで第一回「アフリカ独立諸国会議」を開催し、全アフリカの植民地主義からの解放の戦いへの支援を決議した。後の「アフリカ統一機構」の原点である。さらに五八年一二月にはアフリカ各地の解放運動組織、労働組合などの代表が参加した「全アフリカ人民会議」が開催された。アフリカ各地の独立運動指導者が参集したこの会議は、アフリカにおけるアフリカ人エリートたちの政治運動を各地域のバラバラな動きから全アフリカを動かすものへと変えていった。

しかし、ガーナの独立後強い光を放ったパン・アフリカニズムは、その後急速に失速していった。多くの独立国が誕生し「アフリカの年」と呼ばれた一九六〇年の第二回「アフリカ独立諸国会議」の際には、すでに、「アフリカ合州国」としての政治的統一を主張するンクルマは孤立し始めていた。大多数のアフリカ人エリートの関心は、自らの地域での政治権力の獲得に向けられるようになり、一旦獲得した権力を「アフリカ合州国」のために譲り渡すことを望む者はいなかったのである。

一九六三年に結成された「アフリカ統一機構」は「全アフリカ人のネイション」というンクルマの理想とは大きく異なり、植民地体制を引き継いだ個別国家の緩やかな連合にすぎなかった。「アフリカ人のアフリカ」というパン・アフリカニズムの思想は、第二次世界大戦後のアフリカ人ナショナリズムを高揚させ、独立への過程を早めたが、ンクルマらが希求した「ネイション」としてのアフリカは実現しなかった。

二、「ネイションビルディング」の蹉跌

植民地遺制——間接統治

イギリス領で間接統治、フランス領で協同政策と呼ばれた統治システムは、直接統治の財政的、人的、軍事的コストを避けるために、現地の権力者、権力機構を利用しようとするものだったが、それは、マムダニが言うように都市と農村が分裂した「分岐国家」を生むとともに、元来はそれぞれの社会の慣習の上に立っていた既存の「伝統的首長」の権威を、植民地権力を後ろ盾とする権力に変質させ、さらには、差異は緩やかで明確な帰属意識を持たない社会まで「部族」として分類し、新たな帰属意識を生み出すことさえあった。アフリカ諸国の宿痾とされた「部族主義」は、植民地支配者による分割統治がアフリカ社会を変質させ、固定化することによって生み出されたものだった。

「ネイションビルディング」から独裁へ

「独立」によって政権を引き継いだアフリカ人エリートは、自分たちが引き継いだのが社会的に分裂した国家であることを認識していた。ザンビアの初代大統領ケネス・カウンダの「我々の目的は、植民地主義者が全大陸を分割して作ったぶざまな加工品から、真のネイションを創りだすことである」(小田 一九八九:三頁)ということばは、「独立」直後の多くのアフリカ人エリートの考えを代表していた。しかし、彼らが前近代の遺物と見做し、教化によって克服できると考えていた「部族的世界」は、前述のように固定化され、すでに権力との間で独自の利害を持つものとして構成されていた。さらに、アフリカ人エリートがヨーロッパ語で語る「ネイションビルディング」は、ヨーロッパ語を理解しない大多数の人々には届かず、人々の想像力を動員することはできなかった。

たとえば、ガーナでは、都市の若者たちを熱狂させ選挙の勝利をもたらしたンクルマのナショナリズムも、王国としての自らの歴史を持つアシャンティ「ナショナリズム」や各地の首長区の「ナショナリズム」を取り込むことはできなかった。ンクルマはそれらを強権的に押さえ込むことを選び、政権の独裁化へと進むことになった。ナイジェリアでは、第二次世界大戦後、ナムディ・アジキエら西欧型の教育を受けたアフリカ人エリートが主導して「自治」への動きが加速したが、イギリス植民地政府が「自治」付与の過程で作り出した選挙制度は、間接統治、分割統治によって広大な植民地にすでに作り出されていた社会的、宗教的分裂を、危険な政治的分極化に転化するものだった。

ナイジェリア南部では西欧型の教育を受けた層が多く、活発な経済活動によって都市が拡大していたのに対して、ハウサ人、フラニ人が多数を占める北部のイスラーム圏は、間接統治の制度の下で旧来のイスラーム支配層による支配が続き、経済的には発展が遅れていた。南部エリートの「ナショナリズム」に押される形で、植民地当局はアフリカ人の政治参加を拡大していったが、その際、東部、西部、北部の三州による連邦制度を定め、選挙もそれに基づく形を取ったため、各州では州の多数派民族が主導する政党が影響力を持ち、連邦制度は東部のイボ、西部のヨルバ、北部のハウサという各州の多数派民族とその他の少数派民族の「ナショナリズム」がせめぎ合う場となってしまった。植民地政府の制定した選挙制度によって連邦議会で半数の議席を持ち、急激な変化を望まない北部州は、西欧型エリートの多い南部が主導権を握ることを警戒し、また南部においても地域、民族の対立が続いた。それは一九六〇年の「独立」後も変わらず、アジキエら南部エリートの構想した「ネイションビルディング」は悲劇的な形で挫折することになった。一九六七年から二年半にわたり、二〇〇万を超える犠牲者を出したと言われるビアフラ戦争は、分割統治による社会の分裂と、石油という「資源の呪い」が引き起こしたものだった。その後、二〇世紀末までのほぼ三〇年間、ナイジェリアは軍事独裁政権のもとに置かれることになる。

旧イギリス領、旧フランス領など、選挙を通じて植民地後継国家の政権が成立した国々では、当初は多くが複数政党制をとっていたが、一九七〇年代にはカウンダのザンビアを含め大多数の国が一党独裁か軍事独裁の体制に移行していた。多党制を取れば「部族」に基盤を持つ政党が林立し、「部族対立」を助長する、というのが理由だった。結局、統合ではなく、植民地体制を引き継ぐ権威主義と抑圧が選択されたのである。

三、「国語」の不在

言語は植民地国家における都市と農村の「分岐」の明確な指標だった。そして、アフリカ人エリートによる「ネイションビルディング」に決定的に欠けていたのは「国語」だった。

近代の国民国家の理念型は、「国民＝国語」という構図による国民統合だった。一九世紀のフランスや明治維新後の日本において強制的な「国語化」が行われたのはそのためだった。東欧やアジアのナショナリズムも、西欧型国民国家の理念型を踏襲し、広く通用する土着の言語による「国語」の形成を目指していた。アジアにおいても、ナショナリズムを率いたのは植民地支配者の言語で教育を受けたエリート層が多かったが、彼らは植民地支配者の言語ではなく土着の言語を選択した。インドやインドネシアのような多言語国家の場合も、独立運動を率いたナショナリストたちのプログラムでは、土着の広域言語であるヒンドゥスターニー語やインドネシア語を「国語」とすることが目指されていた。

それに対してサハラ以南のアフリカでは、一時期を除いて植民地化を免れたエチオピアと、植民地期から地域行政言語として用いられていたスワヒリ語を「国語」として採用したタンザニア（ただし英語も公用語とした）、そして、独立後軍事独裁政権のもとでソマリ語の「国語」化が強制的に進められたソマリア（しかし、その後の内戦によって国家は分裂状態にある)を例外として、ほとんどの国で、政権を継承したアフリカ人エリートは植民地支配者の言語を公用語としてそのまま保持することを選び、行政機構だけでなく、教育制度も植民地支配者が作り上げた制度を引き継いだ。ナショナリズムと共に育つ「国民文学」も、アフリカにおいては英語、フランス語などの植民地支配者の言語によるものだった。アフリカ人エリートの生み出した「国民文学」からは、ヨーロッパ語を理解しない大多数のアフリカ人は排除されていたのである。

独立時、アフリカ諸国でヨーロッパ語を話す人々は人口の数パーセント程度しかおらず、大多数の人々は植民地支配者の言語とは無縁の生活をしていた。住民の大多数が理解しない言語を公用語としたのは、しばしば説明されるようにアフリカが多言語社会だからではない。セネガルでは独立時ウォロフ語がすでに事実上の共通語として話されていたし、ガーナでも多少の方言偏差はあってもアカン系の言語が広く通用していた。ルワンダやブルンジに至っては、ほぼすべての住民が同じ言語を話すが、それにもかかわらず、農村では理解されない植民地支配者の言語を公用語とした。この選択は、国民統合のためというより、植民地統治のシステムをそのまま引き継ぐためのものだった。そして、都市の一握りのエリートしか理解しない言語を、行政言語とするだけでなく全国民に対する教育言語とするというプロジェクトが始まった。

アフリカ諸国は、独立後、公用語による教育の普及を重要な目標とし、実際にそのための努力も行われたが、半世紀以上を経た現在も農村部では十分に浸透していない国が多い。初等教育の就学率は、現在では八〇%から九〇%を超える国も多く、成人識字率も統計上は大きく向上しているが、家庭や日常生活で使用しない言語による教育の定着度は低い。

たとえばセネガルでは、七〇年代からの経済停滞などで長らく低迷していた初等教育の就学率は二〇一〇年代には七〇%を超えたが、成人識字率は五〇%前後にとどまり、実際に公用語のフランス語を満足に使いこなす人々はそれよりはるかに少ない。フランス語は個人の社会的上昇の手段として希求されるが、フランス語によって維持されている経済システムはごく一部に過ぎず、そのため言語習得の恩恵を受けられるのは一握りにとどまる。とくに農村部の人々にとっては、学校で学んだ言語はすぐに「役に立たない」言語となってしまう。役に立たず、使われない言語は定着しない。むしろ拡大しているのは、植民地期から事実上の共通語として普及し始めていたウォロフ語だが、ウォロフ語は現在も教育課程には入っていない。農村の生活はウォロフ語などの土着言語で営まれ、都市部の大多数の人々の日常言語も同様である。フランス語は、現在も、欧米並みの生活水準を享受する都市部のエリート層にとってのみ有用な言語であり続け、国民を統合する言語とはなっていない。

四、開発主義の躓きと農村軽視

植民地遺制――モノカルチャー経済

独立後のアフリカ諸国を規定したもうひとつの植民地遺制は、特定の商品作物や鉱産物に依存したモノカルチャー経済と、それに起因する対外従属性である。植民地宗主国は、本国に利益をもたらす特定の商品作物の栽培を奨励あるいは強制し、鉱山を開発したが、その収益は植民地宗主国と宗主国などの企業に向かい、地域内経済に寄与しないだけでなく、鉄道や道路などの社会インフラも輸出向けに整備され、国内各地を結ぶようなシステムになっていなかった。そのため、独立後のアフリカ諸国は、極端な地域格差や隔絶した地域を抱え込むことになった。国境で囲まれた領域はあっても、その中には統合された社会などは存在しなかったのである。このシステムのもとでは、コートジボワールなどで商品作物を生産する一部の小農の富裕化が見られることはあったが、将来の「国民経済」の担い手となる地元の資本家は育たなかった。

国家主導型の開発主義の躓き

アフリカ人エリートたちは、そうしたモノカルチャー経済を脱するために、政府が強力に介入する国家主導型開発政策をとろうとした。

第二次世界大戦後、世界は経済成長の時代に入り、政府の介入による開発主義は広く共有される考え方だった。アフリカ人エリートは、当時欧米において主流であった開発理論を実践したのである。ただ、輸出向けにのみ整備された国内インフラのいびつさと地元資本家の不在に加えて、開発資金を既存のモノカルチャー経済に依存せざるを得ないことが彼らにとっての桎梏となった。また、植民地体制が残した社会の分裂を抱えたまま国家主導の開発を推し進めようとするアフリカ諸国は、しばしば強権的な開発独裁体制をとった。社会主義を志向する政権にも、独裁的な国家管理によるソ連の工業化モデルがあった。

たとえば、ガーナのンクルマは、大規模な公共投資によるインフラ整備と産業構造の近代化、工業化を目指したが、反対派を押さえ込んだ独裁体制のもとで進められたンクルマの政策は、国家主導の開発主義の挫折の一例である。ンクルマが進めようとした目玉プロジェクトは、ヴォルタ川に巨大な水力発電ダムを建設し、その電力で国内の工業化を進めようというものだったが、そのために必要な巨額の資金は対外借款に依存するほかなかった。ンクルマの目論見は、順調なカカオ収入と国内産出のボーキサイトを用いたアルミ精錬などによる高付加価値製品の輸出収入によって返済することだったが、技術も資本も国際資本に依存したアルミ精錬工場はガーナには利益をもたらさず、さらにカカオの国際価格が下落したことによって、ガーナは多額の負債を抱え込むことになった。

また、多くの国で目指されたのが、都市で消費される高コストの輸入消費材の代替産業の育成だった。しかし、植民地体制下のモノカルチャー経済のもとで地元企業家が育つ機会が奪われていたアフリカ諸国では、そのための企業設立はしばしば国営、半国営の形を取り、経営経験のない政府関係者が運営する国営、半国営企業は、多くの場合満足に機能しなかった。生産機材や原料を輸入に頼るために高コストになり、人口数百万程度の小規模な国が多いために国内市場での流通も限られ、関税障壁を設けても安価で高品質の輸入品に対抗できなかったのである。何よりも、政府資金が流れ込み、政府や政権党の関係者が経営や人事を握るこうした企業は、汚職の温床となった。

独立後一〇年あまりの間、年七%前後の経済成長を続け「象牙の奇跡」と言われたコートジボワール(象牙海岸)や「東アフリカの優等生」と賞賛されたケニアは、例外的な成功例とみられたことがあった。積極的に外国資本を受け入れたこれらの国では、それぞれ西アフリカ、東アフリカの周辺諸国にも輸出を行う輸入代替品工業化にある程度成功した。しかし、高い経済成長率を支えたのは実は植民地時代と同じくカカオ、コーヒーなどの輸出品であり、モノカルチャー経済を克服できたわけではなかった。一九七〇年代の石油危機に始まる世界経済の停滞は、これらの国の経済を支える一次産品価格を低迷させ、経済の不振と政治の不安定化をもたらした。

アフリカ社会主義の蹉跌

一九五〇年代から六〇年代は、植民地主義を生み出した資本主義システムを批判する社会主義が未来への希望を託するに値すると思われた時代であった。ガーナやマリは、独立後、ソ連などに倣った社会主義化政策(結局それも開発主義である)をとろうとしたが、ソ連や東欧諸国の支援能力は低く、政治エリートが机上で立てた計画は数年で経済の破綻を招き、ともに軍事クーデタで政権が倒れた後、社会主義政策は放棄された。

開発主義でもソ連型社会主義の模倣でもなく、植民地化以前のアフリカ社会の共同体主義を独立後の近代国家において再生するという理想を掲げ、それを具体的な政策として実践しようとしたのが「アフリカ社会主義」を標榜したタンザニアだった。

タンザニアでは、一九六七年にスワヒリ語で親族共同体を意味する語を用いた「ウジャマー社会主義」の方針を掲げ、集村化と共同農場による農村社会主義を進めようとした。しかし、国家に強制された共同農場は農民の意欲をそぎ、生産性が低下した上に、強制移住などによる混乱のため食糧生産も低迷した。さらに、石油危機、ケニアとの対立、ウガンダの軍事侵攻などによって経済状況が悪化し、八〇年代にはウジャマー社会主義は実質的に放棄された。都市の近代主義エリートが農村の現実を十分に把握せずに描いた理想論が挫折したのである。

都市偏重と農村軽視

タンザニアは少なくとも当初は農村を重視する姿勢を示したが、多くのアフリカ諸国では農村は軽視された。重視されたのは都市である。植民地国家を譲歩させたのが都市のナショナリズムであったように、政権を引き継いだアフリカ人エリートにとっても都市住民の支持は重要だった。そのために、公務員などのポストの配分が行われたり、穀物価格を統制したり、都市で消費される輸入品価格を抑えるために通貨価値を高い水準で維持するなど、国家財政のかなりの部分が都市のために費やされた。

それに対して農村は軽視されていた。植民地期から農村は都市と鉱山等の労働力の再生産コストを負担し、輸出作物生産を行いつつ自給的に農牧業を行っていた。一言で言えば農村は都市に搾取されていたのである。政権を引き継いだアフリカ人エリートは、独立後も同じ構造に依存し、国家歳入を確保するために輸出作物の生産拡大を進めようとする一方で、食糧生産の基盤強化にはほとんど関心を向けなかった。とくに開発主義の時代には、換金作物も都市向けの穀物等も政府による価格統制が行われることが多く、そのために農民の生産意欲がそがれる傾向があった。農村における生産性が向上しないまま、年率三％という急速な人口増加と都市の拡大によって、農村の食糧生産力の不足は深刻な問題となっていった。七〇年代から八〇年代にかけて多数の犠牲者を出した飢饉は、干魃による自然災害である以上にアフリカ人エリートによる農村軽視の結果だった。

五、「門番国家」の迷走

「門番国家」

マムダニの「分岐国家」論は基本的に国内の政治構造を問題化しているが、「独立」後のアフリカ諸国のもう一つの問題は、政治、経済の双方における対外的な従属性と国家そのものの脆弱性である。アフリカ現代史研究者であるフレデリック・クーパーは、それを「門番国家」(gatekeeper states)という用語を用いて説明している(Cooper 2002)。

クーパーによれば、植民地国家は支配する地域の文化、社会に関与する力が脆弱で、支配地域と国際社会の境界をまたいで存在していたにすぎない。植民地国家は人と商品の出入りを管理し、取引のルールを管理した。独立後のアフリカ諸国家は、植民地国家の後継者としてその制度を引き継ぎ、国境と主権についての国際社会の承認を引き継いだ。それ故、国内的にまったく機能しない失敗国家でさえ、「門番」として輸出入の利権を確保し、国家として外部から援助を引き出せる。他方、植民地国家が持っていた外部からの軍事的強制力を持たない後継アフリカ国家は、脆弱な国家である。植民地期と同様に、国境内の領域と住民に対して十全に権力を行使できず、「門番」の地位も、軍の将校、地域の有力者等による簒奪の危険を孕んでいる。都市と農村の分裂が孕む危機を回避し、簒奪者から地位を守るために、「門番」はパトロン・クライエント関係に依存し、反対派に対しては暴力による強制と排除を行ったが、その地位は不安定で、しばしばクーデタ、内戦が起こることになった。

独立直後のアフリカ人エリートが実現しようとした「ネイションビルディング」も「開発」も、ある意味では門番国家からの離脱の試みであった。しかしそれは前述のように挫折し、以後、多くのアフリカ人エリートはむしろ「門番」の地位に安住し、あるいはそれを争うようになった。そして、輸出入の利権と援助に依存するアフリカの門番国家は、経済的にも政治的にも国際社会の動きに大きく左右された。二〇世紀後半の多くのアフリカ国家の迷走は、そうした門番国家としてのあり方に由来していると言ってもいいだろう。

冷戦構造

独立後のアフリカ諸国のあり方をもっとも大きく規定したのは、第二次世界大戦後の冷戦構造下での大国の関与である。

西側陣営とくにアメリカは、第二次世界大戦後、社会主義陣営の拡大を阻止するために自由主義(資本主義体制)を選択した国家への援助の方針を明確にし、とくに一九六〇年代以降、アフリカへの関与を強めていった。欧米が投入した二国間援助と戦後世界の高度成長のなかで行われた国際機関による開発援助は、開発主義の挫折とは裏腹に、その莫大な資金によって門番国家を腐敗させていった。援助やそれがもたらす利権は、アフリカ人エリートたちが不安定な「門番」の地位を守るための資金となり、また、それをめぐる争いを生んだ。他方、ソ連をはじめとする社会主義陣営は、マリやギニアなど社会主義を標榜した政権の支援ではほとんど成果をあげなかったが、軍事支援ではポルトガル領アフリカなどの武装解放闘争に関与し、ザイールなどでは反政府勢力を支援して内戦に加担した。

現在のコンゴ民主共和国は、アフリカにおけるアメリカと「西側陣営」の歪んだ関与の典型である。一九六〇年の独立直後から始まったコンゴ動乱では、アメリカは、カタンガ州の分離独立を阻止するためにソ連の支援を要請した首相のパトリス・ルムンバを危険視し、ジョゼフ゠デジレ・モブツのクーデタを後援した。その後、モブツはアメリカなどの後援によって独裁体制を確立し、ザイールと国名を変えて「門番」としての利権を確保した。欧米は体制の腐敗を知りながら「反共の砦」として支持を与えるだけでなく、モブツ政権に巨額の援助(これには日本も関与している）と軍事支援を与え続けた。八〇年代には国内統治はほぼ崩壊していたが、モブツは一九九七年の死の直前まで大統領の座にとどまり続け、巨額の蓄財を行った。九七年のモブツの退陣後権力の座についたのは、東アフリカとの密貿易で資金を蓄え、ルワンダの支援を受けて首都に攻め込んだローラン・カビラの軍閥だったが、国名をコンゴ民主共和国と変えたカビラもモブツと同様の腐敗した権力を作り上げただけだった。その後も東部では軍閥が割拠し、コンゴは混乱の中にあるが、豊富な鉱産資源を必要とする国際社会は、コンゴを主権国家として扱い続けている。

東西それぞれの陣営が、相手陣営に支援された政権を倒すために反政府勢力を支援する場合もあった。七〇年代末のザイールのシャバ紛争は、隣国アンゴラに成立した社会主義政権とソ連、キューバがモブツ政権に対する反政府勢力を支援して起こされたものだった。他方、一九七五年の独立から二〇〇二年まで続いたアンゴラ内戦は、ソ連、キューバに支援された政権側と、アメリカ、南アフリカなどに支援された反政府勢力の内戦が、冷戦終了後まで続いたものである。

構造調整から民主化へ

前述のように、第二次世界大戦後、政府の介入による開発主義は広く共有される考え方であり、冷戦構造の中で、アメリカをはじめとする先進諸国はアフリカの開発プロジェクトへの融資に積極的だった。しかし、一九七〇年代の石油危機以降、経済成長が行き詰まると、一次産品の収入と援助に依存した開発主義は破綻し、アフリカ諸国は多額の債務に苦しむようになった。一九八〇年代になると、先進諸国ではサッチャー主義やレーガン主義のような「小さな政府」路線が主張されるようになり、一次産品の価格下落で多額の債務の返済に行き詰まったアフリカ諸国に対しては、世界銀行や国際通貨基金からの資金援助の条件として、市場経済化を進め、政府支出を大幅に削減する「構造調整」が要求されるようになった。

援助を必要とするアフリカ諸国に選択の余地はなく、構造調整が実施された国は三六カ国に上った。しかし、それは多くのアフリカ諸国であまり成果をあげなかっただけでなく、むしろしばしば負の結果を残すことになった。政府支出の大幅削減は、教育、医療衛生、社会インフラの整備など、最低限の政府の社会サービス機能を大きく損ない、それはとくに都市部住民の不満を醸成した。また、もともと民間部門が脆弱な中で行われた経済自由化は、国営企業の解体による失業者の増加など、混乱を引き起こすこともあった。

構造調整は「門番」の利権を減らした。それは、ガーナのようにある程度市民社会が成長していた国では民主化への契機となったが、逆にパトロン・クライエント関係が崩れることで政治状況が不安定化する場合もあった。一九八〇年代からリベリア、シエラレオネ、ルワンダなどで相次いだ内戦は、構造調整による「門番」の脆弱化も一因となっている。

一九八九年に始まったソ連と東欧社会主義圏の崩壊による冷戦の終了は、支援を失ったエチオピアの社会主義政権が崩壊し、アンゴラが社会主義路線を放棄するなど、社会主義圏の消滅をもたらす一方で、それまで冷戦構造のなかで独裁政権の腐敗を黙認していた欧米諸国は、援助の条件としてアフリカ諸国に民主化を迫るようになった。経済状況の悪化と構造調整による社会サービスの低下が政権に対する都市住民の不満を表面化させていたこともあり、援助を必要とするアフリカ諸国はそれを受け入れる以外の選択肢を持たなかった。一九九〇年代にほとんどすべての国が、ドミノ倒しのように軍政ないし一党制を放棄し複数政党制を導入した。

しかし、その結果は必ずしも肯定的なものではない。ガーナのように、構造調整から民主化への流れを主体的に受け止め、その後ある程度安定した状況を作り上げることに成功しているように見える国もあるが、赤道ギニアやルワンダのように、形式的には複数政党制を採用しながらも、実質的には特定の政党ないしは個人が権力を保持し続ける権威主義的な体制が続いている国も少なくない。また、コンゴ民主共和国、ブルンジなどのように、独裁体制から複数政党制に移行後、政党間、民族間の対立から内戦と混乱が生まれた国もあった。何よりも、一次産品と援助に依存するアフリカ国家の脆弱性は、ガーナを含め、依然として克服されていない。

六、南アフリカ

冷戦終了後のサハラ以南のアフリカにおける民主化の流れのなかで、もっとも大きな出来事の一つはアパルトヘイト体制の崩壊による南アフリカの民主化である。アパルトヘイト体制の崩壊は、国内での長期にわたる反アパルトヘイト運動の結果だが、「人類への犯罪」に対する国際社会の厳しい批判と経済制裁も大きな役割を果たした。

経済構造から見ると南アフリカは門番国家ではない。南アフリカは、現在でも金、プラチナ、鉄鉱石などが輸出品の四割近くを占めるとはいえ、早くから工業化が進み、国内経済においては第三次産業の比率が七割近くに上るなど、先進国に近い経済構造を作り上げている。それ故、南アフリカは「アフリカではない」という見方さえあった。

しかし、マムダニはそうした南アフリカ特殊説を批判し、南アフリカは典型的な「分岐国家」であるとしている。彼によれば、アパルトヘイト体制とは少数の白人が圧倒的多数の原住民を支配するために作り上げた間接統治の体制をさらに強化したものに他ならない。アフリカ人の抵抗は、農村からではなく、早い時期から形成されていたアフリカ人エリート層を中心とする都市住民によって組織された。アフリカ人が押し込められたバンツースタンでは、慣習的権力は都市の市民社会とは切り離されており、一九九四年の黒人多数派政権の成立は、人種差別を解消し都市を非人種化したが、都市と農村の分断は解決されていない。

『市民と臣民』が出版されたのはマンデラ政権成立のわずか二年後のことであり、その後の状況の展開は踏まえていないが、南アフリカが抱える危機が都市と農村の「分岐」にあるという指摘の重さは変わっていない。「バンツースタン」が廃止され、移動の自由を得たと言っても、豊かな耕作可能地は現在も白人農民が占有し、都市では英語を使う一握りのエリート層が富裕化する一方で、食べられない農村から都市に流入する人々は、繁栄する南アフリカ経済の埒外に置かれているのである。

結びにかえて

本稿では、アフリカが二〇世紀末に「絶望の大陸」と呼ばれるようになった所以を見てきたが、もちろんこの間に肯定的な変化がなかったわけではない。

乳児死亡率は大幅に減少し、サハラ以南アフリカの人口は一九六〇年の約二億から二〇二〇年には約一〇億に増加した。初等教育、中等教育の就学率は大幅に向上し、高等教育も拡大した。それは、都市中間層を拡大し、多くの国で脆弱であった市民社会が少しずつ成長しているように見える。また、一九七〇年代後半以降低迷していた経済も、二一世紀に入ってから高い成長率を示し、二一世紀のアフリカは「希望の大陸」である、という声さえ上がっている。

しかし、多くの国において「門番国家」を生み出した構造は根本的には変わっていない。高い経済成長率の多くは、かつて低迷していた一次産品価格の上昇と中国などからの資金流入によるものであり、格差はむしろ広がっているように見える。一人あたり国民所得二〇〇〇ドルあまりのセネガルにおいて、都市のエリート層はそれが三万ドルを超えるフランスの中間層と同水準の生活を求める。都市と農村の「分岐」は解消されておらず、都市化の進展によって、それは都市エリート層と流入した貧困層の格差に転化されている。

大きな課題はこの「分岐」を乗り越えることだろう。独立時の指導者たちの掲げた「ネイションビルディング」はまだ達成されていない。

参考文献

小田英郎(一九八九)『アフリカ現代政治』東京大学出版会。

梶茂樹・砂野幸稔編(二〇〇九)『アフリカのことばと社会――多言語状況を生きるということ』三元社。

北川勝彦・高橋基樹編(二〇一四)『現代アフリカ経済論』ミネルヴァ書房。

砂野幸稔(二〇〇七)『ポストコロニアル国家と言語――フランス語公用語国セネガルの言語と社会』三元社。

宮本正興・松田素二編(二〇一八)『新書アフリカ史 改訂新版』講談社現代新書。

Cooper, Frederick (2002), *Africa since 1940: The Past of the Present*, Cambridge, London, Cambridge University Press.

Crowder, Michael (ed.) (1984), *The Cambridge History of Africa*, Vol. 8, *1940-1975*, Cambridge, London, Cambridge University Press.

Davidson, Basil (1992), *The Black Man's Burden: Africa & the Curse of the Nation-State*, London, James Currey.

Mamdani, Mahmood (1996), *Citizen and Subject: Contemporary Africa and the Legacy of Late Colonialism*, Princeton, New Jersey, Princeton University Press.

Mazrui, Ali (ed.) (1993), *General History of Africa*, Vol. 8: *Africa since 1935*, Berkeley, California, University of California Press/UNESCO.

焦点｜*Focus*

イスラエルの建国とパレスチナ問題

臼杵　陽

はじめに――米ソ冷戦期の中東地域

イスラエル国（The State of Israel; Medinat Yisra'el、以下、イスラエル）は、パレスチナにおけるイギリスの委任統治が終了する日である一九四八年五月一四日、独立を宣言した。それに対して、アラブ諸国軍は翌一五日にパレスチナに侵攻した。アラブ諸国軍はエジプトを中心としてレバノン、ヨルダン、そしてイラクから構成されていた。いわゆる第一次「中東戦争」の勃発である。

ここで「中東戦争」と呼ばれている事態は、イスラエルとアラブ諸国との間の四回にわたる戦争を指す。すなわち、①一九四八年五月の第一次中東戦争（アラブ側はパレスチナ戦争、イスラエル側は独立戦争あるいは解放戦争と呼ぶ）、②一九五六年一〇月の第二次中東戦争（アラブ側はスエズ戦争、イスラエル側はシナイ戦争）、③一九六七年六月の第三次中東戦争（アラブ側は六月戦争、イスラエル側は六日間戦争）、④一九七三年一〇月の第四次中東戦争（アラブ側はラマダーン戦争あるいは十月戦争、イスラエル側はヨーム・キップール戦争）である。

ただし、「中東戦争」という用語は日本のみで使用される呼称であり、欧米では「アラブ・イスラエル戦争」と呼ばれている。日本においてアラブ・イスラエル戦争が「中東戦争」と呼ばれたのは、イラク・イラン戦争や湾岸戦争などの戦争が勃発する以前の段階で、中東地域を代表する唯一の戦争がアラブ諸国とイスラエルとの間の戦争だったからである。(1)

第二次世界大戦後の一九四八年にイスラエル建国を機に勃発した第一次中東戦争は、東アジアやヨーロッパなどの地域と同じようには、米ソ冷戦の文脈では説明できない。というのも、大英帝国は、「インドへの道」を確保するために中東地域で覇権を依然として維持し続けていたからである。イギリスは一九五六年の第二次中東戦争までは中東での「イギリスの平和《パックス・ブリタニカ》」を維持していたのである。したがって、冷戦の状況下であっても米ソの両超大国といえどもこの中東地域の紛争に簡単には介入することができなかった(Heller 2016)。

また、第二次世界大戦以前の英仏による東アラブ地域(エジプト、シリア、レバノン、パレスチナ、ヨルダン、イラク)の支配の問題も指摘しておかねばならない。一九四八年の第一次中東戦争に参戦したアラブ諸国を概観してみる。すなわち、エジプトは、一九二二年に形式的に独立し、一九三六年のエジプト・イギリス条約でイギリス軍はスエズ運河地帯を除いてエジプト全土から撤退した。とはいえ、第一次中東戦争が終わった時点でもスエズ運河には英仏軍が駐留し、スエズ運河会社は英仏の所有であった。ヨルダンも国名を首長国(英語でEmirate、アラビア語で「イマーラ imāra」)から現在のヨルダン・ハーシム王国に変更して、イギリス・ヨルダン条約を一九四八年三月に調印した。とはいうものの、イギリス軍はヨルダンに駐留し続けており、ヨルダンはイギリスの軍事的・財政的な支援がなければ生き延びることができなかった。シリアは一九四六年四月にフランス軍が撤退して実質的な独立を達成し、レバノンは一九四三年一一月にフランスから正式に独立した。イラクは一九三二年にはイラク・ハーシム王国として形式的には独立していたが、イギリス軍は一九五四年まで駐留していた。(2)

さらに指摘しなければならないのは、アメリカが主にソ連の「封じ込め」の観点から中東地域にアプローチしていったことの問題である。第二次世界大戦終結後の一九四七年三月に発表されたトルーマン・ドクトリンは、ソ連の脅威を直接受けるギリシア・トルコ・イラク・イラン・パキスタンなど、中東地域を含む「北層諸国」が対象となっていたが、イラクを除いてアラブ諸国は除外されていた。一方、第二次中東戦争後にイギリスが凋落して、一九五七年一月にアイゼンハワー・ドクトリンが発表されて以降、アメリカはアラブ地域に積極的に関与することになった。しかし、アメリカの中東政策の原点はソ連が中東地域に影響力を行使することを封じ込める反共政策にあった。したがって、アメリカ当局者の発想は主に共産主義の脅威に対抗するというグローバルな反共路線に基づいており、アラブ諸国に波及しつつあったアラブ・ナショナリズムという特殊な政治状況を考慮せずに米ソ冷戦という視座から中東政策を決定していた(Slater 2020: 147-172)。

ところが、アラブ諸国からみれば、アラブ・ナショナリズムのイデオロギーという観点からはソ連の脅威よりもイスラエル国家という「敵シオニスト」の脅威の方が大きく、はるかに優先順位の高いものだった。また、アメリカとアラブ諸国との同盟関係を考えても、アラブ諸国の国王や大統領などの元首の個性によって決定され、その関係には濃淡があったといえる。換言すれば、当時のアメリカとアラブ諸国の関係は、必ずしも米ソ冷戦の文脈のみで決定されていたわけではなく、アラブ・イスラエル紛争の文脈で決定される場合も多かった。すなわち、米ソ冷戦とアラブ・イスラエル紛争の文脈での利害関係は必ずしも一致しなかったのである。このような米ソ冷戦とアラブ・イスラエル紛争に対する現状認識に対するズレが、アメリカの中東政策が有効に機能しなかった原因の一つであったともいえる。

エジプトのナーセル大統領(在職一九五六―七〇年)が掲げるアラブ・ナショナリズムが一九五六年の第二次中東戦争以降、パレスチナ問題の展開に大きく影響することになった。というのも、パレスチナ問題の解決は、アラブ諸国が一致団結すればイスラエルを地中海に追い落とすことができるという、アラブ統一をめざすパン・アラブ的な方向で模索されたからである。

以上のような認識を前提としつつ、イスラエル建国からパレスチナ問題の展開を次のように議論していきたい。まず、前史としてイギリスによるパレスチナ委任統治期(一九二二—四八年)を簡単に振り返る。次にイスラエルの建国とアラブ・イスラエル紛争の展開を検討する。そして、一九六七年に勃発した第三次中東戦争前後から展開されるパレスチナ解放運動とは何であったのかを考えてみたい。

一、イギリスによるパレスチナ委任統治

イギリスは第一次世界大戦中、戦争遂行のために「三枚舌外交」ともいえる中東政策を推進した。イギリスはまず一九一五年に、イギリス側に立って参戦することを条件に、オスマン帝国の支配下にあったアラブ人の独立を約束したフサイン・マクマホン協定を締結した。第二に、戦後、オスマン帝国領の東アラブ地域を英仏間で分割するサイクス・ピコ密約を一九一六年に取り交わした。さらに、イギリスのロスチャイルド卿に対して、アーサー・バルフォア外相がユダヤ人のための「民族的郷土」(national home)をパレスチナに建設することを約束した「バルフォア宣言」を一九一七年に書簡というかたちで送った[3]。

戦後、旧オスマン帝国領をめぐって一九二〇年四月に開催されたサンレモ会議において、東アラブ地域はフランス委任統治領のシリア・レバノンとイギリス委任統治領のパレスチナ・トランスヨルダン・イラクに分割されることが決定された。その際、パレスチナ委任統治に関してはバルフォア宣言に記された内容、すなわち、ユダヤ人のための「民族的郷土」の建設が、文字通りに実施されることとなった。そのため、イギリスではユダヤ人シオニストとして知られるハーバート・サムエル(一八七〇—一九六三年、在職一九二〇—二五年)がパレスチナ委任統治の初代高等弁務官

として派遣された[4]。

しかし、イギリスによるパレスチナの委任統治は近隣の委任統治領と違って最初から無理があった。というのも、パレスチナという地域において九割以上の圧倒的多数を占めるアラブ人ではなく、これから移民してくるユダヤ人のために民族的郷土を建設するとされたからであった。実際、イギリス軍が第一次世界大戦中、エジプトからパレスチナに侵攻してきた直後の一九二〇年に起こったナビー・ムーサー祭りの反乱を端緒に、一九二一年、一九二九年、一九三三年、一九三六―三九年といったように、バルフォア宣言に基づくイギリスとシオニストの支配に対して、連続的にパレスチナのアラブ人の反乱が起こった。

イギリスはパレスチナのアラブ人の反乱のたびにその原因究明のために調査団を派遣したが、一九三七年に派遣されたピール卿を団長とする王立調査団は、パレスチナをアラブ人国家、ユダヤ人国家、聖地イェルサレムを中心とする国際管理地の三地域に分割する勧告を行ったのである(ピール報告)。しかし、同報告が発表された一九三七年七月という時期は、東アジアでは日中戦争が勃発し、またパレスチナではアラブ人の広範な武装蜂起が展開されており、分割案は事実上、棚上げされることとなった。イギリス政府は一九三九年三月にパレスチナのアラブ人とユダヤ人の代表のみならず、エジプト、イラク、シリア、レバノンなどのアラブ諸国の代表をも招聘してロンドン円卓会議(セント・ジェイムス会議)を開催した。さらに、同年五月にはパレスチナ白書を発表し、①ユダヤ人移民の制限、②ユダヤ人への土地売却禁止、③アラブ統一民族政府の樹立を骨子とする新たなパレスチナ政策を発表した(Porath 2016)。ヨーロッパではナチス・ドイツに対する宥和政策が模索されていたが、パレスチナはすでに予断を許さない状況になっていた。地中海からインド洋に至る地域ではファシスト・イタリアの影響力もあり、イギリスは対枢軸側政策を優先せざるを得なかったのである。一方、パレスチナの現場においてはアラブ大反乱の深刻な状況に対応してイギリスはシオニストとの軍事的な協力をも厭わなかった。

委任統治期パレスチナのアラブ民族運動の指導者ハーッジ・アミーン・アル・フサイニー(Ḥājj Amīn Muḥammad al-Ḥusaynī, 一八九五?–一九七四年)は、アラブ大反乱の最中、イギリス委任統治政府によって任命された大ムフティーとイスラーム最高評議会議長という二つの宗教行政的公職から追放された。そのため、ハーッジ・アミーンはその反英的姿勢からナチス・ドイツに亡命し、枢軸側に立って戦争協力を行うことになった(Mattar 1988)。

第二次世界大戦後、ハーッジ・アミーンはパレスチナに戻って、一九四八年九月二二日、ガザを中心とした全パレスチナ政府の樹立を宣言した。しかし、その前年の一九四七年一一月二九日に国連総会では国連パレスチナ分割決議(総会決議一八一号)が採択されていた。これは、パレスチナにおけるイギリスの委任統治を終了し同地にユダヤ人国家、アラブ人国家、そして国際管理地域(聖地イェルサレム、ベツレヘム)への分割を勧告するものだったため、アラブ諸国を含むアラブ側の反対が強く、以来パレスチナは内戦状態に陥っていた。シオニスト側は分割決議でユダヤ国家に指定された地域の制圧を目指して軍事的行動を開始し、パレスチナ委任統治が終了する一九八四年五月一四日にイスラエル国の建国を宣言。ハイム・ヴァイツマンを大統領、ダヴィド・ベングリオンを首相とする新たな政治体制を創出したのである。その翌日にアラブ諸国軍がパレスチナに侵攻したことは、冒頭で述べた通りである。

二、イスラエル建国とアラブ・イスラエル紛争の展開(5)

イスラエル建国

イスラエル独立宣言は、イスラエルという名の「ユダヤ人国家」をパレスチナに設立すると述べる一方、「人種、信条、性別の違いなく、すべての市民の社会的・政治的平等」と「信仰、教育、文化の完全な自由」を保証するとも述べている。そうすると独立宣言において言及されている「ユダヤ人国家」と「平等と自由」の原則が相矛盾することが起こる。とりわけ、イスラエル建国時に住んでいた場所から離れず、難民とはならずにイスラエル市民権（＝国籍）が与えられたアラブ人のイスラエル市民の「平等と自由」をどのように保証するのかという問題である（Flapan 1987）。

イスラエル建国以来、「グリーン・ライン」内に残ったアラブ人はイスラエル人口の約二〇％を占めており、人口が増加した現在においてもその比率はほとんど変わっていない。「グリーン・ライン」というのは、イスラエルが独立宣言をして勃発した戦争が終わった時点でイスラエルと対戦したアラブ諸国との間で引かれた休戦ラインのことである。つまり、一九五〇年の時点でのイスラエル国家の事実上の「国境」ということになる。

実際問題として、イスラエル政府はイスラエル領内に残ったアラブ人に対してイスラエル国籍＝市民権を与えたものの、行動できる地域の範囲を限るといった制限を加えたのである。とりわけ、アラブ系住民が多く留まった委任統治領パレスチナ内の地域としては、北部のガリラヤ地方（アラビア語ではジャリール Jalil、ヘブライ語ではガリール Galil）、ヨルダン川西岸が地中海の海岸に迫ったイスラエル中部の小三角地帯（ヨルダン川西岸との軍事境界線沿いのアラブ都市・村落）、そしてベドウィンなどの遊牧民が居住するイスラエル南部のネゲブ砂漠である。イスラエル政府の人口区分に従えば、この三地域に居住するアラブ人のうち、ドルーズ派ムスリムとベドウィンは、アラブ人の大多数を占めるスンナ派ムスリムやキリスト教徒とは区別され、イスラエル国防軍への兵役の義務を負っているのである。(6)

パレスチナ・アラブ人の難民化とアラブ諸国の対応

ところで、一九四七年一一月二九日に採択された国連パレスチナ分割案後に故郷の土地を離れて難民となったアラブ人は、翌一九四八年前半の段階では都市富裕層や都市中間層の住民が多かった。しかし、イスラエルとアラブ諸国との戦闘が開始された一九四八年五月一五日のパレスチナ戦争勃発以降は農村部からの農民が圧倒的多数を占めた。

パレスチナのアラブ人は戦争勃発後、基本的に地理的に近い近隣諸国へと避難した。すなわち、パレスチナ北部に住んでいたアラブ住民はレバノンあるいはシリアに、中央部に住んでいたアラブ住民は東側のヨルダン・ハーシム王国の領域(とりわけヨルダン川西岸地域)に、また南部に住んでいた住民は戦争でエジプトの占領地域となったガザに避難した。パレスチナ人自身はそのような避難とその後の難民化の悲惨な状況を「破局《ナクバ》」(al-Nakba: catastrophe)と呼んだ。(7)

しかし、一九四八年六月一一日に始まる四〇日間の第一次停戦後、イスラエル側が避難民のイスラエル領内への帰還を禁止した。そのため、パレスチナからのアラブ人避難民は難民化し、応急措置的に建設された難民キャンプでのテント暮らしを余儀なくされたのである。その時に「国連パレスチナ難民救済事業機関」(The United Nations Relief and Works Agency for Palestine Refugees in the Near East, 以下、UNRWA)が設立され、難民に対して食糧・医療・教育の分野において援助を行ったのである。(8)

アラブ諸国においても、パレスチナから避難してきたアラブ住民に対する対応は異なっていた。東隣に位置するヨルダン・ハーシム王国は第一次中東戦争でヨルダン川西岸をその領土に加えたため、ヨルダン川の西側(ヨルダン川西岸地区)あるいは東側(ヨルダン・ハーシム王国の領土)を問わず、多くのパレスチナ難民を受け入れることになった。ヨルダンの対応が他のアラブ諸国と異なる点は、ヨルダン川西岸の住民あるいは難民にかかわらず、ヨルダンの市民権=国籍を付与したことである。したがって、ヨルダンに居住するパレスチナ地域出身者は基本的に「ヨルダン人」とみなされることになり、アラビア湾岸の産油国に出稼ぎに行く際には、ヨルダン旅券を所持して「ヨルダン人」として働くことになった(Gandolfo 2012)。

しかし、実際にはヨルダンなどにおいて難民生活を送るパレスチナ出身の人びとは世代を超えてパレスチナの出身地の名称を記憶し続け、出身地を問われれば、子供、孫、曽孫、あるいはそれ以降の世代でもパレスチナの町や村の名称を答えるのが一般的である。そのようにして、かつてのパレスチナでの生活が記憶され、語り継がれ、パレスチナ人としての意識あるいは民族的アイデンティティが形成されていくことになるのである(Plascov 2018)。

戦後エジプトの支配下に入ったガザ地区の場合、エジプトによる軍政下に置かれたものの、その住民にはエジプト国籍が与えられることはなかった。海外に出稼ぎなどに出かけるときは国連機関のUNRWAが発行するレセ・パセ(laissez-passer)のような一時旅券で渡航することが一般的であった(Chomsky and Pappé 2010)。

同じように、レバノンで難民として暮らすことになったパレスチナ人もレバノン政府から旅券が発給されることはなかった。というのも、レバノンは宗教・宗派に基づいて国会議席が配分される「宗派体制」(一九四三年の独立憲章において、キリスト教徒とムスリムの議席数の比率は各宗派の人口数に基づいて六対五に設定され、大統領はマロン派キリスト教徒、首相はスンナ派ムスリム、国会議長はシーア派ムスリム、といった具合に割り振られた)をとっているため、スンナ派ムスリムが人口数ではほとんどを占めるパレスチナ難民に対してレバノン国籍を与えると「宗派体制」のバランスが壊れる可能性があるためであった。したがって、無国籍状態に置かれたレバノンのパレスチナ難民は職業選択の自由もなく、就業機会も極めて限られていた(Sayigh 2007)。

さらに、シリアに関していえば、シリア政府はパレスチナ難民に対しては、国籍=市民権は付与しなかったものの、生活に支障がない限りにおいて就業などは比較的自由に行われた(9)。

三、パレスチナ解放運動

解放運動の端緒

政治運動としてパレスチナ解放運動の展開を考える際には、一九五〇年代に広がったアラブ統一運動を担った、エジプトのガマール・アブドゥル・ナーセル大統領(Jamāl 'Abd al-Nāṣir, 以下、ナーセル)の政治的影響力を考えなければならない。ナーセル大統領の唱えた「アラブの統一」の理念は、パレスチナ解放機構(Palestine Liberation Organization; Munaẓẓamat al-Taḥrīr al-Filasṭīnīya, 以下、PLO)[10]の設立の際にも強調された。PLOは、一九六四年一月にカイロで開催されたアラブ連盟の第一回アラブ首脳会議(アラブ・サミット)で提案され、同年五月二八日にエルサレムで開催されたパレスチナ民族評議会(PLOの「国会」に相当)が閉幕する一九六四年六月二日に「アラブ統一とパレスチナ解放」を目標として設立されたのである。アラブ連盟は一九四五年三月、独立アラブ諸国六カ国(エジプト、シリア、レバノン、イラク、トランスヨルダン、サウジアラビア)によってアラブ統一を目指して設立された。

アラブ連盟によって任命された初代PLO議長はアフマド・シュカイリー(一九〇八―八〇年、在任一九六四―六七年)であった。初代PLO議長はシュカイリーであったが、その後に登場するヤースィル・アラファート(以下、アラファト)[11]の名声の陰に隠れて、現在ではほぼ忘れられてしまったパレスチナ人政治家の一人である。

シュカイリーはオスマン帝国末期のパレスチナ北部の港町アッカー(ヘブライ語ではアッコ)で生まれた。イェルサレムで教育を受け、イギリス委任統治期のパレスチナではアラブ・ナショナリズムを唱えるイスティクラール(独立)党メンバーとして活躍し、一九三六年からのアラブ大反乱に際しては、ハーッジ・アミーンのアラブ高等委員会委員、サウジアラビアの国連大使などを歴任した。国家でいえば憲法に相当するパレスチナ民族憲章の草案を作成し、PLOの軍事部門であるパレスチナ解放軍の礎を築いた。彼自身の考え方はナーセル大統領のパン・アラブ主義に基づいており、パレスチナ解放運動もアラブ統一の理念の下で実現するという政治的信条をもっていた[12]。

シュカイリー議長が活動した時期はナーセル大統領の影響下であり、パレスチナ解放の前提として「アラブの統一」が政治目標として設定されていた。しかし、「アラブの統一」という政治理念自体が理想主義的すぎた。実際、エジプトとシリアが国家連合を形成する試みとしてアラブ連合共和国(United Arab Republic: al-Jumhūrīya al-ʻArabīya al-Muttaḥida)が一九五八年二月に誕生したものの、両国間のヘゲモニー争いで一九六一年九月に瓦解した。しかし、エジプト自身がアラブ連合共和国の名称をエジプト・アラブ共和国に変更したのは、ナーセル大統領が亡くなった後の一九七一年のことであった。また、シュカイリー後任としてPLOの第二代議長にはハニヤー・ハッムーダ(一九〇八―二〇〇六年、在任一九六七―六九年)が就いた。ハッムーダ議長の期間は短期間ではあり、アラファト体制が確立するまで、パレスチナ解放運動にとっては過渡期ということができよう。

アラファト指導下のパレスチナ解放機構

アラファトはファタハ(Fatah)を率いて、PLO内の主導権を勝ち取ることになった。PLO内でアラファト体制が確立することで、PLOはアラブ連盟というアラブ統一を目指す政治組織から政治的に自立化していく過程をたどることになる。

アラファトが率いる政治的・軍事的組織であるファタハは、ゲリラによる武装闘争を行いながらパレスチナ解放を目指した。ファタハがパレスチナ人の間で勝利をもたらした事件として記憶されている出来事が、一九六八年三月二一日、ヨルダン軍の支援のもとにイスラエル軍の進軍を阻止した「カラーマの戦い」であった。ヨルダン峡谷にあるカラーマ村での戦闘以後、ファタハはパレスチナ人難民を含めてパレスチナ人の若者の間で熱烈な支持を集めるようになった。

ファタハという組織名は、パレスチナ解放運動(Ḥarakat al-Taḥrīr al-Filasṭīnīya)のアラビア語の頭文字(F-T-Ḥ)をさかさまに読んだものであった。「ファタハ」にはアラビア語で「征服する」あるいは「勝利する」という意味があったからである。

アラファトは一九二九年八月二四日にエジプトのカイロで生まれたとされる。エジプトで生まれ育ったアラファトはアラビア語のエジプト方言を流暢に喋ることができた。アラファトがカイロ大学の学生であった一九五二年にパレスチナ学生同盟議長の選挙が行われた。アラファトを代表とする候補者リストの二番目は、後にファタハで盟友となるサラーハ・ハラフことアブー・イヤード(一九三三―九一年)であったが、彼は当時ムスリム同胞団の団員でもあった。[13] アブー・イヤードは一九三三年にヤーファー(ヘブライ語名ヤッフォ)で生まれた。父親がガザ出身でテル・アヴィヴのカルメル市場で野菜を売っていたため、アブー・イヤードはヘブライ語に堪能でユダヤ人の友人もいた。彼はパレスチナ戦争後、ガザで教員をしていたが、アラファトの呼びかけに応じてクウェートに向かうことになったのである。

アラファトはカイロ大学で『パレスチナの声』という雑誌を発行することになった。この雑誌の読者には、後にファタハでアラファトのもう一人の盟友となるハリール・アル・ワズィールことアブー・ジハード(一九三五―八八年)がいた。アブー・ジハードは一九三五年、ヤーファー近くのラムラの町で八百屋を営むムスリムの両親の下に生まれた。一九四八年七月に故郷ラムラとその近くのリッダがイスラエルに占領されると、一家はガザ中央部のブレイジュ難民キャンプで暮らすことになった。

一九五二年のナーセルら自由将校団によるエジプト革命後、アラファトは活動の拠点をクウェートに移した。その時にクウェートに結集したのが、ハリール・アル・ワズィール(アブー・ジハード)、ファールーク・アル・カッドーミー(一九三一年―)、ハーリド・アル・ハサン(一九二八―九四年)、マフムード・アッバース(一九三五年―、後にパレスチナ自治政府大統領)らであり、後にファタハの結成に繋がっていく。

アラファトを含めてファタハの多くがガザでムスリム同胞団に軍事訓練を受け、一九六八年までイフワーン(「同胞団」のアラビア語)のフィダーイユーン(殉死戦士)を名乗った。この軍事部門はハリール・アル・ワズィールによって率いられ、一九五四年終りからエジプトを拠点にイスラエルへの小規模な攻撃を行った。結局、ハリール・アル・ワズィールはエジプトから追放され、後にクウェートでアラファトに合流する。

アラファトは仲間とともにクウェートで非合法政治組織を結成し、この組織が一九五八年頃にファタハと名乗り始めた。ファタハは、パレスチナ民衆が武装解放闘争によってフランスからの独立を勝ち取ったアルジェリア民族解放運動（FLN）を模範として結成され、アラブ諸国への全面的な依存から脱却して武力による解放闘争をめざした。

ファタハの綱領においては、武装闘争を通じてパレスチナ人を含むアラブ人民のためにすべてのパレスチナの領域を解放することが優先されるべき目標として掲げられている。アラブ諸国は自国の国益しか考えていなかったため一九四八年の第一次中東戦争においてイスラエルに敗北したとファタハは結論づけた。したがって、ファタハはすべてのアラブ諸国の政府から独立を維持しなければならず、アラブ民族であると同時に「パレスチナ民族」であることの独自性をパレスチナの解放戦略として強調したのである（Kurz 2005）。

第三次中東戦争後の武力闘争とヨルダン内戦

一九六七年六月の第三次中東戦争でアラブ諸国はイスラエルに大敗北を喫した。エジプトはシナイ半島およびガザを失い、ヨルダンはヨルダン川西岸を占領され、そしてシリアはゴラン高原を奪われた。この戦争でのアラブ諸国の大敗北は、一九四八年の「ナクバ」（破局）にならって「ナクサ」（後退）と呼ばれ、その屈辱は人々の記憶に刻み込まれた。しかし、パレスチナ人指導者にとってアラブ諸国の敗北は、アラブ諸国からの支援に頼らず、武力闘争を通じて自力でパレスチナ解放をめざす直接的な契機となったのである[14]。

ファタハは第三次中東戦争後、イスラエルの東側に隣接するヨルダン・ハーシム王国に軍事的拠点を置き、対イスラエルのゲリラ活動を展開した。アラファト指導下のPLOはヨルダンのパレスチナ難民キャンプを中心に「国家内国家」を形成し、ヨルダン官憲は介入することができなくなってしまった。例えば、首都アンマンにあるワハダート難民キャンプはさながら「解放区」の様相を呈していたのである（Marshood 2010）。

武装闘争によるパレスチナ解放をめざすファタハには数多くの青少年たちが加わり、男子は「獅子《アシュバール》」、女子は

「花《ザハラー》」と呼ばれて民族解放闘争の士気が鼓舞された。それに伴い、武装闘争の指導者としてのアラファトの名声も高まり、PLO内で彼は政治的威信を高めることになった。PLOにおいて絶大な支持と信頼を一気に集めたアラファトは一九六九年二月にPLO議長に上り詰めることになった(Sayigh 1998)。

しかし、ヨルダンのフセイン国王は、王国の統治者としてPLOによるヨルダン領内からのイスラエルへの攻撃の拠点化あるいは常態化を容認することはできなかった。フセイン国王は一九七〇年九月、首都にあるワハダート難民キャンプを拠点とするアラファト率いるPLOの軍事組織に対して、軍事的攻勢をかけるように命令を下した。ヨルダン軍とPLOの軍事的諸組織が衝突する、いわゆる「黒い九月」事件あるいはヨルダン内戦が勃発したのである(River 2017、PLO研究センター 一九七二)。

その結果、PLOは軍事的に敗北を喫し、ヨルダン領内からレバノンへと軍事的拠点を移さざるを得なくなった。アラファトのファタハは、「黒い九月」という武装グループを結成して、たとえば、一九七二年九月にはミュンヘン・オリンピックのイスラエル選手村を襲撃するなどのテロ活動を行った。イスラエル側は強く反発し、「神の怒り作戦」と称して、「黒い九月」事件に関わったパレスチナ人政治指導者一一名を報復として殺害した。

レバノンにおけるPLO

アラファトはヨルダン内戦後の一九七〇年代にはその政治的・軍事的拠点をレバノンに移して、対イスラエルの武装闘争を北側の南部レバノンから展開する。その一方で、PLOはアラブ世界で政治的名声を勝ち取っていった。その象徴的な事例が、一九七四年にモロッコのラバトで開催されたアラブ首脳会議(アラブ・サミット)においてPLOが「パレスチナ人の唯一正当な代表である」と認められた出来事であった。さらに同年、PLOは国連オブザーバーの地位を獲得し、アラファト議長は国連総会での演説において「オリーブの枝と自由戦士の銃を携行している」と述べた。ＰＬＯは世界九〇カ国以上と正式な外交関係を結ぶことに成功し、次第に国際的に承認されるようになっていった。

ＰＬＯはレバノンでも、ヨルダンと同様に、首都ベイルートをはじめとするレバノンの諸都市にある難民キャンプを拠点にして軍事力をもって「解放区」を形成し、レバノン政府による軍事的な介入を許さなかった。レバノンの領域内には一二カ所のパレスチナ人の難民キャンプがあり、首都ベイルート近郊のサブラー・シャティーラ、首都の南部にある港湾都市スール近郊にはアラブ世界でも最大といわれるアイン・アル・ヘルワなどのパレスチナ難民キャンプがあった。

このようなレバノンにおけるＰＬＯの政治的・軍事的勢力とパレスチナ難民キャンプと難民の存在は、「カターイブ」(軍団)と呼ばれるレバノンの右派軍事勢力であるマロン派キリスト教徒の武装組織からみれば、レバノンの政治的な秩序を破壊するものと受け止められた。そのため、一九七五年以降、レバノンは内戦状態になった。ＰＬＯを排除しようとするマロン派キリスト教を中心とする右派勢力とＰＬＯを支持するレバノンの左派勢力との争いがレバノン内戦を引き起こしたのである。さらに、ＰＬＯはレバノン南部国境地帯からイスラエル北部地域に対してカチューシャ砲などでゲリラ攻撃を加え続け、両国の国境地帯が戦場と化したという政治状況も付け加えておく必要があろう(O'Ballance 1999)。

その結果、一九八二年六月、イスラエルのアリエル・シャロン国防相の率いるイスラエル軍は「ガリラヤの平和作戦」と称して、南レバノンからのＰＬＯによる砲撃を阻止するためにレバノンに侵攻した(レバノン戦争)。さらに、イスラエル軍は当初の軍事作戦を逸脱して北上を続けて、西ベイルートにあるパレスチナ人難民キャンプを、レバノン右派のカターイブ(軍団、ファランジスト)軍とともに包囲した。アラファト議長らのＰＬＯ指導部は三カ月間の抵抗の末、レバノンから退去し、チュニジアにその拠点を移した。

しかし、西ベイルートのパレスチナ人難民キャンプはPLO退去後、無防備となった。イスラエル軍の包囲下で、シャロン国防相はサブラー・シャティーラ難民キャンプ内にカターイブの武装勢力が侵攻するのを許可した。そのため、多くのパレスチナ人難民が虐殺される結果となった(al-Hout 2004)。

四、和平への機運

対話路線へ

チュニジアに拠点を移したアラファトのPLOは、それまでの武装闘争から対話路線へと転換した。その最初の政治的動きは、一九七〇年に内戦を引き起こしたヨルダン政府との関係改善であった。ヨルダンは一九六七年までヨルダン川西岸を支配し、またヨルダンの人口の半数以上がパレスチナ出身者だった。しかし、ヨルダン政府は一九五〇年にヨルダン川西岸を併合して以来、すべてのパレスチナ出身者にヨルダン国籍を付与し、パレスチナ問題がヨルダン国内の政治問題になることを避け、比較的安定した統治を行っていた。

PLOは一九八〇年代後半になってヨルダン政府との関係改善を通じてヨルダン川西岸のパレスチナ人との関係を強化し、西岸のパレスチナ人住民の支持をとりつけることで「パレスチナ国家」への道を模索した。西岸との仲介的役割を果たしたのが、首都アンマンに事務所を構えていたアラファト側近のアブー・ジハードであった。

当時、イスラエル当局はヨルダン川西岸・ガザの占領地支配を強化するため、違法建築という理由でパレスチナ人家屋の破壊を継続していた。アブー・ジハードは主に湾岸地域在住のパレスチナ人などから義援金を募り、その義援金で破壊されたパレスチナ人の家屋を立て直した。アラファト指導下のファタハはそのような西岸への支援を通してイスラエル占領地のパレスチナ住民の信頼を勝ち得ていった。ファタハはアラブ諸国などに居住する離散パレスチナ人から、イスラエル占領下にあるヨルダン川西岸・ガザのパレスチナ人にその政治的活動の中心を移していったのである。

一九八〇年代後半はソ連のミハイル・ゴルバチョフ(一九三一―二〇二二年、ソ連共産党書記長一九八五―九〇年、ソ連初代大統領一九九〇―九一年)の時期に当たり、ペレストロイカとグラスノスチが進行していた(Golan 2009)。そのようなソ連の動向もイスラエル・パレスチナ関係にプラスの影響を及ぼした。同時に、米ソ冷戦の終焉はイスラエルにとっての最大の宿敵であったシリアのハーフィズ・アサド大統領のイスラエルに対する強硬姿勢にも変化をもたらした。その結果、一九九一年一〇月、ブッシュ米大統領(父)とゴルバチョフ大統領が中東和平のための会議をマドリードで開催した。史上初めてイスラエルとアラブ諸国の首脳が一堂に会して、アラブ・イスラエル紛争の解決への道が話し合われたのである。

しかし、パレスチナ問題の解決に向けての直接交渉は先送りにされた。というのも、イスラエルが交渉の相手と認めていないPLOはこのマドリード中東和平会議には出席が認められなかったからである。マドリード和平会議にはPLOに代わって、ヨルダン・パレスチナ合同代表団というかたちで、ハイダル・アブドゥッ・シャーフィー(一九一九―二〇〇七年)やファイサル・フサイニーといった、東エルサレムを含むヨルダン川西岸・ガザのパレスチナ人の代表のみが出席を認められた。ただ、アラファト議長は会議中、チュニスからヨルダン川西岸・ガザの代表と密接に連絡を取り合っていた。

アラブ諸国とイスラエルの関係改善とパレスチナ人とイスラエルとの間のパレスチナ問題の解決という「二つのトラック」での交渉で同時に解決をめざす国際会議方式による中東和平の模索は、交渉からPLOをはずすということもあって、頓挫した。「アラブ・イスラエル紛争の中核はパレスチナ問題である」という言い慣らされた政治的スローガンはこの和平交渉でも証明されることになったのである(Quandt 1993)。

オスロ合意の締結

マドリード方式に基づく和平交渉の閉塞状況の中で、水面下では新たな動きが進行していた。ノルウェーの首都オスロでイスラエルとPLOとの間で秘密交渉が行われていた。アラファト議長の意向を受けて側近アフマド・クレイ(一九三一―二〇二三年)がオスロに派遣され、「オスロ合意」が用意されることになるのである。

一九九三年九月一一日、ワシントンDCのホワイト・ハウスでクリントン米大統領の立ち合いの下に、パレスチナ側はアラファト議長、イスラエル側はイツハク・ラビン首相とシモン・ペレス外相が署名者として「パレスチナ暫定自治に関する原則合意」(いわゆる「オスロ合意」)が調印された[15]。

この調印によって、三年間のパレスチナ暫定自治が実施され、最終的地位交渉が行われることが合意された。一九九四年七月一日、アラファトは二七年ぶりに公式にガザの地を踏んだ。オスロ合意に基づいて、まずガザとジェリコを中心とするヨルダン川西岸の一部の地域に限定されたパレスチナ暫定自治が始まった。「ガザ・ファースト」と呼ばれるこの方式は、イスラエル側との交渉によって、イスラエル軍が徹底して、パレスチナ自治区の領域を漸次拡大していくというやり方だった。このパレスチナ暫定自治の開始によってパレスチナ問題は新たな段階に入ったのである。

注

(1) これまでの研究の問題点を痛烈に批判した研究としてFinkelstein (1995)がある。
(2) 中東近現代史の諸問題を整理した論文集としてHourani, Khoury and Wilson (1994)がある。
(3) バルフォア宣言の古典的研究に関しては、Stein (1983)を参照。バルフォア宣言一〇〇周年で出版が相次いでいるが、その中の研究としては Durkin (2013); Long (2019); Regan (2017); Turnberg (2017); Schneer (2011) などがある。

（4） サムエルに関する批判的研究としては、Huneidi (2001) を参照。

（5） イスラエル建国に関する文献は枚挙に暇がないが、Heller (2003) などがある。

（6） パレスチナ人の視点からの批判的な研究として、Zureik (1979); Ghanem (2001) などがある。

（7） パレスチナ人の難民化については、パレスチナ人研究者による研究 Sa'di and Abu-Lughod (2007) を参照。

（8） イスラエル側の研究として、Morris (2003) がある。また、パレスチナ側の研究としては、Masalha (2012) がある。

（9） シリアのパレスチナ人に関する研究は少ないが、Al-Hardan (2016) は例外的な研究である。

（10） PLOに関しては次の文献を参照。Becker (2014); Cobban (1984); Gowers and Walker (1991). また、パレスチナ人研究者であるラシード・ハーリディー（コロンビア大学教授）によるパレスチナ解放運動史については Khalidi (2006) を参照。

（11） アラファトの側近による評伝として、Abu Sharif (2009) がある。パレスチナ人研究者による批判的研究として Aburish (1998) がある。イスラエル側からのアラファト像としては Rubin and Rubin (2003) を参照。ジャーリストによるアラファト伝は多数あるが、インタビューに基づいた評伝として Cardenel (1989); Hart (1984) がある。

（12） シュカイリーは数多く著作を残したが、アラビア語以外の言語にはほとんど訳されていない。六巻本の『アフマド・シュカイリー全集』はベイルートのアラブ統一研究センターから刊行されている。*Ahmad al-Suqayri: al-A'mal al-Kamila* (2006).

（13） ムスリム同胞団は一九二八年にエジプトでハサン・アル＝バンナーによって設立された。パレスチナにおける同胞団の拠点はガザにあり、後にハマース（イスラーム抵抗運動）に発展していく。ハマースに関係する研究者の英語の代表的著作は Tamimi (2010)。

（14） イスラエル人研究者の研究に Shemesh (2008) がある。

（15） オスロ合意へのイスラエル側の対応は Makovsky (2019); Neriah (2022) を参照。同合意への批判に関しては以下を参照。Said (2007); Bauck and Omer (2017).

参考文献

PLO研究センター編（一九七二）『黒い九月』板垣雄三監訳、亜紀書房。

Abu Sharif, Bassam (2009), *Arafat and the Dream of Palestine: An Insider's Account*, New York: St. Martin's Press.

Aburish, Saïd K. (1998), *Arafat: From Defender to Dictator*, New York: Bloomsbury Publishing.

Ahmad al-Suqayri: al-A'mal al-Kamila (2006), Beirut: Markaz Dirasat al-Wahdat al-'Arabiyya.

Al-Hardan, Anaheed (2016), *Palestinians in Syria: Nakba Memories of Shattered Communities*, NY: Columbia University Press.

al-Hout, Bayan N. (2004), *Sabra and Shatila: September 1982*, London: Pluto.

Bauck, Petter and Mohammed Omer (eds.) (2017), *The Oslo Accords 1993-2013: A Critical Assessment*, Cairo: American University in Cairo.

Becker, Jillian (2014), *The PLO: The Rise and Fall of the Palestine Liberation Organization*, 2nd edition, Bloomington: Author House.

Cardenel, Alan (1989), *Arafat: A Political Biography*, Bloomington: Indiana University Press.

Chomsky, Noam and Ilan Pappé (2010), *Gaza in Crisis: Reflections on Israel's War Against the Palestinians*, London: Hamish Hamilton.

Cobban, Helena (1984), *The Palestinian Liberation Organisation: People, Power and Politics*, Cambridge: Cambridge University Press.

Durkin, Kathy (2013), *The Ambiguity of the Balfour Declaration: Who caused it and Why?* Scotts Valley, California: Createspace Independent Publishing Platform.

Finkelstein, Norman (1995), *Image and Reality of the Israel-Palestine Conflict*, London: Verso.

Flapan, Simha (1987), *The Birth of Israel: Myth and Reality*, New York: Pantheon Books.

Gandolfo, Luisa (2012), *Palestinians in Jordan: The Politics of Identity*, London: I. B. Tauris.

Ghanem, As'ad (2001), *The Palestinian-Arab Minority in Israel, 1948-2000: A Political Study*, Albany: State University of New York.

Golan, Galia (2009), *Soviet Policies in the Middle East: From World War Two to Gorbachev*, Cambridge: Cambridge University Press.

Gowers, Andrew and Tony Walker (1991), *Behind the Myth: Yasser Arafat and the Palestinian Revolution*, Northampton, MA: Interlink.

Hart, Alan (1984), *Arafat, Terrorist or Peacemaker?* London: Sidgwick & Jackson.

Heller, Joseph (2003), *The Birth of Israel, 1945-1949: Ben-Gurion and His Critics*, Gainesville, FL: University Press of Florida.

Heller, Joseph (2016), *The United States, the Soviet Union and the Arab-Israeli conflict, 1948-67: Superpower rivalry*, Manchester: Manchester University Press.

Hourani, Albert H. (1946), *Syria and Lebanon: A Political Essay*, New York: Oxford University Press.

Hourani, Albert, Philip S. Khoury and Mary C. Wilson (eds.) (1994), *The Modern Middle East: A Reader*, Los Angeles: University of California Press.

Huneidi, Sahar (2001), *A Broken Trust: Sir Herbert Samuel, Zionism and the Palestinians*, London: I. B. Tauris.

Khalidi, Rashid (2006), *The Iron Cage: The Story of the Palestinian Struggle for Statehood*, London: One World.

Kurz, Anat N. (2005), *Fatah and the Politics of Violence: The Institutionalization of a Popular Struggle*, Eastbourne: Sussex Academic Press.

Long, C. W. R. (2019), *The Palestinians and British Perfidy: The Tragic Aftermath of the Balfour Declaration of 1917*, Eastbourne: Sussex Academic Press.

Makovsky, David (2019), *Making Peace with the PLO: The Rabin Government's Road to the Oslo Accord*, London: Routledge.

Marshood, Nabil (2010), *Voices from the Camps: A People's History of Palestinian Refugees in Jordan, 2006*, Lanham, Maryland: UPA.

Masalha, Nur (2012), *The Palestine Nakba: Decolonising History, Narrating the Subaltern, Reclaiming Memory*, London: Zed Press.

Mattar, Philip (1988), *The Mufti of Jerusalem: al-Hajj Amin al-Husayni and the Palestinian National Movement*, New York: Columbia University Press.

Morris, Benny (2003), *The Birth of the Palestinian Refugee Problem Revisited*, 2nd edition, Cambridge: Cambridge University Press.

Neriah, Jacques (2022), *Between Rabin and Arafat: A Political Diary Behind the Oslo Deal, 1993-1994*, New York: Springer.

O'Ballance, E. (1999), *Civil War in Lebanon, 1975-92*, London: Palgrave Macmillan.

Plascov, Avi (2018), *The Palestinian Refugees in Jordan 1948-1957*, London: Routledge.

Porath, Yehoshua (2016), *The Palestinian Arab National Movement, 1929-1939: From Riots to Rebellion*, London: Routledge.

Quandt, William B. (1993), *Peace Process: American Diplomacy and Arab-Israeli Conflict since 1967*, Los Angeles: University of California Press.

Regan, Bernard (2017), *The Balfour Declaration: Empire, the Mandate and Resistance in Palestine*, London: Verso.

River, Charles (ed.) (2017), *Black September: The History and Legacy of the Conflict Between the Palestinians and Jordan in 1970*, Scotts Valley, California: Createspace Independent Publishing Platform.

Rubin, Barry M. and Judith C. Rubin (2003), *Yasir Arafat: A Political Biography*, Oxford: Oxford University Press.

Sa'di, Ahmad and Lila Abu-Lughod (eds.) (2007), *Nakba: Palestine, 1948, and the Claims of Memory*, New York: Columbia University Press.

Said, Edward W. (2007), *The End of the Peace Process: Oslo and After*, London: Vintage.

Sayigh, Rosemary (2007), *The Palestinians: From Peasants to Revolutionaries*, London: Zed Press.

Sayigh, Yezid (1998), *Armed Struggle and the Search for State: The Palestinian National Movement, 1949-1993*, Oxford: Oxford University Press.

Schneer, Jonathan (2011), *The Balfour Declaration: The Origins of the Arab-Israeli Conflict*, London: Bloomsbury Publishing.

Shemesh, Moshe (2008), *Arab Politics, Palestinian Nationalism and the Six Day War: The Crystallization of Arab Strategy and Nasir's Descent to War, 1957-1967*, Eastbourne: Sussex Academic Press.

Slater, Jerome (2020), "The Cold War and the Arab-Israeli Conflict 1967-74", *Mythologies Without End: The US, Israel, and the Arab-Israeli Conflict, 1917-2020*, Oxford: Oxford University Press.

Stein, Leonard (1983), *The Balfour Declaration*, Jerusalem: Magnes Press.

Tamimi, Azzam (2010), *Hamas: A History from Within*, 2nd edition, Northampton, MA: Olive Branch Press.

Turnberg, Leslie (2017), *Beyond the Balfour Declaration*, London: Biteback Publishing.

Zureik, Elia T. (1979), *The Palestinians in Israel: A Study in Internal Colonialism*, London: Routledge.

コラム｜*Column*

アジアを変えた九・三〇事件

倉沢愛子

一九六〇年代のアジアの歴史の中で、ベトナム戦争、文化大革命と並んで、同様に大きな影響を与えた事件でありながら、意外と知られていないのが、インドネシアの九・三〇事件である。これは一九六五年九月三〇日深夜から一〇月一日の未明にかけて、インドネシア陸軍の七人の将軍が大統領親衛隊に属する若手の将校たちによって襲われ、そのうち六人が、その場で殺されたり、拉致されたのち殺された事件で、スカルノ政権が倒れる契機となった。

行動を起こした将校たちは、襲撃された将軍たちがスカルノ政権転覆を企てていたため自分たちがそれを未然に防いだのだと述べ、革命評議会なるものを立ち上げると宣言した。しかし陸軍首脳部は、直ちに彼らの行動を粉砕するとともに、事件の背後に共産党がいたとして、この後大規模な共産主義者撲滅作戦を展開した。共産党は事件への関与を否定したが、反共勢力はイスラーム団体のメンバーや一般の住民たちをも巻き込んで、左翼勢力に対する大虐殺事件へと発展させた。その結果少なく見積もっても五〇万人、一説によると二〇〇万人もの命が奪われたと言われる。

一方その混乱の過程で、それまで二〇年間権力を握っていたスカルノ大統領は、九・三〇事件への共産党の関与を認めず、同党非難に同調しなかったため、容共的だとして批判の対象となり、徐々に影響力を失っていった。そして、水面化で続いた権力闘争の過程で一九六六年三月に、スハルト将軍による巧みな策略に遭遇して実権を失った。親欧米的なスハルトは、その後少しずつ時間をかけて権力を確固たるものとし、やがて一九六八年に正式に第二代大統領に就任した。

それまで合法政党として政権にも参加し、党員三五〇万、傘下の諸団体を加えるとメンバー一〇〇〇万人と言われた共産党は、多くの関係者が逮捕されたり虐殺されたりして、すっかり勢力を失ったが、いったいなぜかくも脆く崩壊してしまったのであろうか？　それには、彼らの後ろ盾であった中国やソ連など共産圏の国々の対応が大きく影響している。当時、中ソ二カ国は政権奪取への戦術の違いからくるイデオロギー的な対立のさなかにあった。インドネシアは、中国共産党と近かったが、中国は、一九六六年から始まった文化大革命の中で国内問題に対処するのに手いっぱいになり、インドネシア共産党に有効な援助を差し伸べることができなかった。一方ソ連や大部分の共産圏諸国は、親中国的なインドネシア共産党は、中国の影響を受けて時期尚早な行動に出たのだとして九・三〇事件の失敗には冷淡であった。

このように友邦の援助を仰げなかった一方で、共産主義の

逮捕される共産主義者（インドネシア国立図書館所蔵）

台頭に目くじらを立てていた欧米諸国は、これを契機にインドネシアの共産主義者が一掃されることを切に望んだため、虐殺を阻止しなかったどころか、背後で様々な反共的宣伝工作を行い、それを援護した。このような国際関係のほかに、インドネシアの国軍当局は、非常に巧みな情報統制と情報操作を行い、住民の間で必要以上に共産主義者に対する反感と恐怖を煽った。

　事件が完全に収束したのち一九六八年に正式に成立したスハルト政権は、民族主義的で反欧米色の強かったスカルノと違って、いわゆる開発独裁体制を確立し、外資導入法を制定するなどして、欧米先進諸国に広く門戸を開いた。スカルノ時代権力を握っていた者たちの多くはその地位を追われ、また共産党撲滅に功績のあったイスラーム勢力なども、その政治的影響力が政権にとって脅威であるとして遠ざけられた。共産主義イデオロギーは厳しく禁止されるとともに、共産党関係者やシンパとみなされて殺害や逮捕された人々の家族は、社会の重要な職業から締め出されるなど、厳しい措置をとられた。一方、殺戮に手を染めた住民たちは、祖国を救うための行動に出たのだと考えられ、その行為に対する責任は一切問われることはなかった。

　共産主義への恐怖・反感から中国との関係も悪化し、国交を凍結するとともに、インドネシア国籍を取得した華人に対しては厳しい同化政策と締め付けを行った。たとえば、漢字・中国語の使用禁止、中国的な慣習の制限、インドネシア式氏名への改称などがそれである。

　一九六〇年代の東西冷戦のさなか、強力な共産党を抱えていたインドネシアが反共の国に生まれ変わったことによって、東南アジアの国際関係も大きく変わった。すなわち、シンガポール、マレーシア、フィリピン、タイなど近隣の西側寄りの国々と組んでアセアン（ASEAN 東南アジア諸国連合）を結成することが可能になったのであった。今でこそ東南アジアの大部分の国が加盟し、東南アジアとほぼ同意語になっているアセアンであるが、当時インドシナ三国（ベトナム、ラオス、カンボジア）では、欧米がバックアップする政治勢力に対し、左翼勢力が必死の武装闘争を展開しており、親欧米勢力から成るアセアンとは緊張関係にあった。

　このように、九・三〇事件は、インドネシアの国内政治のみならず、東南アジアの国際関係にも大きな変化をもたらした出来事であった。なおスハルト体制は、一九九八年にアジア経済危機に端を発して激化した民主化運動の中で崩壊するまで三二年間も続き、日本とも太い経済関係を維持した。

焦点 | *Focus*

ベトナム戦争論

藤本 博

はじめに

ベトナム戦争は、共産化阻止に固執するアメリカ及び現地親米政権と南北統一・民族自決をめざす解放勢力(ベトナム民主共和国・南ベトナム解放民族戦線)が対峙し、冷戦時代を最も象徴する戦争であった。戦場はラオス・カンボジアを含むインドシナ地域に及んだ。一九七五年四月三〇日に解放勢力の勝利で戦争は終結する。本稿では、アメリカ側から、ケネディ政権下で軍事介入を始める六一年から七五年までをベトナムでの「アメリカの戦争」と捉え、その歴史的意義を考えたい。以下の二点に着眼する(解放勢力側からの視点に関しては、古田 二〇一七:一一五―一五九頁)。

第一に、アメリカは第二次世界大戦後類例のない破壊的戦争を行うが、最終的に史上初の敗北を喫し、自らの限界を露呈させた点である。ベトナム戦争に関しては多くが語られてきた[1](ベトナム戦争解釈の変遷に関しては、水本 二〇二〇参照)。ただ、長期かつ苛烈を極めたインドシナへの爆弾投下の量が約七〇〇万トンだったように(本稿二四九頁**表1**参照。第二次世界大戦中の米軍によるヨーロッパと太平洋戦域での投下爆弾量の約三・五倍)、アメリカが破壊的戦争を行ったことは長らく忘却されてきた。ようやく近年、米陸軍史料をもとに実証研究が刊行され、関心が向けられつつある

(タース 二〇一五)。そこで、この破壊的戦争に注目しアメリカ軍事介入挫折の歴史的意義を考えてみたい。

第二に、アメリカの軍事介入に対する道義的批判やベトナム民族抵抗への共感をもとに、世界規模で史上最大の反戦運動が展開されたことである。この歴史的新しさは、市民的直接行動として高まり、ベトナム解放勢力との国際的連帯が生まれ、アメリカの戦争を戦争犯罪として告発する運動も見られたことにあった。そして、世論に一定の影響を与え、社会・文化・思想的変容の触媒となったその歴史的意義が指摘されている(油井 二〇一七、二〇一九)。

以下、上記二点を軸に通史的叙述を試みる。アメリカの軍事介入変遷に関し、第一節でその歴史的起源を、次に転換点をなす六八年を境に、第二節で六一年から六八年まで、第四節で六九年から七五年までを描く。第三節では米国内ならびに世界的なベトナム反戦運動をとりあげる。最後に「おわりに」でベトナム戦争の今日的遺産を述べる。

一、アメリカ軍事介入の歴史的起源——脱植民地化と冷戦の交錯、一九四五—六〇年

一九六一年のアメリカのベトナム軍事介入開始を考える際、日本敗戦直後のインドシナ地域の脱植民地化にその歴史的起源があり、四五年以降の脱植民地化過程と五〇年代初頭以降の冷戦体制との交錯の歴史的文脈に留意したい。

ベトナム民主共和国初代大統領となったホー・チ・ミンは四五年九月二日、独立宣言で「すべての人間は生まれながらに平等である……」と謳ったアメリカ独立宣言を引用し、第二次世界大戦中に民族自決を提唱した連合国に独立承認を求めた。彼はトルーマン大統領とバーンズ国務長官に書簡・電報計九通を送付しフランスの再植民地化阻止を要請した。しかし、トルーマンはこの要請に応えず、四六年一二月にフランスの植民地主義戦争(「第一次インドシナ戦争」)が勃発する。四五—四六年はベトナム戦争回避の最初の「取り逃がした機会」だった(東 二〇一〇:八五頁)。

アメリカは、当初フランス寄りの中立政策をとったが、五〇年五月、ホー・チ・ミン敵視を明確にし対仏援助に乗

り出す。アメリカ介入の第一幕の開始だった(Herring 2020: 3)。対仏支援の理由は、四九年一〇月の中国革命後に東南アジアの重要性が高まったからである。五〇年一月の中ソのベトナム民主共和国承認後、トルーマン政権はホー・チ・ミンを「不倶戴天の敵」と見なし、同年二月二七日に「差し迫る脅威のもとにある」としてインドシナを共産主義拡大阻止の前哨と位置づけた(NSC〔国家安全保障会議〕文書六四)。共産主義拡大阻止は、日本などの経済復興による東南アジアの政治的安定・資本主義的統合と不可分だった。インドシナの脱植民地化は冷戦体制に包摂された。アメリカは、インドシナ防衛のためフランスに植民地主義戦争遂行を求めざるを得なくなった(菅 二〇一九：五五頁)。

アイゼンハワー大統領は五四年四月七日、インドシナが倒れると「ドミノ倒し」的に共産化の連鎖が起きると述べた。アメリカは朝鮮戦争を機に対仏支援を拡大し、仏戦費の八割を負担した。だが、フランスは同年五月にディエンビエンフーで敗北し、七月二一日にジュネーヴ協定が調印され、北緯一七度での暫定的分割と二年後の南北統一のための選挙を定めた。この解決案は緊張緩和を望む中国とソ連がベトナム民主共和国に妥協を迫った結果でもあった。

アイゼンハワー政権は、一七度線以南に「東南アジアでの自由世界の礎石」となる親米政権(五五年一〇月ベトナム共和国樹立、以下、南ベトナム)育成のためジュネーヴ協定を無視した。南北統一は幻となった。南の親米政権(ジェム政権)が反政府運動抑圧を強めた。ベトナム労働党は五九年に武装闘争発動を決定し、六〇年一二月、南ベトナム解放民族戦線(以下、解放戦線)が結成される。ベトナムの民族抵抗は、南北分断を前提とした米ソ主導の現状維持的冷戦構造への挑戦を意味した。他方でアメリカは南北分断維持に固執して六一年以降軍事介入し、その後、頑強な民族抵抗に直面し軍事介入拡大のディレンマに陥り、軍事力の限界を露呈して冷戦政策転換を余儀なくされていく。

二、アメリカの軍事介入の展開・その実相・軍事介入の挫折、一九六一―六八年

ケネディ政権によるアメリカ軍事介入開始とその展開、一九六一―六三年

一九六一年発足のケネディ政権以降、アメリカ政府は、解放戦線の運動を「北からの侵略」と見なし、ベトナム民主共和国(以下、北ベトナム)による南の「征服」が招く共産主義拡大への不安から軍事介入の道を歩む。この「北からの侵略」論は、解放戦線が自生的な反ジェム大衆運動を発端とした経緯や民族抵抗が四五年のベトナム独立に由来する歴史に目を塞ぐ虚構の論理だった。ケネディ時代にベトナム特派員を務めたハルバースタムの言葉を借りれば、アメリカは「歴史を無視することによって、歴史に逆らっていた」(ハルバースタム 一九九九:下巻六八頁)。

ケネディ政権が発足当初に対応を迫られたのは内戦状態のラオスだった。ラオスでは六一年五月に休戦合意が成立し、六二年七月に「中立化」が宣言された。アメリカはラオス危機収束後、ベトナム政策を具体化し、ドミノ崩壊阻止に加え、経済援助を通じた近代化ならびに柔軟反応戦略のもとでの対ゲリラ政策による「第三世界」への「威信」確保の場として南ベトナムを位置づけた。六一年五月に軍事顧問一〇〇人増員と四〇〇人の特殊部隊派遣を、同年一一月には南ベトナムでの枯れ葉作戦を承認した(NSAM(国家安全保障行動覚書)一一五、藤本 二〇一二:二五四頁)。六二年には南ベトナム援助軍司令部を創設し、同年、農民を解放戦線から切り離す「戦略村計画」を開始する。

六三年にジェム政権の危機が顕在化した。一月にアプバックの戦いで政府軍が完敗、春以降に仏教徒の反政府運動が発生し、六三年一一月一日、軍事クーデターでジェム政権は崩壊する。この時期アメリカは、解放戦線が「政治技術によって軍事的勝利を達成」し、親米政権により民衆の苦悩が増大する現状を無視した(ハルバースタム 二〇一九:八六頁)。以後の軍事介入政策の欠陥はケネディ時代にすでに孕まれていた(松岡 二〇一三、二〇一五)。ケネディは一

一月二二日、ダラスで暗殺され、ジョンソンが大統領に就任する。六三年末の派遣米兵は約一万六〇〇〇人に達した。

直接軍事介入開始としての一九六四年と恒常的北爆・「索敵撃滅」作戦への道

アメリカのベトナム直接軍事介入の始期を北ベトナムへの爆撃(北爆)恒常化と戦闘部隊派遣開始の六五年三月と見るのが一般的である。しかしここでは、南ベトナム情勢悪化阻止のため、北爆恒常化へのプランを練る一方で、連動してラオス空爆の本格的開始への道を歩む六四年をその始期と考えたい(寺地 二〇二二：四七五頁)。

ジョンソンは、人種平等や貧困克服をめざす「偉大な社会《グレイト・ソサエティ》」計画を重視する一方、東南アジアでの中国の攻勢を憂慮し南ベトナム維持を共産主義対抗の試金石と見なし(NSAM二八八、六四年三月一七日)、六四年初頭以降、南の安定化のため北への軍事圧力強化に乗り出す(「大砲とバター」政策)。六四年秋にボール国務次官は「いったん虎の背にまたがると、降りるべき適当な場所」はどこにもないと警告していた(ハルバースタム 一九九九：下巻二二五頁)。

ジョンソン政権は六四年初頭、北への隠密作戦(「三四A作戦」)と北ベトナム沖合トンキン湾上(**図1**参照)での哨戒活動を開始した。米駆逐艦マドックスへの北ベトナム哨戒艇の「攻撃」による六四年八月二日と四日の「トンキン湾事件」の伏線がここにある。アメリカはこの「攻撃」を「挑発」と断定し、五日に報復爆撃を行った。これが後の恒常的北爆への跳躍台となる。米議会は七日、戦争遂行の白紙委任状を大統領に付与する「トンキン湾決議」を採択した(上院では八八対二、下院では全会一致)。ジョンソンの支持率は四二%から七二%に急上昇した。現在では、八月四日の二度目の「攻撃」はなく、アメリカは三四A作戦を隠蔽して報復爆撃を行ったのであり、挑発したのはアメリカ側だったことが明白になっている(ニューヨーク・タイムス 一九七二：上巻第五章「トンキン湾事件の欺瞞」)。他方、ベトナム労働党はこのトンキン湾事件後、南支援強化を決断し、ベトナム人民軍の南への派遣を指令した。

六四年一一月の米大統領選挙でジョンソンが共和党ゴールドウォーターを破り当選した。ジョンソン政権は六四年

図1　ベトナム戦争関連図（松岡・広瀬・竹中 2003: 142をもとに一部修正）

末、南の政権の軍事的危機を受け北爆の必要性でまとまる。注目すべきは、米軍が六四年一二月以降、北ベトナムからラオス領内を経てカンボジア国境に至る南の闘争支援のための人員・物資の補給路ホーチミン・ルートの輸送遮断を目的に、ラオス空爆を本格化したことである（寺地 二〇二二：四七二—四七六頁。ホーチミン・ルート（**図1**参照）は五九年五月に建設開始。南への補給路は網の目状に張り巡らされ、戦争終結までに総延長は約一万七〇〇〇キロに達した）。

アメリカは一九六五年二月七日、解放戦線のプレイク基地攻撃を機に、前年末の計画どおり、報復爆撃後、三月二日には恒常的北爆（「ローリング・サンダー」（轟く雷鳴）」作戦）を開始した。三月八日には基地防衛のため米戦闘部隊がダナンに上陸する。その後、北爆だけでは南の戦局は転換できないことが判明し、四月一日、海兵隊追加投入とラオス領内爆撃強化を承認した。六月に米地上軍の任務を基地防衛から攻勢的な「索敵撃滅《サーチ・アンド・デストロイ》」作戦に転換し、七月二八日には兵力の一二万五〇〇〇人への増大を言明する（六五年末の派遣米兵は一八万四三〇〇人）。ジョンソン政権は、南で「索敵撃滅」作戦を展開し、補完する形で北爆を強化してインドシナ地域で破壊的戦争を展開していく。

アメリカの破壊的戦争の実相と限界（1）——恒常的北爆としての「ローリング・サンダー」作戦とラオス空爆

「ローリング・サンダー」作戦の目的は、南への支援中止と和平に応じるよう北ベトナムに妥協を迫ることにあった。北爆は朝鮮戦争の教訓から中国の直接介入回避のため段階的に行われ、爆撃目標は六六年六月にハイフォンとハノイ近郊の燃料貯蔵施設に、同年一二月にはハノイ住宅地区に拡大される。作戦終了の六八年一〇月末までに約六四万トンの爆弾が北ベトナムに投下された。同時に、B52も展開してラオス領内のホーチミン・ルートに苛烈な空爆を継続した。あまり知られていないが、七三年までのラオスへの爆弾投下量は北爆の二倍以上におよび（約二二三万トン。北ベトナムには約九六万トン、**表1**参照）、ラオスは「国民一人当たりで言えば歴史上もっとも酷い爆撃を受けた国」（二〇一六年九月六日、ラオス訪問時のオバマ大統領の発言）となる（寺地 二〇二二：四七七頁）。

表1 ベトナム戦争中の米軍砲弾使用量

	航空機から	地上砲撃	総量（海上からを含む）
北ベトナム	961	---	1,101
南ベトナム	3,285	6,876	10,177
ラオス	2,233	---	2,233
カンボジア	614	140	754
総計	7,093	7,016	14,265

（単位：千トン）

（ベトナム戦争の記録編集委員会 1988: 259（表15）をもとに作成）

北爆は無差別爆撃の様相を呈し、南の戦場と同様、はじめから民間人と生活空間を攻撃対象としたことに特徴があった（荒井 二〇〇八：二〇二頁）。北ベトナム側によれば、六八年一〇月末までに八四七の学校・病院、五六九の水利施設が破壊され、クラスター爆弾など残虐な非人道的兵器が大量に使用された（本多 一九六九：一八二、一九六―二二〇頁）。アメリカは第二次世界大戦時のドイツと日本への「戦略爆撃」を通じ民間人殺戮を厭わなくなったが（ダワー 二〇二一：上巻二二〇―二八九頁）、北爆は、朝鮮戦争時と同様、第二次世界大戦後の米軍の「戦略爆撃」の象徴であった。

北爆の効果はきわめて限定的だった。例えば、南への浸透は増大し、ベトナム人民軍の南下人数は六四年の一万二〇〇〇人が、六八年にピークの約二五万人に達した（Clodfelter 1995: 266）。北爆の効果が限定的だった要因を二つ指摘すれば、第一に、アメリカは北ベトナムの産業インフラ破壊を過大評価し、北ベトナムの抵抗を過小評価した。北ベトナムは「抵抗と建設」を同時に進める。労働者や農民は民兵に変身して対空砲兵隊に加わり、橋や道路の修復にも従事し、工場や燃料貯蔵施設は分散させ経済を柔軟に維持した（吉澤 二〇〇九：一七三―一八四頁）。第二に、中ソの支援が北爆の損害を相殺し、精巧な防空体制構築を可能にした。中ソは国際共産主義運動の主導権争いのもと対北ベトナム支援では共同歩調をとった。ソ連は六五年以降、地対空ミサイルなどを提供し約六〇〇〇人の軍事専門家集団を派遣する一方、中国は兵站部隊を含め約三二万人を派遣した。中国の大規模支援の理由は、ベトナム戦争を局地戦争に封じ込め自国の安全保障を図るとともに、中国が民族解放闘争のリーダーであることを世界に示すためだった。

アメリカの破壊的戦争の実相と限界（2）――「索敵撃滅」作戦

「索敵撃滅」作戦の主目的は、米軍の圧倒的機動力と火力で敵に兵員補充能力を上回る打撃を与えることにあった。特徴の第一は、民間人殺戮など残虐行為の日常化だった。一九六八年三月一六日に無抵抗の村人五〇四名を殺害したソンミ村虐殺はよく知られる（ビルトン他 二〇一七）。これは氷山の一角で、殺人、強姦など三〇〇件以上、他に当時は資料的裏付けが取れない約五〇〇件の残虐行為が存在した（タース 二〇一五：二二頁）。背景には、民衆に基盤をおく解放戦線優位の戦場で米兵は民衆に敵意を募らせた状況がある。多くの米兵は過酷な戦場体験が原因で帰還後PTSD（心的外傷後ストレス障害）に苛まれた（八〇年に全米精神医学会はPTSDを新しい精神障害と認定し、当初、帰還兵の五〇万から七〇万人がPTSD症状を抱えた。白井 二〇〇六：一四〇―一四四頁）。特徴の第二は、南の戦場で北爆以上にクラスター爆弾など先端技術を駆使した非人道的兵器が大量使用され「過剰殺戮」が行われたことだ。例えば、六八年前半のメコンデルタにおける解放勢力掃討作戦では約一八〇〇トンのナパーム弾などが投下され、民間人死者が延べ五〇〇〇人にのぼる「野放図な殺戮」が続いた（タース 二〇一五：九三―九八、二五三、二九九頁）。

北爆に焦点があたりがちだが、南ベトナムへの爆撃（南爆）規模の方が遥かに大きく、六五年から七二年まで北爆の三倍以上の爆弾が投下された（約三二九万トン。**表1**参照）。一国当たりの投下爆弾量では、南ベトナムは歴史上最も激しい爆撃を受けた国だった(国民一人当たりではラオス)。南爆は、恐怖と脅しで住民と敵を切り離すことが目的で、二〇〇一年以降の「対テロ戦争」での空爆と類似すると言われる(荒井 二〇〇八:二〇六―二〇九頁)。

そして枯れ葉剤が七一年までの一〇年間、解放戦線の活動拠点の森林地帯等を対象に約七万キロリットル以上も散布された。猛毒ダイオキシンを含んでいたことから何世代にもわたり人体に影響が及び(現在のベトナムで約一〇〇万人に後遺症が残る)、森林地帯への散布面積は南ベトナム全土の一五%に及ぶなど生態系破壊を招いた(ソン、ベイリー 二〇二二:二〇、四一、八二頁)。人体への影響は米兵や参戦韓国兵とその家族等にも及んでいる。

「索敵撃滅」作戦の矛盾を一つだけ指摘すれば、住民の親米政権支配地区への強制移住を目的とする米軍の意図的砲爆撃は多くの村を破壊する結果になった。南ベトナムではコメは主要輸出産品であったが、六五年には輸入国に転落した。「索敵撃滅」作戦は、親米政権の社会的基盤を一層脆弱化させたのだった(コルコ 二〇〇一:三一〇頁)。

恒常的北爆と「索敵撃滅」作戦が継続し戦争が泥沼の様相を見せる中、米政府内でマクナマラ国防長官が悲観論を提示した。だがジョンソンは六七年に入っても、中国国境地帯に北爆を強化し、南で大規模軍事作戦を展開し勝利に固執するとともに、六六年末から六七年初頭のポーランド、そしてイギリス・ソ連による各和平工作にも消極的な姿勢を示した。ジョンソンは、六八年一月末の解放勢力のテト攻勢で冷水を浴びせられることになる。

アジアにおけるアメリカの同盟国と日本の戦争協力

アメリカは六四年四月に「自由世界援助計画」を提唱し、同盟国の協力を呼びかけた。軍事要員派遣は、韓国、タイ、フィリピンなど七カ国に留まった(三〇万以上の兵員を派遣した韓国では九〇年代末以降、市民運動の努力で参戦兵士のベトナム民間人虐殺の実相が明らかになっている。伊藤 二〇一三、村山 二〇二二)。タイは六七年からB52のラオスと北ベトナム爆撃の最大の出撃基地となる。日本は間接的に協力し、沖縄と本土がアメリカの中継基地、兵站・補修・訓練基地、保養・医療基地の役割を果たし、六五年一二月にシャープ太平洋軍司令官が「沖縄なくしてベトナム戦争をやっていけない」と述べたように、アメリカは沖縄を「太平洋の要石」として重視した(藤本・島川 二〇〇三)。

ベトナム戦争はまた、日本や韓国、東南アジアの反共政権に、アメリカのアジア地域主義政策に対応する必要を認識させた(菅 二〇一九:一七四頁)。七〇年代に韓国と東南アジアは経済発展を遂げ、これはベトナム戦争と密接な関係にあった。日本はベトナム戦争拡大期の六〇年代後半以降に韓国や東南アジアの反共政権との経済関係を拡大する。日本はベトナム戦争の「最大の受益者となった」、とヘイブンスは評価している(ヘイブンス 一九九〇:一二八頁)。

戦争史上の転換点としての一九六八年――テト攻勢、米国内の危機、米大統領選挙

六八年一月末(旧正月「テト」の時期)、解放勢力は大統領選挙前のアメリカに決定的打撃を与え戦局転換を図るため、南ベトナム全土の主要都市で総攻撃を開始した(テト攻勢)。米大使館一時占拠の映像は米国民に衝撃を与え、これ以後米国内でベトナム政策反対意見が過半数を超えるなど、テト攻勢はベトナム戦争史上大きな転換点となった。

米国内では三月一二日のニューハンプシャー州民主党予備選挙で「ハト派」マッカーシーが善戦し、同一六日にロバート・ケネディも立候補表明した。同時に、戦費増大に起因するドル危機の深刻化で西欧諸国の米国離れが進み戦争縮小は必至だった。ジョンソンは戦争拡大を断念し、三月三一日、北緯二〇度線以北の北爆部分停止と和平交渉開始、大統領選不出馬を表明する(一〇月三一日には北爆全面停止発表)。一方解放勢力にとってテト攻勢は、フエを一カ月近く制圧した以外成果はなく、解放勢力死者が約四万人に及び「軍事的敗北」だったものの、アメリカに衝撃を与えた点で多大な意味をもった。

アメリカでは四月四日にキング牧師、六月五日にロバート・ケネディが暗殺され、大統領選に期待したリベラル派は失望した。同時に、反戦運動に批判的な保守派が影響力をもち、一一月の大統領選挙では「法と秩序」回復を訴えた共和党のニクソンが当選した。六八年末の派遣米兵は五三万を超えた(最高時は六九年四月末の五四万三四〇〇人)。

三、世界的なベトナム反戦運動の展開と「アメリカの戦争犯罪」告発の国際的運動

アメリカにおける反戦運動の展開とアメリカ社会の変容

「ベトナム戦争の時代」のもう一つの歴史的特徴は、米国内を含め世界的規模で史上未曽有のベトナム反戦運動が展開されたことにある(一九六九年以降のベトナム反戦運動は第四節参照)。

米国内の戦争批判は、六〇年代初頭の人種隔離撤廃を求める「座り込み運動《シット・イン》」など黒人の非暴力直接行動や学生による「フリー・スピーチ」運動の延長線上として、恒常的北爆開始の六五年春から若者を中心に始まった。同年三月から五月には全米一〇〇以上の大学でベトナム討論集会「ティーチ・イン」が開催され、四月一七日には「民主社会を求める学生組織」(SDS)主催の反戦集会が首都ワシントンで催される(約二万人参加)。六六年初頭には議会に戦争批判が拡大し、米上院で「ベトナム問題公聴会」が開催された。「過剰介入」や「力の驕り」への批判が出され、米国内の冷戦コンセンサス動揺の始まりとなった。五月の世論調査でベトナム介入を「誤り」とする者が六五年八月の二四%から三六%に増大した。同年末に『ニューヨーク・タイムズ』編集局次長ソールズベリーがハノイを訪問し、爆撃による民間人犠牲の事実が初めて有力紙に報道され、波紋を呼んだ。

六七年に入ると反戦運動は広範な層に拡大するとともに質的な変化を見せ、ベトナムの民族的抵抗への共感が広く見られた。一九六七年四月一五日には、広範な社会階層が参加して最大規模の反戦集会が開催された(全米で約三〇万人が参加)。米国内の反戦運動は、学生、黒人を含むマイノリティ集団、女性や帰還兵等が独自組織を結成する一方、戦争反対で一致し、幅広い階層の運動として展開されたことに特徴があった(油井 二〇一七)。キング牧師は一九六七

年四月四日、「ベトナムを越えて」と題する演説を行い、アメリカで享受できない「自由を東南アジアで防衛するために」黒人の若者を戦わせ、「貧困者の希望を打ち砕いている」と非難した。ベトナムへの侵略と国内の人種差別との表裏一体性への自覚を促す演説だった（キング 二〇〇三）。同時に、若者を中心に徴兵拒否運動が展開され、国家への忠誠を否定する動きも見られ、「ブラック・パワー」を提唱する「学生非暴力調整委員会」（SNCC）などが反戦運動を「第三世界革命」と結びつける主張を提示した。「国際反戦デー」の同年一〇月二一日には「平和集会」と「ペンタゴン包囲行動」の大規模な反戦行動が展開される。こうした中、大国アメリカに抵抗するベトナム民衆への共感をもとに、米国内で黒人と先住民などのマイノリティや女性の権利を尊重する意識が醸成されていく。

世界的規模のベトナム反戦運動の展開と日本、ベトナム解放勢力との連携・連帯

この間、米国以外にも世界で史上未曽有のベトナム反戦運動が展開された。各国の運動ではアメリカの軍事介入への道義的批判とベトナムの民族的抵抗への共感が語られた。テト攻勢で幕をあけた一九六八年には、フランスの「五月革命」や日本での大学闘争などでは社会改革とも連動した（西田・梅崎 二〇一五）。日本の場合、革新政党や労働組合の運動以外に市民運動としても展開された。とくに「ベトナムに平和を！市民連合」（ベ平連）は、「市民主義」と「個人原理」のもと新たな市民運動の形を示し、基地提供などを問うことでアジア・太平洋戦争期の日本の「加害」性を意識化させ、アメリカの反戦運動家を招き反戦の日米市民交流も進めた（油井 二〇一九、平井 二〇二〇）。

他方で北ベトナムと解放戦線は「市民外交」として世界の反戦運動や第三世界との連携・連帯を育み、アメリカの反戦運動家や反戦団体を南北ベトナムに招聘し、海外でも交流を進める。例えば、ベトナム解放勢力の女性団体がアメリカの女性平和団体（「平和のための女性ストライキ」（WSP）など）と海外で交流集会を開催した。そこでは北ベトナム女性が戦争で家族の絆が奪われている現実を訴え、WSPメンバーにとっては女性の立場から人間の尊厳の価値を自

覚する機会となり、米国内でフェミニズム運動が進展する触媒となっていく(Nguyen 2015: 417-418)。

「アメリカの戦争犯罪」告発の国際的運動とアメリカのベトナム反戦運動との連携

「アメリカの戦争犯罪」告発の国際的運動の象徴がラッセルの提唱で六七年に二回開催された「ラッセル法廷」で、ニュルンベルク裁判や東京裁判で合意を見た「裁き」の原則が無視されてきた状況を埋め合わせるべく「民衆法廷」として開催された(ベトナムにおける戦争犯罪調査日本委員会 一九六七・六八)。その意義は以下の三点にある。

第一に、現地調査や南北ベトナム犠牲等の証言のもと民間目標への米軍の系統的爆撃を明らかにし、アメリカの侵略行為を「民族基本権(独立・主権・領土保全・統一)侵害」と「ジェノサイド」の罪で有罪としたことが大きい(藤本・中野・戸谷・前田・芝 二〇一八、判決内容は藤本 二〇一二)。五四年のジュネーヴ協定無視によるアメリカの「民族基本権侵害」が侵略犯罪を構成するとの論理は新旧植民地体制批判に立つ国際法上の新たな観点の導入を意味した(陸井 一九七六: 一七〇—一七三頁)。そしてジェノサイドの判決理由は植民地問題克服に関心を抱いてきた法廷裁判長サルトルが書いた(サルトル 二〇〇〇)。サルトルは、アメリカが意識的に「見せしめ」の戦争を行い、「人民戦争」への「反撃としての」ジェノサイドが人類を敵として遂行されていると強調した(同: 二二六頁)。

第二に、ラッセル法廷が世界の市民的運動と解放勢力の支援・協力のもとで開催され、国際的な反戦運動胎動の磁場を提供したことである(例えば、日本では六七年年八月に「東京法廷」が開催され、日本の戦争協力・加担の実証的、科学的根拠を提供するうえで大きな役割を果たした。「東京法廷」に関しては、ベトナムにおける戦争犯罪調査日本委員会 一九六七)。

そして第三に、その後展開されるアメリカの戦争犯罪告発の国際的運動の起点にもなったことである。ラッセル法廷はニクソン政権下で三回開催の「国際戦争犯罪調査委員会」(「新ラッセル法廷」)に継承され(森川 一九七七)、米国内では七一年初頭に「冬の兵士」調査会(後述)がラッセル法廷の「米国版」として開催された。

四、戦争の「ベトナム化」による「名誉ある和平」の追求——戦争終結への道、六九–七五年

ニクソン政権のベトナム政策の基調と軍事的解決への傾斜

六九年発足のニクソン政権は、米国内の亀裂と世界におけるアメリカの威信失墜・自国経済力の相対的低下を受けて、米軍の段階的撤退による「ベトナム化」と南ベトナム政権維持を前提とする「名誉ある和平」を追求した。そして、米中和解と対ソ関係改善によるデタント外交により北ベトナム孤立を図ろうとした。米中和解は、ベトナムでの苦境により五〇年代からの中国敵視の冷戦政策を転換せざるを得なかったことを意味した。

ニクソン政権は当初、軍事的威嚇により交渉の場で（六九年八月にキッシンジャー＝レ・ドク・ト秘密会談開始）解放勢力に早期の妥協を迫った。六九年三月にカンボジア領内への秘密爆撃を開始した。夏以降に戦術核使用を含む軍事計画を北ベトナム側に示唆し、一〇月にはソ連の圧力を期待してソ連に対する核威嚇の臨戦態勢発動も秘密裏に画策する(Herring 2020: 282–288)。だが、北ベトナムとソ連は無視し、国内の反戦運動も昂揚したため（後述）、ニクソンはその後、国内の「声なき多数派《サイレントマジョリティ》」に訴えて世論を味方につけ時間をかけ「ベトナム化」を図る戦略にシフトする。戦局転換を図るため、七〇年四月末にカンボジア侵攻を、七一年二月にはラオスに侵攻を敢行した。

ニクソン政権下におけるベトナム反戦運動の再生

米軍撤退が進まない中で反戦運動が再生する。六九年一〇月一五日に「モラトリアム・デー」として全米で二〇〇万人が参加する反戦集会が行われ、一一月一五日にはサンフランシスコと首都ワシントンの反戦集会に合わせて三五万人が参加し、ワシントンでの集会参加者はジョン・レノンの「平和を我らに」(Give Peace a Chance)を合唱した（油井

二〇一九：二〇七─二〇九頁)。七〇年五月四日にケント州立大学でカンボジア侵攻抗議集会時の州兵発砲により学生四人が射殺されたのを機に全米四〇〇の大学でストライキが起こった。

反戦運動再生に寄与したのが帰還兵である。六九年一一月中旬、前年三月のソンミ村虐殺が公になった。ニクソンは「孤立的な事件」と言明したが、反戦帰還兵組織「戦争に反対するベトナム帰還兵の会」(VVAW、六七年六月結成)は、残虐行為の日常化を知らせるため、七一年一月末、デトロイトで帰還兵証言のもと「冬の兵士」調査会を開催した。これは、戦時に政策の非人道性・犯罪性を内部から告発した点で歴史上稀有だった(陸井 一九七三)。同年四月二三日に数千人が参加して帰還兵が勲章を議会議事堂に投げ返し、翌二四日には帰還兵も含む約五〇万人が参加し大規模な反戦集会が開催される。VVAWは七二年に約二万人の会員を擁した。VVAW運動の意義は、人間らしさの復権を目指し非道徳な戦争を止めることが「真の愛国心」だと訴えたことにある(白井 二〇〇六：一六七頁)。元海兵隊員エアハートのように、自己喪失を経て反戦を訴える帰還兵も少なくなかった(エアハート 二〇一五)。加えて、六八年以降、下級兵士による「地下」新聞発行、基地周辺の「コーヒーハウス」、脱走や抗命などの反軍活動が広範囲に展開された。米国史上類を見ない軍の戦闘意欲低下と軍規遵守低下の事態だった。

そして『ニューヨーク・タイムズ』が七一年六月、「ペンタゴン・ペーパーズ」として後に知られ、ベトナム戦争が「欺瞞の戦争」であることを示す秘密文書を暴露した(ニューヨーク・タイムズ 一九七二。陸井 一九七六：一八三─一三六頁)。興味深いのは、新聞社に持ち込んだエルズバーグ(六七年にマクナマラ指示の作業班に参加)が、徴兵拒否運動に加わる若者から感化を受けるなど反戦運動から精神的影響を受けていたことである(エルズバーグ 二〇一九)。

サイゴン解放による戦争終結への道――ベトナム戦争終結の歴史的意味とその代償

ニクソン政権が七二年二月の北京、五月のソ連訪問により中ソの圧力で和平進展に期待したのに対し、解放勢力は三月末から「春季大攻勢」を展開した。ニクソン政権は五月から一〇月までの北爆全面再開(ラインバッカーI作戦)と南爆強化で応じる。北ベトナムは「溺れる強盗に浮き輪を与えるものだ」とソ連を非難した。北爆はジョンソン政権以上の規模で展開された。B52の北ベトナム主要都市への絨毯爆撃、北ベトナム全港湾への機雷封鎖、堤防への系統的爆撃が行われ、「改良型」対人殺傷兵器や「スマート爆弾」が新たに使用された(陸井 一九七六：六七―一二二頁)。七二年末までの対インドシナ爆弾投下量はジョンソン政権期を約一〇〇万トン上回る約三八〇万トンに及んだ。

戦場での解放勢力優位は揺るがず、同年一〇月、アメリカと北ベトナムは和平協定案に合意した。ところが南ベトナム政権が反対し、アメリカは北ベトナムに妥協を迫り、一二月一八日から一二日間、ハノイとハイフォン中心部にB52を延べ約二〇〇〇機動員し二万トン以上の爆弾投下によるベトナム戦争史上最大規模の空爆(「クリスマス爆撃」)を行った(ラインバッカーII作戦)。北ベトナムは堪え(「空のディエンビエンフー戦」)、七三年一月二七日、アメリカ、北ベトナム、南ベトナム政府、南ベトナム臨時革命政府(六九年六月に解放戦線改組)の四者で「ベトナム和平協定」が調印された。協定では前年一〇月の和平協定案に沿う形で、米軍撤退とベトナム人民軍の南での駐留等が取り極められ、七三年三月、米戦闘部隊撤退が完了する。最終的に七五年四月三〇日、解放勢力のサイゴン解放で戦争は終結した。そして翌七六年七月にベトナム社会主義共和国が誕生し、ベトナムの南北統一が正式に達成された。

ベトナム戦争終結は、ニクソン政権のベトナムでのデタント外交の失敗、冷戦論理破綻と軍事力の限界を印象づけ、解放勢力にとって民族自決を掲げた四五年以来の脱植民地化の最終的実現を意味した。ただ代償は大きく、米兵の死者約五万八〇〇〇人、ベトナム側は遥かに膨大で南北合わせ死者約三〇〇万人(うち民間人は約二〇〇万)に及んだ。

おわりに――ベトナム戦争の歴史的意義の今日的遺産

「ベトナム戦争後」の歴史は一直線には進まなかった。ベトナムは急激な社会主義的改造を進めて困難をかかえ、カンボジア問題を契機とする七九年の中越戦争は社会主義への幻滅を招いた。一方アメリカ側は、七〇年代末にイラン革命とソ連のアフガニスタン侵攻を受け、対外介入を警戒する「ベトナム症候群」克服の機運を高め、九一年の湾岸戦争を経て、「九・一一」後にアフガニスタンとイラクへの軍事介入に乗り出した。ベトナム戦争の公的記憶は、従軍兵士称賛とインドシナ民衆への「加害」の記憶の忘却を特徴とした。アメリカとベトナムの国交樹立は、戦争終結二〇年後の九五年七月のことであった。「ベトナム戦争後」の以上の状況は、本稿で考えてきたベトナム戦争の歴史的意義を捉えにくくしているものの、この歴史的意義に関連し今日的遺産として以下二点を述べておく。

第一に、アメリカではベトナム反戦運動の遺産が様々な形で見られる。例えば、黒人や先住民などのマイノリティと女性の権利意識が高まったことの遺産として、七〇年代以降、従来の白人中心社会からの変容が進んできた。知的世界でも、例えば、黒人や先住民、女性も組み入れ、民衆の主体的役割を描くアメリカ史像が提示された(ジン 二〇〇五)。また、反戦ベトナム帰還兵団体VVAWの戦争犯罪告発の経験は、イラク戦争最中の二〇〇四年に結成の「戦争に反対するイラク帰還兵の会」が二〇〇八年に開催したアメリカの戦争犯罪を告発する証言集会に継承されている(藤本 二〇一四：二九一—二九三頁)。そして、近年、かつてのベトナム反戦運動家らが「ベトナムを越えて」と題するキング牧師の演説などベトナム反戦運動の思想とその大衆的直接行動の歴史的経験の記憶継承に努めていることが注目される(「参考文献」記載の Vietnam Peace Commemoration Committee ホームページ参照)。第二に、ラッセル法廷が、二一世紀初頭以降、第二次世界大戦期の性暴力を含め正義不在の告発の場として広がる「民衆法廷運動」のモデルとして想起されている(藤本・中野・戸谷・前田・芝 二〇一八)。そして、「九・一一」後のアフガニスタンやイラク等でのアメリカの戦争ならびにウクライナでの戦争を見ても戦争犯罪を問う国際規範を正していくことが求められており、ラッセル法廷の歴史的経験から学ぶことは多い。

ベトナム戦争終結から半世紀を迎える。「終わりなき戦争」の時代が続き、「正義の戦争」観の復権とインドシナ民衆に対する「加害」の記憶も風化し、アメリカのベトナム介入の基底にもあった「自分に都合のよい思考」や「敵の動機や能力を過小評価する上層部の傲慢」など「戦争の文化」(ダワー 二〇二一：上巻viii頁)がなおも根強くある。したがって、上記の今日的遺産にも着眼し、ベトナム戦争でアメリカの冷戦論理固執と軍事力過信が破壊的戦争を招き、軍事力の限界も示した歴史的意義とともに、人間の良心を喚起し軍事力行使の道義性を問いかけたベトナム反戦運動の思想的遺産に立ち返る意味は大きい。そして、こうした歴史的洞察を通じて、ベトナムの枯れ葉剤被害を含めインドシナ地域で「戦争の傷跡」克服が依然として今日的課題であることが見えてくる(ソン、ベイリー 二〇二二)。

注

(1) 近年の英語文献紹介を含め、中ソや解放勢力、反戦運動も組み入れたグローバル・ヒストリーの観点からのベトナム戦争史像についてYoung and Quinn-Judge(2017)が有益である。網羅的な英語文献紹介に関しては、Herring(2020)を参照。

参考文献

荒井信一(二〇〇八)『空爆の歴史――終わらない大量虐殺』岩波新書。

石川文洋(二〇二〇)『ベトナム戦争と私――カメラマンの記録した戦場』朝日新聞出版。

伊藤正子(二〇一三)『戦争記憶の政治学――韓国軍によるベトナム人戦時虐殺問題と和解への道』平凡社。

エアハート、W・D(二〇一五)『ある反戦ベトナム帰還兵の回想』白井洋子訳、刀水書房。

エルズバーグ、ダニエル(二〇一九)『国家機密と良心』梓澤登・若林希和訳、岩波ブックレット。

菅英輝(二〇一九)『冷戦期アメリカのアジア政策――「自由主義的国際秩序」の変容と「日米協力」』晃洋書房。

キング、M・L(二〇〇三)「ベトナムを越えて」クレイボーン・カーソン、クリス・シェパード編『私には夢がある　M・L・キング説教・講演集』梶原寿監訳、新教出版社。

陸井三郎編訳(一九七三)『ベトナム帰還兵の証言』岩波新書。

陸井三郎(一九七六)『ハノイでアメリカを考える』すずさわ書店。

コルコ、ガブリエル(二〇〇一)『ベトナム戦争全史』陸井三郎監訳、藤田和子・藤本博・古田元夫訳、社会思想社。

サルトル、J-P(二〇〇〇)「ジェノサイド」『植民地の問題』加藤晴久他訳、人文書院。

白井洋子(二〇〇六)『ベトナム戦争のアメリカ――もう一つのアメリカ史』刀水書房。

ジン、ハワード(二〇〇五)『民衆のアメリカ史』上・下、猿谷要監修、富田虎男・平野孝・油井大三郎訳、明石書店。

ソン、レ・ケ、チャールズ・R・ベイリー(二〇二二)『敵対から協力へ――ベトナム戦争と枯れ葉剤被害』北村元他訳、梨の木舎。

タース、ニック(二〇一五)『動くものはすべて殺せ――アメリカ兵はベトナムで何をしたか』布施由紀子訳、みすず書房。

ダワー、ジョン(二〇二一)『戦争の文化』上・下、三浦陽一監訳、田代泰子・藤本博・三浦俊章訳、岩波書店。

寺地功次(二〇二一)『アメリカの挫折――「ベトナム戦争」前史としてのラオス紛争』めこん。

西田慎・梅崎透編著(二〇一五)『グローバル・ヒストリーとしての「一九六八年」』ミネルヴァ書房。

ニューヨーク・タイムス編(一九七二)『ベトナム秘密報告』上・下、杉辺利英訳、サイマル出版会。

ハルバースタム、デイヴィッド(一九九九)『ベスト&ブライテスト』上・中・下、浅野輔訳、朝日文庫。

ハルバースタム、デービッド(二〇一九)『ベトナムの泥沼から』[新装版]、泉鴻之・林雄一郎訳、藤本博解説、みすず書房。

東大作(二〇一〇)『我々はなぜ戦争をしたのか――米国・ベトナム 敵との対話』平凡社。

平井一臣(二〇二〇)『ベ平連とその時代』有志舎。

ビルトン、マイケル他(二〇一七)『ヴェトナム戦争 ソンミ村虐殺の悲劇』藤本博・岩間龍男監訳、葛谷明美・後藤遥奈・堀井達朗訳、明石書店。

藤本博(二〇一二)「144 ベトナム戦争における枯葉剤の散布(一九六二―七一年)」「163 ベトナム反戦運動(一九六七年)」歴史学研究会編『世界史史料11 二〇世紀の世界Ⅱ』岩波書店。

藤本博(二〇一四)『ヴェトナム戦争研究――「アメリカの戦争」の実相と戦争の克服』法律文化社。

藤本博・島川雅史編著(二〇〇三)『アメリカの戦争と在日米軍――日米安保体制の歴史』社会評論社。

藤本博・中野聡・戸谷由麻・前田朗・芝健介(二〇一八)「特集・民衆法廷運動の軌跡と現在」『歴史評論』八二三号。

古田元夫（二〇一七）『ベトナムの基礎知識』めこん。

ヘイブンス、R・H（一九九〇）『海の向こうの火事――ベトナム戦争と日本 一九六五―一九七五』吉川勇一訳、筑摩書房。

ベトナム戦争の記録編集委員会編（一九八八）『ベトナム戦争の記録』大月書店。

ベトナムにおける戦争犯罪調査日本委員会編（一九六七・六八）『ラッセル法廷』『続ラッセル法廷』人文書院。

ベトナムにおける戦争犯罪調査日本委員会編（一九六七）『ジェノサイド（民族みなごろし戦争）』青木書店。

本多勝一（一九六九）『北爆の下』朝日新聞社。

松岡完（二〇一三）『ケネディとベトナム戦争――反乱鎮圧戦略の挫折』錦正社。

松岡完（二〇一五）『ケネディはベトナムにどう向き合ったか――JFKとゴ・ジン・ジェムの暗闘』ミネルヴァ書房。

松岡完・広瀬佳一・竹中佳彦編著（二〇〇三）『冷戦史――その起源・展開・終焉と日本』同文館。

水本義彦（二〇二〇）「ヴェトナム戦争とその影響」『論点・西洋史学』ミネルヴァ書房。

村山康文（二〇二二）『韓国軍はベトナムで何をしたか』小学館新書。

森川金壽（一九七七）『ベトナムにおけるアメリカ戦争犯罪の記録』三一書房。

油井大三郎（二〇一七）『ベトナム戦争に抗した人々』山川出版社。

油井大三郎（二〇一九）『平和を我らに――越境するベトナム反戦の声』岩波書店。

吉澤南（二〇〇九）『ベトナム戦争――民衆にとっての戦場』吉川弘文館。

Clodfelter, Micheal (1995), *Vietnam in Military Statistics*, Jefferson, North Carolina, McFarland & Company.

Herring, George C. (2020), *America's Longest War: The United States and Vietnam 1950–1975*, 6th Edition, New York, McGraw Hill.

Nguyen, Lien-Hang T. (2015), "Revolutionary Circuits: Toward Internationalizing America in the World", *Diplomatic History*, Vol. 39, No. 3.

Vietnam Peace Commemoration Committee (https://www.vietnampeace.org/) 二〇二三年四月一三日最終閲覧。

Young, Marilyn and Sophie Quinn-Judge (2017), "The Vietnam War as a World Event", Juliane Fürst, Silvio Pons, and Mark Selden (eds.), *Endgames? Late Communism in Global Perspective: 1968 to the Present*, Cambridge, Cambridge University Press.

コラム | *Column*

一九六八年の世界

井関正久

一九六八年およびその前後数年は、世界各地で学生抗議運動が吹き荒れた、激動の時代であった。英米のポップカルチャーが流行するなかで、大学生となった戦後第一世代が中心となり、戦後秩序に対して異議申し立てをおこない、国内の政治社会問題に取り組むと同時に、ベトナム反戦などを掲げながら国境を越えて相互に連帯を表明した。この時代を表すタームとして、西欧では一九七〇年代末以降、「一九六八(年)」が市民権を得ている。

実際に一九六八年の出来事を概観すると、米国関連ではベトナム戦争における一月の「テト攻勢」に始まり、四月に公民権運動指導者キング牧師の暗殺事件とコロンビア大学紛争、六月にはR・ケネディ暗殺事件が起こり、八月のシカゴ民主党大会の際にはデモ参加者と警官隊が激しく衝突した。これらは米国の国際的権威の失墜を象徴し、「アメリカ帝国主義」を糾弾する各国の学生運動にとって追い風となった。西欧諸国では学生運動がとくに大きな展開を見せ、フランスでは五月に労働者が学生運動に呼応し、九〇〇万人以上が参加したゼネストが戦後最大の内政危機を引き起こし、西ドイツでも四月に学生新左翼のリーダー、R・ドゥチュケが極右の若者に襲撃されると学生運動が急進化し、保守系出版社が攻撃の的となった。一方、東欧のチェコスロヴァキアでは、八月に民主化路線「プラハの春」がワルシャワ条約機構軍により弾圧され、このことは世界各地で抗議運動を引き起こした。このほか、中国では文化大革命が進展し、その実態を知らない欧米の学生新左翼の間では、毛沢東思想がソ連型社会主義へのオルタナティヴとして理想化されていった。

このように世界を揺るがすさまざまな出来事が起こった一九六八年であるが、その背景には、ベトナム反戦の機運の高まりや「プラハの春」の支持に見られるように、冷戦を牽引してきた米ソの権威の失墜があった。それだけでなく、この時期には世界各地で、従来主流とされてきた制度や組織、思想が、若者たちによって否定され、政党や議会中心の政治に代わって、運動に焦点があてられるとともに、体制から疎外されたあらゆるマイノリティに目が向けられた。そして、これまで別々の文脈でおこなわれていた諸運動が、反体制、反権威主義という点において共通性を認識し、一時的ではあるが連帯しながら急速に拡大していった。

一九六八年が歴史上特異な時代であったことについては、これまで「革命」という概念のもと、さまざまな指摘がなされてきた。なかでも、世界システム論者I・ウォーラーステインは、一八四八年との類似性を指摘するとともに、「世界革命」という概念を用いて一九六八年にグローバルな意義づけをおこなった。また、歴史学者E・ホブズボームは、一九六八年を世界資本主義の「黄金時代」における絶頂期に位置づけ、ユートピア思想にもとづいた当時の学生反乱は「文化革命」だったと評価した。その一方で、米国の作家M・カーランスキーは、欧州に限定された一八四八年革命と異なり、一九六八年はグローバルに展開された独特な革命だったとし、革命の国際的な同時性の要因として、テレビの影響力をあげている。ベトナムにおける米軍の残虐行為に対する抗議の波も、運動の背景にあったポップカルチャーのブームも、テレビなしでは考えられないものであった。

1968年6月13日，BBCの番組終了後に報道陣に囲まれるフランス学生運動の指導者コーン＝ベンディト（Wolfgang Kraushaar, *Die 68er-Bewegung International* (Teil 3: 1968), Klett-Cotta 2018: 331）

この時期のテレビ史に残る出来事としてまずあげられるのが、一九六七年六月に実施された世界初の多元衛星中継である。「アワ・ワールド」(われらの世界)と題した特番が日本を含めた二四カ国で同時中継され、なかでもビートルズによるレコーディング・セッションの放映が世界中の若者を虜にした。そして翌年六月、「一九六八年とテレビ」を象徴する番組「反乱のなかの学生たち」が、英国放送協会(ＢＢＣ)によりライブ放映された。同番組ではフランス学生運動の指導者D・コーン＝ベンディトにメディアの注目が集まったが(写真)、ほかにも米国、西ドイツ、ベルギー、スペイン、イタリア、チェコスロヴァキア、ユーゴスラヴィア、パキスタン、そして日本の学生新左翼が集結し、大学教育の実態や民主化の可能性について議論を交えた。同番組は世界各地で放映され、スペインから参加した学生が帰国直後に「非合法的宣伝活動」の容疑で逮捕されるなど、その反響は大きかった。

このように、一九六八年の世界はテレビの時代を迎えていた。当時この新たなメディアのもつ影響力は圧倒的なものだった一方で、後期資本主義社会において操作的パブリシティと化していった「公共圏」(J・ハーバーマス)に対抗し、運動の側から新たな「公共圏」を構築する動きは、限定的なものでしかなかった。「対抗公共圏」を形成する積極的な動きが見られるのは、一九七〇年代以降に繰り広げられた、エコロジーやフェミニズムなどをテーマとする「新しい社会運動」においてであったが、このとき重要な役割を果たしたのもまた、一九六八年を経験した「六八年世代」であった。

オセアニアから見つめる「冷戦」

——「核の海」太平洋に抗う人たち

竹峰誠一郎

はじめに

「第二次世界大戦とは異なる戦争が、マーシャル諸島の人びとのもとで続いた。冷たい戦争と呼ばれる戦争である。我らの島々は、冷戦のグラウンドゼロである」(*MIJ* 2004)。太平洋から発せられた声である。

しかし太平洋の海域世界に生きた民の存在は、冷戦史のなかで周縁に置かれてきた。アメリカ(以下、米国あるいは米)の歴史家J・L・ギャディスは、冷戦を米ソの超大国が対立しながらも直接戦争を回避してきた「長い平和」な時代であったととらえる(Gaddis 1987)。また、ギャディスのような米ソ超大国の政治動向のみに注目した冷戦史観を批判したO・A・ウェスタッドは、世界各地域の動向に目を配り *Cold War: World History* を上梓した(Westad 2017)。しかしいずれも、地球表面のおよそ三分の一を占める太平洋は、冷戦を語るうえで等閑視されている。

だが第二次世界大戦後の米ソ間の核開発競争、さらに米ソ以外の国への核拡散が進むなか、太平洋は核開発の「中枢」と直接的に結びつけられ、核兵器の爆発実験(以下、核実験)をはじめ核開発が集中し、「核の海」とされた(アレキサンダー 一九九二)。核保有国が太平洋を好き勝手に利用してきた様から、太平洋は核保有国の「核の遊び場」(Nuclear

Playground)とも呼ばれた(Firth 1987)。

そうしたなか「核の海」とされた太平洋に抗ってきた人たちに本稿は注目していく。かれらはどんな歴史を築いてきたといえるのだろうか。冷戦期の核開発は、米ソを基軸とする東西問題としてのみとらえていいのであろうか。周縁に置かれている太平洋の海に想像力の射程を延ばし、「冷戦」という時代を本稿は見つめなおしていく。

一、マーシャル諸島発「もう一つの原水爆禁止運動」

「……実験がもたらす危険は高まっている。ロンゲラップとウトリックと呼ばれる二つの環礁の居住者の間で、死をきたす影響がすでに及んでおり、程度の差はあるが、血球数の低下、火傷、吐き気、脱毛などで今苦しんでいる」(UN, T/PET. 10/28)。

一九五四年三月一日、米国が中部太平洋のマーシャル諸島ビキニ環礁で水爆ブラボー実験を実施した。爆心地から一六〇キロ離れた第五福竜丸が被曝したことが公になると、原水爆禁止を求める世論が日本各地で高揚し、世界にもひろがりをみせた。この核実験では日本の漁船員とともに、現地住民も当然ながら被曝していた。核爆発の実験場とされたビキニ環礁から東に約一八〇キロ離れたロンゲラップ環礁と、東に約五〇〇キロ離れたウトリック環礁で暮らしていた住民は、実験後に米軍基地に移送された(竹峰 二〇一五:二八四—二九四頁)。核実験場内に収まらない核被害の広がりが明確な形で現れた。そうしたなかマーシャル諸島で、「死に至らしめる兵器の爆発を我が島の領内で行うことへの苦情」を国連に申し立てる請願書が作成された(UN, T/PET. 10/28; DOE, NV0400040)。

「死に至らしめる兵器が、一人ひとりにおよぼす危険」とともに、「自分たちの土地から追い出されている人たちの数が増えていることにも、大きな懸念を抱いて」の行動であった。「マーシャル諸島の人びとにとって、土地は非常

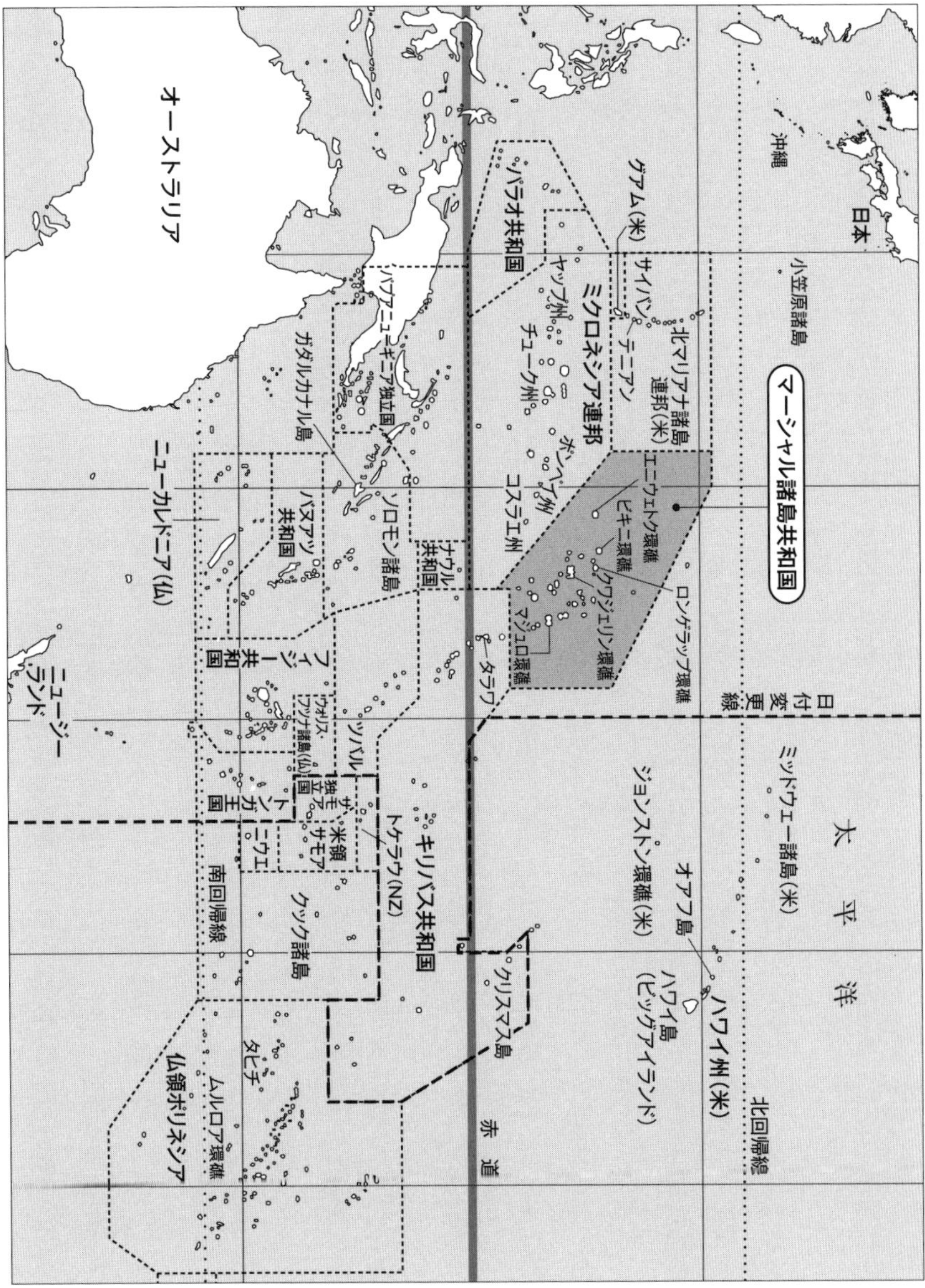

図1　オセアニア地図
(竹峰 2015：16-17をもとに修正)

に重要な意味を持っている。土地は、食糧となる作物を植えたり、家を建てたり、あるいは死者を埋葬することができる場という以上の意味を持っている。土地はまさに、人びとの命そのものである」(UN, T/PET. 10/28)と訴える。そのうえで「具体的な行動」として、「一、致死的兵器の実験をただちに停止すること」が、請願の筆頭要求項目に掲げられた。「二、……停止できない場合」は、「兵器の実験前にあらゆる予防手段を講ずること」とともに、「補償基金を設けること」などの要望が請願に盛り込まれた(*Ibid.*)。

以上の請願書はマーシャル地区議会の全議員一一名と一〇〇名の住民の署名を添えて、一九五四年四月二〇日、国連信託統治理事会に提出された。マーシャル諸島は当時、米国を施政権者とする国連の信託統治領であった。同請願は、マーシャル地区議会議員で当時三五歳のドワイト・ハイネが主導した。両親や祖父母を戦時中に日本軍に殺された経験をドワイトはもち、「マーシャル諸島人は米国人が好き」(DOE, NV0400040: 12)と語る。だが「人びとの関心を集めるには、私たちが大きな声で呼びかけるしかない」(*Ibid.*: 6)と、国連請願の行動を起こしたのである。

マーシャル諸島住民が出した請願は、一九五四年七月国連信託統治理事会で議題にあげられた。米政府代表メイソン・シアーズは「深い遺憾の意」を表明し、核実験で現地の人が被害に遭ったことを国連の場で認め、今後は繰り返さないことを約束した(DOE, NV0400107: 2)。他方、マーシャル諸島での核実験停止に対しては、「より少ない危険で成功裏に行える場所は、米国が管轄する世界のどこを探しても他にはない」、「ソ連だけが核実験を行うべきだとは、誰も合理的に主張できない」と、マーシャル諸島の米核実験実施の正当性をシアーズは主張した。信託統治理事会ではマーシャル諸島の人たちからの請願に対して、「世界平和と安全保障の観点から信託統治地域でさらなる核実験が必要だと考えるならば、……地域住民がふたたび危険に晒されないような予防措置」を求める、西側陣営の英・仏・ベルギーの共同提案決議が採択された(*Yearbook of the United Nation 1954*: 362-363)。

この請願行動はAP通信を通じて世界各地に配信された。また「米国にとって、最近閉幕した第一四回信託統治理事会の最重要議題は、核兵器の実験場に島々が使用されることに抗議するマーシャルの人びとの請願であった」と米政府代表メイソン・シアーズからダレス米国務長官宛てに機密書簡が送付されていた(DOE, NV0403783)。マーシャル諸島からの請願に対して米国の核実験を「黙認」する決議が可決されたが、「この問題が終わったわけではない」とシアーズは国務長官に、再発防止のためのあらゆる予防措置を講じ、住民への補償と帰還措置を講じることを勧告した。このままでは核実験継続へ「国連で最も親しい同盟国からの支持も得ることが難しくなるかもしれない」との危機感が示された。ただマーシャル諸島での核実験はその後も続けた。

一九五六年三月、新たな連続核実験「レッドウィング作戦」の実施が発表された直後、マーシャル諸島から国連視察団を通じて国連信託統治理事会に、すべての核実験を中止すること、それができない場合は、あらゆる安全対策とその他の必要な措置を講じることを求める請願が再び提出された(UN, T/PET. 10/29)。だが米政府は、ソ連との核開発競争のなかで、マーシャル諸島で核実験を繰り返し、しかも実施の頻度をあげた。

一九五八年四月から連続核実験「ハードタック」作戦が開始されるなか、先述のドワイト・ハイネが、同年六月二四日、信託統治理事会で請願に基づく陳述の機会を得て、マーシャル諸島を核実験場として使用し続けることに再び抗議した(*Yearbook of the United Nation 1958*: 367)。同請願に応え、インドが、信託統治領内またはそれに近接した場所で核実験を行わないよう米国に要請する決議案を提出したが、賛成四票対反対七票(棄権二票)で否決された。しかし、「マーシャル諸島でこれ以上実験するのは賢明ではない」との見解が、ダレス国務長官から米原子力委員会に一九五八年一一月に伝えられていた(DOE, NV0092202: 140-141)。

一九五八年八月一八日、マーシャル諸島で六七回目となる核実験「フィグ」がエニウェトク環礁で実施され、この実験をもってマーシャル諸島での核実験を米国は止めた。しかしより多くの核実験がマーシャル諸島で計画されていたことが、米公文書で浮かび上がってきた。例えば一九六〇年一〇月ソ連が超大型水爆実験を実施したことに対抗し、マーシャル諸島で再び核実験を行おうと米国は動いた。六一年一一月、米原子力委員会の会議で、実験場は「第一にエニウェトク/ビキニ、第二にクリスマス島、第三にジョンストン島とヒロを検討する」ことが決定された(DOE, NV0411666: 24)。くわえて核弾頭を装着したロケットを打ち上げ、大気の超高層部で爆発させる実験がマーシャル諸島で予定されていた(DOE, NV0072483: 2-3)。だが同実験をマーシャル諸島で行えば「複数の環礁に影響が広がり、人の目に被害がおよぶかもしれない」と予測された。「「ブラボー実験」の後、ホワイトハウスは島の原住民にこれ以上の迷惑をかけないことを確約していた。この確約のためホワイトハウスはビキニにおける「大気圏外核実験」を承認せず、困りはてた司令部の指揮官は実験場をハワイから一一〇〇キロに位置するジョンストン島に移すことを決定した」(オキーフ 一九八三:二三七頁)と、核実験に参加していたバーナード・オキーフは指摘する。

米原子力委員会のグレン・シーボーグ委員長は、一九六一年一一月二九日付のケネディ大統領宛の機密書簡で、「技術的には〔マーシャル諸島の〕エニウェトク実験場が最も望ましい」としながら、「政治的に困難だ」と述べている(DOE, NV0073358: 5)。米内務省のジェームズ・カー長官代理は、マーシャル諸島が再び核実験に使われる可能性に「深い懸念」を表明し、「太平洋諸島信託統治領でのいかなる実験も行わないよう」、米原子力委員会グレン・シーボーグ委員長に勧告していた(DOE, NV0075480: 2)。マーシャル諸島で核実験が再開されることはなかった。

一九六三年八月、国際世論に押され、米英ソ三国の間で部分的核実験禁止条約が調印され、同年一〇月に発効した。同条約は核実験を部分的に禁止したもので、地下核実験という抜け穴があった。他方、同条約が発効したことで、マーシャル諸島発の「実験をただちに停止すること」を求める国連請願はここに実現したのである。しかし、太平洋と核をめぐる問題は、マーシャル諸島の核実験の中止で終わるものでは到底なかった。

二、非核独立太平洋運動の誕生と展開

「核の遊び場」として太平洋を使ったのは米国だけではなかった。イギリス(以下、英国あるいは英)はオーストラリア(以下、豪州あるいは豪)北西部の離島モンテベロ諸島と、中南部のエミューフィールドとマラリンガで、一九五二年から原爆実験を一二回実施した(細川 二〇二〇)。英政府は豪政府から実験許可を得ていたが、実験場周辺の先住民族には何らの説明をしなかった。アボリジナルの人びとは、一九六八年まで豪国勢調査の対象に含まれておらず、マーシャル諸島と同様に先住民族は、同じ人として見なされてはいなかったのである(アレキサンダー 一九九二:三二頁)。英国は水爆実験も実施しようとした。だが豪州から許可が得られず、現在のキリバス共和国に位置する中部太平洋のモールデン島とクリスマス島に実験場を移した(Donaldson et al. 2022)。西サモアから国連信託統治理事会に反対請願が出されたが、九回の原水爆実験が一九六三年まで同地で実施された(Maclellan 2017: 34-36, 76)。一連の英核実験には英軍にくわえ、豪軍、ニュージーランド(以下、NZ)軍、さらに当時英植民地であったフィジー軍が動員された。

一九六三年部分的核実験禁止条約が調印され、米英が太平洋での核実験を停止した後、新たに太平洋で核実験を始めた国があった。フランス(以下、仏)である。仏は、北アフリカのアルジェリアで核実験を実施してきたが、同地が独立したため、新たな核実験場として選ばれたのが仏領ポリネシアであった。仏領ポリネシアのモルロア(ムルロア)とファンガタウファの両環礁で仏は一九六六年から九六年にわたって、一九三回もの原水爆実験を繰り返した(真下 二〇二〇)。大気圏内核爆発は一九七五年から取り止めたものの、その後も地下核実験は継続され、サンゴ礁が損傷したり、放射性物質の漏れや染み出しが発生したりした(Burrows et al. 1989: 10-17)。

仏核実験は計画段階から南太平洋地域で反発が広がった(Ogashiwa 1991: 1-9)。クック諸島は一九六五年に南太平

洋会議(SPC)で抗議決議の採択を求めた。実施が強行されるなか七〇年には、フィジーとパプアニューギニアが同会議で再び仏核実験問題を提起した。しかし同会議には仏も加わっており、政治問題を取り上げることも制限されており、決議の採択には至らなかった。その後、南太平洋地域が自ら主導権を取って新たな地域共同体の創設が必要であると、西サモア(六二年独立)、クック諸島(六五年独立、NZとの自由連合)、ナウル(六八年独立)、トンガ(七〇年独立)、フィジー(七〇年独立)が、豪、NZとともに、一九七一年に南太平洋フォーラム(SPF)を立ち上げ、仏核実験に対する抗議声明が採択された。一九七二年には豪とNZが、フィジーとともに、日本など環太平洋国も取り込み、大気圏核実験の停止を求める決議を国連総会に提出し、国連第一委員会で採択された(*Ibid.*: 10-11)。また、NZは、同年仏核実験に抗議するため軍艦を実験場に派遣したり、翌七三年には、豪州とともに、国際司法裁判所に仏を提訴したりもした(浦田 一九八九:一六七頁)。

仏核実験反対の声は草の根レベルでも広がりをみせた。南太平洋大学の教職員、学生、キリスト教関係者らによる仏核実験に反対する住民団体ATOMが主導して、非核太平洋会議(太平洋反核会議とも呼ばれる、Nuclear Free Pacific Conference)が一九七五年にフィジーで開催され、二二カ国・地域から九三人の代表が会した(Johnson et al. 1976)。太平洋各地の住民運動や社会運動が初めて出会い、ムルロアで続く仏核実験をはじめ、植民地や人種差別を背景に核大国が太平洋で展開する核活動に、太平洋の民が共同して抗う、新たなネットワークが創設されたのである(CNFP 1975)。同会議で太平洋を非核地帯にする条約案が起草され、各国政府に働きかけることが決議された。

一九七五年七月、政府関係者が集う南太平洋フォーラムでも、NZが主導し、南太平洋非核地帯構想が話し合われ、全会一致で同構想は支持された(小柏 一九九〇:四七七―四七八頁)。さらにNZ、フィジー、パプアニューギニアが共同提案者となり、国連第一委員会で同構想実現に向け協議を進め、核兵器国にも協力を呼び掛ける決議が、同年一二月に採択された。しかしその後NZと豪州で保守政権が返り咲き、南太平洋フォーラムの場では非核太平洋地帯創設に向けた議論は進まなかった。しかし、西サモアが一九七八年、国連総会で太平洋の非核化の希望を表明したり、フィジーが八〇年、八二年と、国連総会で南太平洋非核地帯構想の実現を唱えたりするなど、太平洋島嶼国は非核地帯の実現にむけた発信を国際社会に続けた（同：四七九―四八〇頁）。

さらに七四年フィジーで開催された草の根レベルの非核太平洋会議は、七八年にはミクロネシアのポナペ、八〇年にはハワイ、八三年にはバヌアツで開催された（横山 一九八七）。植民地や人種差別を背景に、核大国による核開発が先住民族の犠牲の上に進められていることが浮き彫りになり、「独立なくして核問題の解決はない」という共通認識が確立し、会議の名称は、非核独立太平洋会議（傍点は著者：太平洋反核独立会議とも呼ばれる、Nuclear Free and Independent Pacific Conference）と、八三年のバヌアツ大会から改称された。同会議のなかで非核地帯の確立、脱植民地化、先住民族の権利の承認を求め「非核独立太平洋人民憲章」が採択された（Firth 1987: 133-137; アレキサンダー 一九九二：一〇九―一一九頁）。核大国によって核実験場とともに、核兵器の貯蔵や配備、原子力潜水艦の寄港などが押し付けられ、ミサイル実験、合同演習、基地、ウラン鉱山、核廃棄物などでも自らの土地や海が脅威に晒されたりしているなど、実に多様な核問題が、独立運動とともに、非核独立太平洋会議のなかに持ち込まれた。

そのなかで日本は核の加害国としても登場するのであった（横山・近藤 一九八〇）。一九七二年、日本は原発から出る低レベル放射性廃棄物を陸地とあわせて海洋処分を行う方針を、原子力開発利用長期計画で打ち出した（原子力安全委員会 一九七九：三頁）。北マリアナ諸島北端から約八〇〇キロ離れた、小笠原諸島北東の水深六二〇〇メートルの公海域が候補地とされた。核廃棄物をセメントで固めドラム缶に密閉して、深海の底に投棄し「環境への影響は極めて小さい」（同：一五頁）と、日本の原子力委員会は一九七九年一一月に発表した。

しかしマリアナ諸島で「太平洋への核廃棄物投棄に反対するマリアナ同盟」が結成され、グアムやサイパンなどで署名運動やデモや集会が展開され、小笠原諸島にも連帯が呼び掛けられた（自主講座 一九八〇―八三）。 九八〇年二月には、グアム議会と北マリアナ連邦議会で反対決議が採択され、翌月パラオ議会でも「戦争国が我々の同意なしに、我々の土地を奪い、使った軍事政策の延長である」(荒川 一九八〇)と反対決議があげられた。

一九八〇年一〇月には白紙撤回を求めテニアン市長のフィリップ・メンディオラが来日し、南洋群島の日本統治と戦禍を潜り抜けてきた自らの人生を重ね、日本語で次のように訴えた。「自分のゴミを人の近くに持ってきて、原子力のいいところだけを使って、いよいよそれが危くなったり、悪くなってから南洋群島へ投げてやるということだけは、もう話の筋になってません」(メンディオラ 一九八〇)。「やっと戦争が終わり、これで爆弾もなけりゃ、召集もないとみんな安心し、質素な暮しながらも自分の家をつくりなおして生活しているところに、……原子力のゴミというか、……危険なものを私たちの近くに持ってきて投げる、……日本政府は私たちをどこまでも踏みつぶそうというか、まるでうらみがあるかのように考えられるんです」とフィリップは怒りをぶつけた。

「海は私たちの農場であり、狩場であり、そして森林なのです。……食料であり、商業、レクリエーションにとって欠くことのできないものなのです」と、翌八一年、北マリアナ連邦のカルロス・カマチョ知事が来日して訴えた。「先進国の手によって戦争や核の事故、人権の無視による犠牲者にされてきました。……これ以上私たちの島々が、……危険きわまりない誰もがきらう核廃棄物の捨て場」となることに断固反対を表明した(カマチョ 一九八一)。

日本による核廃棄物海洋投棄計画への抗議は、太平洋一円に広がった。一九八〇年五月ハワイの非核太平洋会議で反対決議がなされ、反対署名運動が提起され、太平洋各地、さらに世界にも広がりをみせた(横山 一九八一：二三頁)。市民運動の場だけでなく、八〇年七月、キリバスで開催された南太平洋フォーラムでも非難決議が採択された(Ogashiwa 1991: 17-20)。翌年バヌアツで開催された南太平洋フォーラムでは、ツバルが核実験と放射性廃棄物の海洋投棄の危険性に関する意見書を提出し、核廃棄物は本国で投棄するよう日本に求める決議が採択された。

これらの非難に対し、海洋投棄の「安全性」を訴える英語のパンフレットを科学技術庁は用意し、「説明団」をグアムとサイパンに派遣し、さらに南太平洋の国々にも派遣した。だが「私たちの太平洋は日本の核廃棄物のゴミ捨て場ではありません」(横山 一九八一:二四頁)など、海洋投棄計画に対する現地の反発が止むことはなかった。

三、「非核太平洋」地帯の創設

南太平洋のメラネシアの新生国家は独立の証として非核政策を打ち出した。一九八〇年独立を果たしたバヌアツは、米軍艦船の入港を拒否し、八三年には核実験や核廃棄物の投棄、核艦船の通過などを認めないとする非核宣言を国会で議決した(リニ 一九八五:九頁)。核廃棄がいかに安全であるかを日本の科学技術庁が説明しにバヌアツに来た時も「会う必要はない」(同:二〇頁)と断った。バヌアツの北西に位置するソロモン諸島は、一九七八年に独立し、一九八四年に米艦船の訪問を受け入れ国内で激しい抗議を受けた。その後、核艦船の寄港を禁止し、包括的な非核地帯を支持する立場をとる。さらにソロモン諸島の西に位置するパプアニューギニアは一九七五年に独立し、八一年外交白書で「太平洋諸島地域が非核地帯と宣言されることを目指す」として、太平洋諸島による新たな地域組織の設立を提唱した(Hamel-Green 1991: 69)。

豪州は労働党が政権を取り戻し、一九八三年南太平洋フォーラムで南太平洋非核地帯条約案を提示した。島嶼地域の非核化の高まりを踏まえ、八年ぶりに非核地帯が南太平洋フォーラムの議題となったのである。ただし豪州案は、ANZUS《アンザス》条約で安全保障上、密接な関係をもつ米国の核戦略の制約とならぬよう設計されたものであった(Hamel-Green 1990: 144; Ogashiwa 1991: 93-94)。

条約交渉で最も議論となったのは、核を積んだ可能性がある艦船および航空機の通過・寄港の扱いであった。豪の条約案は核兵器の侵入、とりわけ船舶の寄港やミサイル実験を規制する上で不十分であると、パプアニューギニア、ソロモン諸島、バヌアツなどは批判した(Hamel-Green 1998: 60)。他方、フィジーはアメリカの圧力を受け核艦船寄港受け入れに転じた(Firth 1987: 141-142)。NZは労働党政権となり一九八三年米核艦船の寄港拒否を発表したが、非核地帯条約の制定そのものを優先し、条約交渉では艦船の寄港を容認する豪州案を支持した(Ogashiwa 1991: 95; Lange 1990: 171)。また「ソ連の脅威から地域を守るため、核兵器の配備を禁止する必要はない」とする、豪州の保守系野党やトンガらの主張もあった(*Ibid.*)。結局「核艦船および航空機の通過・寄港」は条約上に言及したうえで、「各国の主権」に委ねることで妥協が図られた。

以上の議論を踏まえ、「南太平洋非核地帯条約」(ラロトンガ条約)は一九八五年八月六日広島の原爆投下から四〇年を迎えた日に締結署名された。一、締約国による核兵器の製造、所有、他国からの取得の禁止(三条)、二、域内における核爆発装置の実験の禁止(六条)、三、核兵器配備の禁止、ただし核艦船および航空機の通過・寄港は各国の主権判断(五条)、四、域内での核廃棄物海洋投棄の禁止(七条)が定められた。このうち核廃棄物の海洋投棄禁止は、豪州案にはなかった条項で、島嶼国の粘り強い要求の末に盛り込まれた(Ogashiwa 1991: 96-97; 小柏 一九九〇:四八八—四九九頁)。核廃棄物投棄の禁止は陸地には及ばない限界もあるが、南太平洋非核地帯条約は、非核の課題として核廃棄物を先駆的に位置付ける条約になった。

南太平洋非核地帯条約は、豪州、クック諸島、フィジー、キリバス、NZ、ニウエ、サモア、ツバルの計八カ国・地域が、一九八五年八月六日の条約採択と同時に調印した。翌九月にはパプアニューギニアが調印し、同年一二月に南太平洋非核地帯条約は発効した。その後、ナウルとソロモン諸島が八七年に調印した。核大国の海とされてきた太平洋で、抗いのなかから、非核地帯という新たな地域空間が創設されたのである。

しかし、この条約は太平洋のすべての国と地域を包括したものとはならなかった。南太平洋でもっとも声高に非核化を追求してきたバヌアツは、「核兵器運搬システムやウラン採掘の禁止を盛り込むべき」、「ミクロネシアの米国領は含まれていない」(Hamel-Green 1990: 92)などと批判し、同条約に調印しなかった。バヌアツが批判したように同条約は、太平洋の海を範囲に含む一方、赤道以北の太平洋の島々は含まなかった。そのため米国の施政下にあったマーシャル諸島、ミクロネシア連邦、ベラウ(パラオ)、北マリアナ諸島は、非核地帯条約の圏外に置かれた。ミクロネシア連邦は南太平洋フォーラムに当時からオブザーバー参加しており、非核地帯に含むよう求めていた(Ogashiwa 1991: 97-98)。しかし、米国が軍事・安全保障上の権限を有し、その代わり米国が財政援助を行う自由連合協定の交渉が米国の施政下にある島々で進むなかで、米国との間に摩擦を起こすことを豪州は望まなかった(*Ibid.*: 98)。

他方、南太平洋非核地帯条約の圏外でも非核の制度は生み出された。ミクロネシア連邦では、「放射性物質、毒性化学物質、その他の有害物質は、ミクロネシア連邦政府の明示的な承認なしに、ミクロネシア連邦の管轄区域内で実験、貯蔵、使用、または廃棄することができない」(第一三条第二項)ことを定めた憲法が一九七九年に施行された。パラオでは、「核兵器、化学兵器、ガス・生物兵器、そしてまた原子力発電所、そこから出る廃棄物など、有害物質は、パラオ領内で、使用、実験、貯蔵あるいは廃棄されてはならない」(第一三条第六項)とする憲法が一九七九年起草された。米軍事戦略に真っ向から対立する憲法に、米側は修正要求を行った。だがそれをはねのけ、二度にわたる住民投票を経て、「自分たちのことは自分たちで決められる社会を」(上田・荒川 一九八五:七頁)と、非核憲法のもとパラオ自治政府が一九八一年発足した(反公害輸出通報センター 一九八一)。

同じく南太平洋非核地帯条約の圏外となった北マリアナ諸島では、海洋投棄反対の世論が盛り上がりをみせた(反公害輸出通報センター 一九八五:一一一四頁)。知事の呼びかけで八四年一一月「核問題意識化週間」と題する反海洋投棄キャンペーンが島ぐるみで二週間展開され、子どもたちによるポスターづくりや中曽根首相に手紙を書くとりくみが学校で行われ、街では映画の上映会が行われたり、地元のラジオ番組で関連番組が連日放映されたりした。そうしたなかで憲法の環境権規定(第一条第九項)に「地上または海中の土地および水域内での核物質または放射性物質の貯蔵、およびあらゆる種類の核廃棄物の投棄または貯蔵は、法律で定められている場合を除き、禁止される」との文言が新たに加えられた（宮内 一九八五：一六頁）。中曽根首相は八五年一月、南太平洋四カ国歴訪の際、強い反対の声を前に、「海洋投棄計画を凍結する」と各国首脳に表明した。

南太平洋非核地帯条約を調印したNZは、豪州とともに米国との安全保障協定ANZUSを締結していたが、一九八七年に「NZ非核地帯・軍縮・軍備管理法」を成立させた。原潜の入港を禁止し、外国軍艦は核爆発装置を搭載していないことを首相が確認した場合に限り寄港を認めると規定された。また非核化を進めていくうえで、軍縮・軍備管理担当大臣が新たに設けられ、同大臣のもとで軍縮および軍備管理に関する諮問委員会がNZに設立された。

非核化に対し、力で封じ込める動きも顕在化した。仏領ポリネシアの核実験周辺海域に船で入り込み抗議活動を展開していた環境NGOグリーンピースの船「虹の戦士号」がNZ停泊中に爆破され一人が死亡する事件が、南太平洋非核地帯条約採択の約一カ月前の一九八五年七月に発生した。仏情報機関「対外治安総局」（DGSE）の犯行であることが明らかになった（ダニエルソン 一九八五）。仏領ポリネシアのファファ市長オスカー・テマルは、「「虹の戦士号」に医師や科学者を乗組ませ、……健康調査を実施する手筈を整えていた」ことを指摘し、「都合の悪い事実が明るみに出るのを阻止する」ためであったとの見方を示す。同爆破事件のわずか一〇日前の六月三〇日には、パラオの非核憲法の起草委員長で初代大統領のハルオ・レメリークが暗殺される事件も発生した（豊崎 二〇〇五：三四六頁）。

太平洋で非核の制度化は進んでも、核被害者の救済には直結しなかった。「世界の人々も太平洋の人々もロンゲラップ環礁の住民の窮状について何も知らない」。ロンゲラップ選出の国会議員チェトン・アンジャインは、非核独立太平洋運動にかかわるギフ・ジョンソンに手紙で訴えた（同：三〇八―三〇九頁）。一九八四年二月、ロンゲラップ自治体は、米医師団の追跡調査への不信もあり、子どもたちの未来を思い、残留放射能から逃れるため自らの土地を離れる重大な決断を下した（同：三〇五―三二六頁）。米政府から一切の支援が得られないなか、チェトンは「ミクロネシア支援委員会」のギフ・ジョンソンに協力を依頼した(竹峰 二〇一五:三五一頁)。ギフは、船を使って非核太平洋キャンペーンを計画しているグリーンピースをチェトンに紹介し両者をつなげた。一九八五年五月一七日、ロンゲラップ環礁に虹の戦士号が姿を現し、住民とともに家や学校を解体した資材が四回にわけて運ばれた(豊崎 二〇〇五:三二〇—三二五頁)。チェトンはロンゲラップを離れた後も米政府・議会に働きかけを続けた。ロンゲラップ環礁の放射能調査予算を米国側から引き出し、一九九一年にはロンゲラップ環礁を再調査する必要性を米政府に認めさせた(同:三一九頁)。同年ロンゲラップの人びととチェトンに対し、もう一つのノーベル賞と呼ばれる「ライト・ライブリフッド賞」が贈られた(Anjain 1991)。「汚染されていないロンゲラップに暮らす権利を掲げ、米国の核政策に断固たたかいを挑んでいる」と評価されての受賞であった。

おわりに

「冷戦」と呼ばれる時代を太平洋の海からみつめると、核開発のなかで犠牲になった地域や人びとの姿が顕在化する。冷戦は、核開発競争が激化し核兵器が拡散しただけでなく、核被害が拡散した時代であったととらえていく必要があるのだ。

二〇〇四年水爆ブラボー実験から半世紀を経た日に、米政府を代表して現地で演説した駐マーシャル諸島米大使のグレタ・モリスは、「マーシャル諸島の人びとは、冷戦を平和的にそして成功裡に終結させることを支え、世界の多くの場所に民主主義と自由の確立を導くために、重要な貢献をしました。この多大な貢献は、すべてのマーシャル諸島の人びとが誇りを持つべきものです」(前田ほか 二〇〇五:三五四—三五八頁)と挨拶した。核実験場とされた地域の犠牲は、冷戦の勝利や自由と民主主義を世界に広げた、「貢献」に置き換えられたのである。

しかし核開発の犠牲は、一方的に押し付けられたものであり、第二次世界大戦の前から続く植民地支配の権力が背後にあることを見逃してはならない。マーシャル諸島、仏領ポリネシア、キリバスのいずれも植民地とされていた地域が、冷戦期に核実験場とされたことは、核植民地主義(Nuclear Colonialism)の象徴である。仏核実験反対に端を発して誕生した非核太平洋会議は、安全であるか否かではなく、核開発の負荷を太平洋に一方的に押し付ける行為と、その根本にある植民地や先住民族への差別を問題化し、太平洋諸島発の反核独立運動として展開した。冷戦期の米ソ間の核開発競争、さらには米ソ以外の国への核拡散は、植民地や人種差別なくして成り立たないものだったのである。冷戦期の核開発は、東西問題としてとらえられてきたが、南北問題としての視野も持ち、世界の格差構造のなかで、核問題をとらえ直していく必要性を、核と太平洋の歴史は教えてくれる。

太平洋の民と核大国との間には絶対的な格差があり、先住民族の差別のもとで、同じ人としてさえみなされてこなかった。しかしそうした格差構造のなかでも、国連を通じて、あるいは、太平洋の地域が協働したりして抗うなかで、核大国をも揺るがし、核実験を政治的にできない状況を作り出したり、南太平洋非核地帯条約をはじめ非核制度を太平洋の各地で生み出したりしてきた。冷戦期の太平洋は、核保有国が互いに核開発競争を繰り広げただけでなく、核実験反対の現地の声、さらに非核化を追求した地域の政治動向や社会運動との間でも、核保有国は攻防を展開していたのである。

南太平洋非核地帯条約が主眼とした仏核実験は一九九六年に終了し、仏は同条約議定書に批准した。その結果、南太平洋非核地帯条約は、米、ロ、英、仏、中に対して核爆発装置の製造、配置、実験を南太平洋でさせず、核使用をもさせないという法的拘束力を与えるものとなった(Hamel-Green 1998: 69)。同非核地帯条約には、制定当時反対したバヌアツとトンガも加盟し、東南アジア非核地帯条約をはじめ非核地帯の拡大にも貢献した(*Ibid.*: 69-70)。

オセアニアの核は、過ぎ去った問題では決してない。マーシャル諸島、仏領ポリネシア、キリバス、豪州などいずれの場所でも未結の核被害補償問題があり、正義の実現を求める声がある（竹峰 二〇二二a、細川 二〇二〇、真下 二〇二〇、Donaldson et al. 2022）。不可逆性をもつ核被害を前に未来をどう切り拓いていくのか、核被害の現場にとってのニュークリア・フリー（非核）とは何なのか、被害の実態解明とともに探求していくことが求められる。

二〇二一年四月、東京電力福島第一原子力発電所で発生しタンク貯蔵されている「汚染水」を太平洋の海に放出する計画を日本政府が正式発表した。排出するのは「処理水」で「安全」であると日本政府は強調する。しかし、南太平洋フォーラムの継承機関である太平洋諸島フォーラム（PIF）は、南太平洋非核地帯条約が放射性廃棄物の海洋投棄の禁止を謳っていることを想起し、同計画に深い憂慮を表明する事務局長談話を即座に発表した（Taylor 2021）。北マリアナ諸島では、かつての海洋投棄計画の再来とみられ、核と太平洋の歴史を踏まえ反対決議が議会で全会一致で採択された（竹峰 二〇二二b）。歴史を踏まえ、自分のところで処理できないものを太平洋に流す行為自体が問題視されているのである。

参考文献

荒川俊児（一九八〇）「パラオ議会が日本の核廃棄物海洋投棄に反対決議」『月報公害を逃すな』一九八〇年三月号。

アレキサンダー、ロニー（一九九二）『大きな夢と小さな島々――太平洋島嶼国の非核化にみる新しい安全保障観』国際書院。

石上正夫（一九八三）『日本人よ忘るなかれ――南洋の民と皇国教育』大月書店。

上田昌文・荒川俊児（一九八五）「太平洋の民衆がかちとった南太平洋非核地帯条約」『月報公害を逃すな』一九八五年一〇月号。

浦田賢治（一九八九）「非核政策と非核立法――ニュージーランドの場合」『比較法学』二三（二）。

小柏葉子（一九九〇）「南太平洋フォーラム諸国の地域協力――南太平洋非核地帯条約成立をめぐって」『国際法外交雑誌』八九（五）。

オキーフ、バーナード（一九八三）『核の人質たち――核兵器開発者の告白』原礼之助訳、サイマル出版会。

カマチョ、カルロス（一九八一）「私たちにとって海は農場であり、狩場であり、森林なのです」『月報公害を逃すな』一九八一年七月号。

原子力安全委員会(一九七九)『低レベル放射性廃棄物の試験的海洋処分に関する環境安全評価について』一一月一二日。

自主講座(一九八〇—八三)『反核太平洋国際署名運動ニュース』(『土の声　民の声」号外：反核太平洋国際署名運動特集』一—一二九号)。

竹峰誠一郎(二〇一五)『マーシャル諸島　終わりなき核被害を生きる』新泉社。

竹峰誠一郎(二〇二二a)「核兵器禁止条約がもつ可能性を拓く——世界の核被害補償制度の掘り起こしと比較調査を踏まえて」『平和研究』五八。

竹峰誠一郎(二〇二二b)「『海を汚すな』　太平洋諸島からの眼差し」『週刊金曜日』一二月九日(一四〇四)号。

ダニエルソン、マリー＝テレーズ、ベンクト・ダニエルソン(一九八五)「おどろおどろしいグリーンピース事件」『月報公害を逃すな』一九八五年一〇月号。

豊﨑博光(二〇〇五)『マーシャル諸島　核の世紀　一九一四—二〇〇四』下巻、日本図書センター。

反公害輸出通報センター(一九八一)「十字路にたつ新生「ベラウ(パラオ)共和国」」『月報公害を逃すな』一九八一年五月号。

反公害輸出通報センター(一九八五)「太平洋を核のゴミ捨て場にするな」『月報公害を逃すな』一九八五年一月号。

細川弘明(二〇二〇)「権利と尊厳の回復への長い道のり——オーストラリア・ニュージーランド(ANZ)の核実験被害補償」『環境と公害』五〇(二)。

前田哲男・高橋博子・竹峰誠一郎・中原聖乃(二〇〇五)『隠されたヒバクシャ——検証＝裁きなきビキニ水爆被災』凱風社。

真下俊樹(二〇二〇)「フランス核実験被害者補償制度——「因果関係の推定」をめぐる攻防」『環境と公害』五〇(二)。

宮内泰介(一九八五)「北マリアナ　非核地帯化、立法化へ」『月報公害を逃すな』一九八五年八月号。

メンディオラ、フィリップ(一九八〇)「テニアンからの訴え」『月報公害を逃すな』一九八〇年一一月—一二月合併号。

横山正樹(一九八一)「核廃棄物の海洋投棄反対運動——太平洋諸島の住民の場合」『公害研究』一〇(四)。

横山正樹(一九八七)『太平洋諸民族の反核・独立運動』四国学院大学社会学科横山研究室(横山が非核独立太平洋会議に参加し『土の声　民の声』などに寄稿した参加報告記を所収)。

横山正樹・近藤和子(一九八〇)「世界に広がる「廃棄物処理」反対運動」『朝日ジャーナル』一〇月三一日号、二二(四四)。

リニ、ヒルダ(一九八五)「バヌアツ——私たちはいかにして独立をかちとったのか」『月報公害を逃すな』一九八五年四月号。

Anjain, Jeton (1991), "Acceptance speech-Senator Jeton Anjain/The Rongelap People", Right Livelihood (https://rightlivelihood.org/speech/acceptance-speech-senator-jeton-anjain-the-rongelap-people/), Accessed 5 Feb. 2023.

Burrows, Andrew, Robert Norris, William Arkin, and Thomsas Cochran (1989), *French Nuclear Testing, 1960-1988*, Washington, D. C., Natural Defense Resources Council.

CNFP: Conference for a Nuclear Free Pacific (1975), *Conference for a Nuclear-Free Pacific, Suva, Fiji, 1975.*

DOE: U. S. Department of Energy, OpenNet documents (https://www.osti.gov/opennet/advanced-search), Accession Number: NV0072483, NV0073358, NV0075480, NV0092202, NV0400040, NV0400107, NV0408783, NV0411666.

Donaldson, Ben, Elizabeth Minor, Becky Alexis Martin, and Matthew Breay Bolton (2022), "Addressing British nuclear tests in Kiribati: a new opportunity for victim assistance and environmental remediation", UNA-UK and Article 36.

Firth, Stewart (1987), *Nuclear Playground*, Honolulu, University of Hawaii Press.

Gaddis, John Lewis (1987), *The long peace: inquiries into the history of the cold war*, New York, Oxford University Press.

Hamel-Green, Michael (1990), *The South Pacific Nuclear Free Zone Treaty: a critical assessment*, Canberra: Peace Research Centre, Research School of Pacific Studies, Australian National University.

Hamel-Green, Michael (1991), "Regional Arms Control in the South Pacific: Island State Responses to Australia's Nuclear Free Zone Initiative", *The Contemporary Pacific*, 3(1).

Hamel-Green, Michael (1998), "The South Pacific——The Treaty of Rarotonga", R. Thakur (ed.), *Nuclear Weapons-Free Zones*, London, Palgrave Macmillan.

Johnson, Walter, and Sione Tupouniua (1976), "Against French Nuclear Testing: The A. T. O. M. Committee", *The Journal of Pacific History*, 11(4).

Lange, David (1990), *Nuclear free: The New Zealand way*, Auckland, Penguin.

Maclellan, Nic (2017), *Grappling with the bomb: Britain's Pacific H-bomb tests*, Canberra, ANU Press.

MIJ: *The Marshall Islands Journal* (2004), "Matayoshi's words capture people's mood", March 12, 2004.

Ogashiwa, Yoko (1991), *Microstates and Nuclear Issues: Regional Cooperation in the Pacific*, Suva, University of South Pacific.

Taylor, Dame Meg (2021), "Statement by Dame Meg Taylor, the Secretary General of the Pacific Islands Forum, Regarding the Japan Decision to Release ALPS Treated Water into the Pacific Ocean", April 13, 2021.

UN: United Nations Degital Library (https://digitallibrary.un.org), Symbol: T/PET. 10/28, T/PET. 10/29.

Westad, O. Arne (2017) *The Cold War: World History*, New York, Basic Books.

Yearbook of the United Nation 1954, 1958. (http://un.org/en/yearbook)

焦点｜*Focus*

沖縄と現代世界

戸邉秀明

はじめに

奄美・沖縄・宮古・八重山の諸島が連なる琉球弧は、一九世紀後半から二〇世紀にかけて、いくたびも統治者の交替と、それによる社会の巨大な変貌――沖縄語《ウチナーグチ》でいう「世《ゆ》替わり」にさらされてきた。一八七九年、「琉球処分」によって琉球国は日本に併合されて沖縄県となり、人々は長く差別を被った。このヤマト世の時代は、一九四五年、本土決戦を引き延ばすための捨て石となる凄惨な地上戦(沖縄戦)で終わり、米軍による占領統治のアメリカ世が二七年続く。さらに一九七二年、施政権が返還されると再び沖縄県となり、再度のヤマト世で半世紀を経て今日に至る。

これほどの激変を経験した地域は、現在の日本社会でほかにない。そこで近年新設された高等学校の科目「歴史総合」の教科書でも、近現代史を貫く変動を見通せる場所、日本史と世界史の結節点として特筆されている。では沖縄の経験は、とりわけ「冷戦と脱植民地化」に関係づけた時、いかなる意味で現代世界の焦点となるのか。本稿では、まず冷戦について、米軍基地が沖縄にもたらした変化を、国際関係から社会史的な次元まで多層的に捉える。そこからは、米国が在外基地網を地球規模で張りめぐらせた二〇世紀後半以降の新しい支配のあり方が見渡せるだろう。また脱植民地化については、軍事占領に抗した復帰運動の意味を捉え直す。日本の主権下への「復帰」をめざしたこの運動は、かつての征服者のもとへと戻ろうとする以上、当時の世界各地で追求された「独立」とは真逆に見える。だがそのような屈折に満ちた道程も、今日まで世界中で続く脱植民地化の模索と通底した動きであることを示したい。

いずれも手に余る課題だが、幸い沖縄現代史研究は近年、長足の進展を遂げた。自治体史の戦後編では異例な構成をとる『沖縄県史 各論編7 現代』(二〇二二年)の大冊は、その集大成と言える。事実経過の詳細はそちらを参照願うとして、本稿では多少図式的となっても、いま見通すべき構図を、できるだけくっきりと浮き彫りにしてみたい。

一、要石という名の捨て石——米軍基地がもたらした世界

米軍基地の世界ネットワークのなかの沖縄

占領以降、米軍は長らく沖縄を「太平洋の要石」と呼んできたが、それはどのような実態を指すのか。近年、各分野で盛んな米軍基地研究の成果(ヴァイン 二〇一六、林 二〇一二)をふまえると、三つの役割=機能が重要となる。

一つ目は、総力戦を通じて誕生した「空の帝国」アメリカが、世界規模で展開した基地ネットワークの結節点としての役割である。第二次世界大戦を経て、ミクロネシアを中心とする太平洋地域は、米国の新たな勢力圏(排他的信託統治領)となる。この新たな「アメリカの湖」への支配を支えたのが、大戦中に飛躍的に発達した航空兵力と、それが各地の基地を結びつけてできた在外基地網だった。そもそも沖縄が決戦場となったのも、日米が飛行場の確保を争ったからであり、住民からすれば異なる軍隊に二度、接収されたことになる。その後、アジア太平洋戦争末期の本土空襲、朝鮮戦争時の北朝鮮絨毯爆撃、ベトナム戦争時の北爆と続く出撃拠点となり、アジアの熱戦と直結する場所となった。さらに米軍は、全住民を追い出したインド洋上の英領ディエゴガルシアの全島基地化によって、中東・アフ

リカを経て大西洋に至るネットワークを完成させる。なかでも沖縄と日本本土は、朝鮮半島と台湾海峡という二つの分断に接する後背地にあって、兵器の修理と兵士の「慰安」が可能な条件を満たす地域として重要視された。

二つ目に、一九五〇年代、世界各地の駐留米軍を維持するために作られた恒久的な軍事基地と基地コミュニティからなる、いわゆる「リトルアメリカ」のひとつとなった。その中核は、将兵の家族住宅群と彼らの消費や娯楽を賄うPXや劇場などの諸施設である。大戦後に初めて大規模な兵力を海外で常時展開するようになった米軍は、風紀や衛生上の問題から将兵と現地女性の性的関係を管理するとともに、彼らの士気を維持するために家族の帯同を認めた。それに応じて西ドイツやイタリア、日本本土や沖縄で「リトルアメリカ」の建設が本格化する。沖縄でも、中産階級の生活様式をモデルとした家族住宅が整然と広がる自己完結的な空間が忽然と姿を現す。現地で雇われたメイドやハウスボーイが垣間見た光景は、米本国でもありえないほど均質で凝縮された豊かさに満ち、近代性を体現した（宮城一九八二）。米軍基地は世界の各地で、消費生活や大衆文化におけるアメリカニゼーションの発信源となっていく。

三つ目に、米国の核戦略でもアジアにおける要の役割を負わされた（松岡二〇一九）。沖縄には一九五四年から核弾頭の配備が始まり、核砲弾（大砲）、短距離のオネスト・ジョン、迎撃用のナイキ・ハーキュリーズ、中距離のメースBなど、核ミサイルが次々と配備され、発射台や貯蔵庫の建設も相次いだ。「有事」には日本本土に持ち込んで実際に使用する予定の核弾頭も、沖縄で貯蔵されていた。六七年には総数およそ一三〇〇発に達し、韓国・グアム・フィリピン・台湾における配備数を大きく引き離した。六二年のキューバ危機ではソ連に対する極東からの核攻撃の拠点となったが、それは同時にソ連の核による報復の標的となることを意味した。住民が「生きたままで死亡者台帳の中の頭数とみなされている」（川満信一「わが沖縄・遺恨二十四年」『展望』第一三三号、一九七〇年一月）のが、沖縄の文字通りの現実だった。米国は（そして日本も）自身の安全と引換に、要石をいつでも捨て石に転化できた。

〈植民地なき帝国〉維持のための法的擬制

基地ネットワークによる圧倒的な軍事力を担保にして、米国は世界各地で経済的権益、さらには政治的ヘゲモニーを獲得する。ただしその支配は、旧来の植民地帝国のような領土の併合を伴わない非公式の、いわば〈植民地なき帝国〉である。東西両陣営の諸国は、裁判の優先権や検疫の免除など主権に関する重要な権限を、日米地位協定のような一連の駐兵協定によって米ソいずれかに部分的に委譲することで、この帝国に組みこまれた（東側では、ワルシャワ条約機構加盟国に対する主権制限論がその典型である）。脱植民地化が進んで国連加盟国が急増した結果、主権国家体制が初めて世界的に普及するこの時代に、主権国家という言葉で想定される当の主権は実質的に変容していった。

だがそれならば、安保条約と地位協定による日本本土の受入体制で十分ではないか。米軍が沖縄を日本から切り離し、占領に固執したのは、他国の主権による制約を全く受けない基地の自由な確保と使用の権限を、東アジアで安定的に確保するためだった。そこで案出されたのが、沖縄に関する主権を、日本が米国に貸し出すという法的擬制《フィクション》だった。サンフランシスコ講和条約第三条と、講和会議の席上で米国が確認した沖縄に対する日本の「潜在主権」が、その正当化の仕組みである。戦勝者による領土の分捕りではなく、形式上、対等な主権国家同士で了解した以上、他国の批判を撥ね除けられた。こうして米軍による沖縄の無期限保有が、国際的に合法化される。本土では日本国憲法が保障する基本的人権の制約からできない強権を、沖縄では米軍が直接住民にふるって、基地用地を確保できた。

したがって米国の沖縄占領は、少なくとも講和条約発効後の約二〇年は、日本からの単なる分離ではなく、日米間のいわば〈調整された主権〉による共同管理の側面を持つ。一九五〇年代後半、米国は砂川闘争に代表される反基地闘争が安保体制の破綻につながることを恐れ、在日米軍を沖縄に移駐する。特に海兵隊など地上部隊の多くが沖縄に移り、本土の米軍兵士は大幅に減った。当時の岸信介自民党政権は、この再編を積極的に黙認した。以後、本土の米軍基地が六〇年代にかけて四分の一程度に急減するのに比して、沖縄の基地面積はほぼ倍増する。また日本本土で原水爆禁止運動が盛んな当時、本土では許されない核兵器の配備先として、沖縄はいっそう重視された。ベトナム戦争では、安保条約の適用外とされた沖縄を経由すれば、本土の米軍基地も「極東」外の米兵の戦闘を最大限支援できた。

このような〝皺寄せ〟が可能だったのは、日米両国が沖縄に対する主権を形式と実質のあいだで調整し、二国間の関係を安定させる装置として沖縄を使ったからである。沖縄は、日本が主権を部分的に委譲することで、米国の同盟国として認められるために支払うリスクを転嫁する集積地、つまりは捨て石にさせられた。

近代化と民主化のショーウインドー

日米間の合意とはいえ、多数の住民を丸ごと統治する以上、米軍は占領を正当化する論理を必要とした。占領の当初は、近代日本で虐げられたマイノリティグループである「琉球人」の解放を謳ったが、日本の独立回復以降は資本主義陣営の同盟国となった手前、同じ論理は使えない。そこで米軍は、反共産主義の砦としての軍事的必要性を前面に押し出しつつ、住民に民主主義の育成や近代化への訓練を施し、「琉球」の自立を助ける〝責務〟を請け負った。

「全琉球人に話しかける雑誌」として米軍が大量に無償配付した雑誌『守礼の光』(一九五九―七二年)には、米国の施政と援助が、沖縄をいかに急速に復興させ、住民の自治能力を向上させたかが語られている。たとえば「米国統治下で、琉球諸島が達成した大進歩を語る連載記事」の冒頭では、「欧米で一〇〇年かかった工業化と近代都市化を、わずか一〇年あまりで達成した」、「国際的な新興地域の開発競争では、トップに立ちはじめた」と発展を讃えた上で、「沖縄の進歩は、主として米国の国防支出と、沖縄の戦略地理的な位置のおかげである」と書き添えることを忘れない。「友好協力的」で「近代感覚に目ざめた琉球人の勤勉努力」を持ち上げるが、あくまで米国の働きかけで「目ざめた」とする筋書に沿った登場しか許さない(連載「伸び行く琉球①」『守礼の光』第四八号、一九六三年一月)。米国の恩恵を強調しながら、自立できる主体へと弱き者を訓育するという、典型的なパターナリズムの口吻である。

しかし統治の実態は、米軍の自画自賛とはかけ離れていた。在沖米軍の最高官は、布令や布告といった法律を自由に発令できた。現在の県知事にあたる琉球政府の行政主席も米軍が決定し、一九六八年まで公選はできなかった。法制度上は、日本国憲法も米国憲法も適用されないまま、戦前の法律を含めた「法の雑居状態」に縛られた。現在の県議会にあたる立法院で成立した法律も、米軍の拒否権にたびたび阻まれ、住民自治は蔑ろにされた。そして日常的に繰り返される米兵による事件・事故のほとんどは起訴されず、レイプなどの性犯罪は闇に押し込められた。

他方で米国は、日本の一県を想起させる「沖縄」を嫌い、「琉球」の呼称を徹底させた。沖縄に戸籍がある「琉球住民」に対して本土籍の日本人を「非琉球人」とし、強制送還も可能とする外国人管理政策が採られた(土井 二〇二二)。親米派の育成も、米国留学組を帰沖後にテクノクラートに抜擢する優遇から、米軍が市町村に直接撒布する特別資金まで、さまざまな機会が利用された。意思決定の権能を奪われながら、米国の庇護のもとで民主主義と経済成長を実現した独立国家のように装わされる。それが、冷戦下の体制間競争におけるショーウインドーの役目だった。

地域社会の構造的変容——難民社会、基地依存社会、混成社会

占領は沖縄をいかなる姿に変えたのか。地域社会の場で生み出された新たな要素を、三つの側面から概観しよう。

第一に、難民社会ともいうべき質を抱えこんだ。米軍の都合で幾度も繰り返された土地接収は、故郷の風景と絆を破壊し、沖縄にいながらにして難民同様となる人々を大量に生み出した(鳥山 二〇一三)。沖縄戦の最中から、米軍は住民をいったん収容所に丸ごと隔離して土地から引き剝がし、日本軍が造成した飛行場の拡張や、港湾施設の新設を図る。その結果、嘉手納基地や那覇軍港の下敷になった地域のように、集落ごと潰されて住民は故郷を喪った。離散者は仮の落ち着き先でも、もともとの居住者との軋轢に遭い、生活の再建はままならなかった(謝花 二〇二一)。

一九五〇年代以降も、朝鮮戦争後の米軍再編や前述した海兵隊の移駐を受けて、沖縄本島中・北部の各地で基地の

拡張や新設が続く。伊江島のように、ようやく故郷に帰還して農業を再興しようとした矢先、銃剣とブルドーザーに象徴される米軍の強権に土地を奪われた。まともな補償措置を得られず、農業を続けようとすれば、八重山などの離島で荒蕪地の開拓に入るか、戦後再開された中南米への移民に加わるしかなかった。沖縄にとどまるならば、現金収入を求めて低賃金の職種に甘んじなければならず、その典型が米軍基地内で働くさまざまな職種の労働者だった。

第二に、基地依存社会が難民化と同時に作り出された。戦前は純農村だった沖縄本島中部の越来村は、嘉手納基地のすぐ南に位置したため、米兵相手の「基地の街」として急速に都市化し、一気にコザ市(現沖縄市)となった。バーや売春宿を主とする歓楽街である「特飲街」は、米兵が落とすドルに依存せざるを得ず、米軍が業者に与える鑑札のAサインや米兵の外出禁止措置(オフ・リミッツ)に生殺与奪を握られた。そのため、コザでは歓楽街の業者と復帰運動のデモ隊とが街頭で衝突する危険が何度も生じたように、同じ住民のあいだに分断と対立が植えつけられた。

日常生活だけではない。米軍は、沖縄全体が基地に依存するような経済構造を、政策的に創出した。一九四八年、米軍が流通させた法定通貨B円は一ドル一二〇B円と日本より円高に設定された。日本から生活物資を購入しやすい反面、資金が日本へ還流し、日本の経済復興と沖縄の基地依存が表裏一体となった。さらに五八年、通貨がドルに切り替えられ、「外資」である日本本土の投資を沖縄に呼び込んだことで、この構造はさらに固定化した。また「軍作業」や「基地の街」の雑多な産業そのものが、戦前にはなかった現金収入の道となり、青年層の離農を促進した。このようにして沖縄の経済全体が基地によって賄われるように再編され、自立を阻む構造が社会に埋め込まれた。

第三に、以上が引き金となり、強制された多民族化とでも呼ぶべき混成社会化が生じる。膨脹する「基地の街」へ仕事を求めて、本島内の離農者だけでなく、奄美や宮古・八重山などの離島から、あるいは基地のネットワークを利用して、台湾・香港の華僑や、印僑の業者も集まった。また農村でも砂糖黍栽培やパインの缶詰工場では、台湾から季節労働者が導入された。そもそも米軍自体が多人種・多民族で構成され、米国内の人種差別を沖縄に持ち込んだ。

それはコザの歓楽街が白人街と黒人街に峻別されていたように、住民の日常生活に浸透していく。

差別の体系も、米軍を頂点に再編された。基地内の人種差別・性差別に関する当事者の証言は枚挙に暇がないが、労働基本権を奪われていた基地労働者が声を挙げるのは容易ではなかった。他方で、フィリピン人や黒人に対しては、英語能力だけで良い待遇を得ていると、怨嗟や嘲笑によって溜飲を下げる意識も、沖縄社会に根強く存在した(戸邉二〇〇六)。「基地の街」にたどりついた離散者たちも、離島差別がもとで、この体系の末端に組み込まれた。

だが差別と分断のなかでも混成は急激に進む。米軍兵士と沖縄女性のあいだに生まれた「混血児」の増加がその趨勢を端的に表したが、同時に彼ら彼女らは、母である「基地の街の女」とともに、占領が招いた負の側面を体現する存在として厄介者扱いされた。この点でも、占領は沖縄社会をその内部から変え、かつ引き裂いていった。

二、屈折する脱植民地化——復帰運動が切り拓いた世界

東アジアで分岐する脱植民地化

占領下の沖縄は、軍隊による強権的支配と社会の容赦ない変容を被った。この文字通りの植民地的な状況にありながら、それを否認する法的擬制に抗って、解放のために組織されたのが復帰運動である。異民族支配からの脱却を掲げたこの運動は、自治・反戦・人権の思想を根幹として成長し、最終的には日米両政府を施政権返還へと動かした。ただし、復帰は当初から自明の目標だったわけではない。沖縄戦後の数年のあいだ、「我等は日本民族の名の下に日本の奴隷にしか過ぎなかつた」と、日本を公然と批判する言論は少なくなかった(「沖縄人民党に関する書類綴」より、兼次佐一の一九四七年九月二日の演説、沖縄県公文書館蔵)。沖縄出身の指導者たちの構想では復帰論は少数派であり、独立から日本との対等な連邦制まで、日米いずれからも自立した社会への展望が見て取れる。旧公式植民地の台湾や朝

鮮半島と同様に、日本帝国崩壊後の流動的な状況は、自己決定の可能性が微かに垣間見えた黎明期であった。

しかしそれも朝鮮戦争によって最終的に潰え、沖縄は、他の旧日本帝国周縁部とは異なる道を歩む。恒久的な基地の造成が始まる一方で、民生部門の復興はなおざりにされた。一九五〇年の秋から翌年春にかけて、政治家や地域指導者たちは絶望のなかでいっせいに復帰を唱え始める。したがって復帰運動は、引き続き解放と自立をめざすがゆえに、日本国民として自らを主体化することで、現在の支配者からの脱植民地化を進める運動と捉えられる。だが新たな選択の結果、旧来の支配者である日本からの脱植民地化の志向は影をひそめ、日本社会の沖縄差別や沖縄戦での日本軍の暴力(住民の壕からの追い出しや虐殺など)の記憶は、米軍との対抗を優先して封印された(戸邉 二〇一一 b)。

沖縄の選択は、なぜこれほど激しい振幅となったのか。ここでは、サンフランシスコ講和会議を前に地元紙上で闘わされた帰属論争を例にとろう。将来の独立を見すえて国連による信託統治案を提起した独立論に対して、復帰論の側は、「国籍すらもたない厳しい立場」にある以上、「国際人」になれるなどとは幻想だと批判した。「自分等の運命を自分等の力によつて切りひらく」には、「国籍」に象徴される主権の権能が必要なのだ(池宮城秀意「日本帰属は何を意味するか2」『うるま新報』一九五一年三月一八日、兼次佐一「再び日本復帰提唱4」『うるま新報』同年五月二五日)。そこには、人権の埒外に放り出された戦場・占領の実体験から、Stateless の境遇へ転落する恐怖が潜んでいた。

では米国につく道はないか。米国のもとで「高度な自治」を得、ドルの力で経済発展を夢見る議論も、独立論にはあった。対する復帰論の反論は、近代以来の沖縄の苦難を想起してこう訴えた。私たち「沖縄人」は差別から遁れるために「血の滲み出る様な努力」を重ねた。それが今度は「日本から切り離されて日本人たる事を否にんされ」ては、「一世紀に近い長い間の努力が水泡に帰す」だろう(兼次佐一「日本復帰提唱 下」『沖縄タイムス』一九五一年四月三日)。ならば「一等国民」の一員であった過去に、未来を託すしかない。過去の差別を想起するまさにその瞬間に、「日本人たる事を否にんされ」ないために差別の記憶を否認するふるまいを、復帰運動は自らに強いていった。

さらに講和会議で確認された沖縄に対する日本の「潜在主権」が、復帰運動に正当性を与えた。同盟関係にある政府間で合意した論理にもとづき、潜在した主権を顕在化させれば、自分たちの権利は回復できるはずだからである。しかし、何という皮肉な事態だろう。講和条約第三条と「潜在主権」の組合せは、主権国家間の合意という擬制によって、沖縄規模での自決権の行使をあらかじめ国際的に否定する効果を持つというのに――。占領の合法化のために案出された論理は、米軍の暴力から解放されたいと願う沖縄の人々の思いを、「復帰」へと誘導した。

危機への防衛的反動としての同化

講和条約で施政権の掌握を追認された米軍は、一九五〇年代前半、土地収用令を発して接収を拡大する。反対する復帰運動は、共産主義を利するとして弾圧されたが、土地を追われた農民の必死の訴えを導火線に、五〇年代半ば、ついに沖縄総出の島ぐるみ闘争が起こる。その間、復帰運動は戦前に強いられた日本への同化と見紛うふるまいを自発的に進めていった。組合旗の赤旗と同時に日の丸の旗を掲げて行進し、運動の中核を担った沖縄教職員会は、教育現場で「祖国」の共通語を熱心に指導した。強権支配に抵抗するために〝立派な日本人〟になることを、地域社会や子どもたちに激しく求めた。抵抗を続けるために「復帰」へと転回したはずが、なぜそのような転倒となったのか。

第一に、日の丸や日本語(共通語)が占領に抗う象徴となるような文脈を、米軍自身が作っていた。米軍は占領当初から日の丸の掲揚を禁止した。徐々に緩和されるものの、学校を始めとする公共施設での掲揚は長く干渉を受けた。また琉球大学の開設にあたり、米軍は当初、国語・国文学の科目は不要とみなした。他方で重要法令の有解釈権は英語にもとづくなど、英語とその使用能力が幅を利かせる社会だった。そのため、米軍による禁止や抑圧を覆す言動は、それだけで抵抗の意味を帯びた。逆説的ながら、戦後の沖縄で同化を促進させた第一の功労者は米軍だった。

第二に、復帰運動は当初、社会秩序の回復をめざす保守的な性格を強く帯びていた。前述した社会変容は、農村共同体を基礎とする戦前来の沖縄社会を根本から動揺させた。教員を始めとする地元の指導者層には、とりわけ秩序崩壊の危機と映った。五〇年代に教職員会が共通語指導を強く推したのは、人口の流動化や混成化による言葉の乱れが、学力向上を妨げるだけでなく、「意志の疎遠」から「犯罪の基」になるためだった。「純正なる国語」への統一を望む教員たちの欲求は、無秩序を更生させ、地域社会を「明るい郷土」にしようとする道徳覚醒運動の様相を呈した(『沖縄教育』第二号第五分冊・児童生徒の問題、沖縄教職員会、一九五五年)。担い手が重なる新生活運動で取り組まれた日の丸掲揚や新暦実施も、人々の規律化の度合を測る秩序の徴となった(戸邉 二〇〇六、二〇一一 a)。

これは、戦前の権威的な秩序観を懐かしむ世代に特有と思われるかもしれない。確かに教員集団でも、このような発想は戦前からキャリアを積んだ世代に多い(戸邉 二〇〇八)。これが六〇年代に入ると、戦後教育を受けた青年教員へと世代交替が進み、日の丸や君が代の指導にも批判が寄せられる。背景には、島ぐるみ闘争が米軍による切り崩しで終息した後、復帰運動を立て直そうとする新しい世代が本土の革新国民運動から受けた影響がある。同時期の復帰運動全体の動向も、六〇年に発足した沖縄県祖国復帰協議会に結集する各種労組が中心となり、米軍の人権無視や自治軽視に対する権利獲得運動の色彩が濃くなっていく。米軍が五〇年代末から統治方針を開発による同意調達へと切り替えた結果、経済成長に比例した労働者の増加により、かえって社会運動の伸長と革新化が進んでいた。

だが、変化はなめらかには進まない。高度経済成長による求人難に応えて、沖縄でも五〇年代末から本土への集団就職が始まる。海を渡る子どもたちを差別から守るために、言語指導の必要はかえって高まった(戸邉 二〇〇八、二〇一一 a)。六〇年代末でも、「基地の中の教師」たちは米国人やフィリピン人の父を持つ生徒に向かって、「人権意識」や「反戦平和の芽」を育てるために、「あえて彼らにさえも日本人意識を育てたいと願う」。この青年教員は、「もし、日本人意識が彼らにとって無意味だというなら、人権意識といいかえてもよい」とも語る(仲間一「日本人である。しかし……――四・二八授業の記録」日本教職員組合・沖縄教職員会編『沖縄の先生たち』合同出版、一九七〇年)。「日本人意識」

と「人権意識」を無媒介につなげる一見奇妙な想像力の背景には、人権や主権を、ひとつの民族を単位として実現しようとする民族自決の発想がある。冷戦期の脱植民地化の世界的思潮は、そのような桎梏としても作用した。

自己変革のゆくえ――「返還」に抗う意志の持続

一九六〇年代後半、復帰運動はベトナム反戦のうねりと結びついて、基地撤去・安保廃棄を求めるまで急進化する。戦争遂行の妨害や安保体制の破綻を怖れた日米両政府は、基地の自由使用を引き続き維持するためにこそ、施政権の返還へと舵を切る。平和裡に失地回復を成し遂げたはずの返還は、その実、増大する住民丸抱えの統治コストを日本政府にいわば丸投げする、〈調整された主権〉の新たな段階であった。しかも、返還を機に、従来沖縄で米軍が得ていた基地の自由使用を、本土の米軍基地にも適用する「本土の沖縄化」を組み込んだ。ベトナム戦争後を見すえた安保体制の転換に、返還政策が利用された結果、沖縄が望む「基地のない平和な島」への復帰はむしろ遠ざかった。

返還が決まると、沖縄で日の丸の旗を振るのは日米政府に協力する沖縄の保守層となった。反対に復帰運動の集会では日の丸がいっせいに消えていく。だが保守も革新も本土の上部組織への系列化による対応に過ぎず、思想的な反省を経たわけではなかった。そこで現れたのが、復帰論の同化意識を問い質して思想的な自立と主体性の確保を説く反復帰論であり、座り込みなどの非暴力直接行動による実弾演習阻止や金武湾闘争など、復帰に収斂しない反基地・反開発を掲げる住民運動の簇生である。これらは、ともすると復帰運動とは対照的な動向とみなされる。しかし実際には、復帰運動に挺身した教員たちのなかからも、住民運動に身を投じ、反復帰論と共振する自己変革が見出せる。それを、「基地の街」コザで高校の国語教員だった儀間進の発言からたどってみよう(戸邉 二〇〇六、二〇一一b)。

返還が「琉球処分」の再来と映る状況で、儀間は戦時期に自らが受けた「権力の末端にある教育の被害」を想起して、「いまぼくらが権力の末端になる要素が多分にある」と、復帰後に強まる教育の国家統制に抗うために、沖縄で問われてこなかった戦争責任の問題を提起した（「座談会　六〇年のたたかいをふりかえり、七〇年の課題をさぐる」『沖教職教育新聞』第四〇六号、一九七〇年一月）。同時に、戦後も「半日本人《パンチョッパリ》」の境遇を強いられた在日朝鮮人に自らを重ね、「「血」や「民族」がどうのは二の次である」と「日本人への同化」を決然と拒否する。そこから、「沖縄人のままで、日本人になることを許さぬ日本であるならば」、「日本人にはなりたくない」」、返還政策にただ従うのではなく、「どういう日本人になりたいという注文をつけてもよい」と、自己決定権を擁護した（儀間「内なる日本との対決」前掲『沖縄の先生たち』所収）。その基盤として、日本の古典文学を沖縄語に訳す教育実践を通じて、文化的な主体性を追求した試みをつなげれば、「脱沖縄」から「奪沖縄」へと転回を遂げた精神の脱植民地化のおおよそが見通せよう。

この転回はさらに、復帰運動が宿す秩序観や国民主義の根底にある近代の価値基準そのものの問い直しに達する。一九七〇年一二月、米兵による交通事故の不当な処理に激昂した民衆が、コザの歓楽街で多数の車両を焼き打ちした。この民衆蜂起を、米軍は法秩序の欠如した「暴動」と罵り、復帰運動は暴力の噴出に困惑する。儀間はすぐに筆を執り、「私たちはあの事件を決して「暴動」とはとらえない」と応じた。米軍関係の車両だけを狙い、類焼を避けた行動には、自生的な「秩序と理性があった」。長く人権を奪われ、解放の望みが再び閉ざされようとするいま、「沖縄人が人間性の全的回復を一挙に爆発的にとりもどそうとした」実践にこそ、「本当の民主主義の芽ばえ」がある。

この時、儀間は自分たちの理解者として、「何百年もの間にわたって抑圧されて来た黒人」に親しみを寄せる。彼らは支配者として「沖縄人を差別すると同時にまたクロンボーとして沖縄人からも差別され」る複雑な位置にありながらも、沖縄の民衆に「連帯の手を差しのべ」た（以上、儀間「コミュニケイションとしてのコザ反米騒動」『沖縄経験』創刊号、一九七一年七月）。事件の直後に撒かれ、日英両文で併記されたビラ「基地内の黒人から沖縄の人々へのアピール」では、「黒人はまた、オキナワと同様、解放のために長い間闘ってきました。誰があなたの権利獲得を止めることができるでしょうか！」と蜂起を擁護している。ここには、米本国のベトナム反戦や黒人解放の運動が沖縄に流入してできた、基地の内外をつなぐ抵抗の共鳴が見られる。儀間はそれを見逃さず、黒人の闘いの歴史を介して自己の歴史を再発見した。世界規模の米軍基地網の拡大が、人々を強制的に出会わせた。だが、複数の差別と闘いの過去を結び合わせ、新たな歴史像を作り出したのは、アメリカニゼーションを逆手に取った民衆の越境的な想像力だった。

こうして一人の教員の軌跡からも、復帰運動に内在する思想的ダイナミズムが明らかになる。「国民」であることの陥穽へと自らを投じたこの運動は、運動で発揮された主体性・能動性ゆえに自立への芽を育んだ。「国民への没入」に対して、歴史をふまえた痛切な自己切開によって「国民を対象化する」思想へと至る、「自己決定への大きな歩み」が見出せる(鹿野 二〇一一)。前述した反復帰論や多様な社会運動、さらには一九七〇年代の沖縄でいっせいに開花した文学・演劇・写真等の独自な表現活動もまた、同様の「歩み」と捉えうる。復帰前後の自己変革は、そうした広い裾野を伴ったことで、復帰後の滔々たるヤマト化の波に抗って、冷戦後の今日まで抵抗のバトンをつなげられた。

三、復帰後半世紀の窮境と模索——解放を求めて結びつく世界

軍事化と開発の狭間で

米軍占領期に紙数を費やしたため、いまや占領期の倍近くなった施政権返還後の半世紀に言及できる紙幅はほとんどない。ただし、〈調整された主権〉を通じた日米合作の沖縄支配は組み替えを経てなおも継続しており、対する沖縄民衆の抵抗も、「復帰」をまたぎ越し、その裾野を拡げて今日に至る(戸邉 二〇一三)。最後に、その様相を概観する。

ベトナム戦争後の一九七〇年代以降、首都圏の米軍基地が大幅に縮小された反面で沖縄への集積はいっそう進み、全国の約七割を占める状態が現在まで続く。在沖米軍基地は冷戦崩壊後も中東に向かう拠点として重視され、本島北部の演習場にあたるやんばるの密林を除けば、返還はほとんど進んでいない。二〇〇四年の沖縄国際大学構内への米

軍ヘリ墜落事件では、米軍が大学を一時封鎖し、事故現場には警察や外務省の職員さえ立ち入れず、占領が日常のなかで継続している実態をさらした。その後も新型輸送機オスプレイの配備強行や、米軍兵士・軍属の交通事故や性犯罪の処理にあたって、日米地位協定の不平等性が幾度となく批判されても、日米両政府は改定を拒んでいる。

基地の自由使用を至上目的とする統治のあり方も、施政権返還後は安保条約にもとづき、日本政府が沖縄県民に対峙するかたちで続いている。本来は占領下で開いた本土との格差是正のためだった財政上の特別措置や高率補助による振興開発の体制は、この半世紀、軍用地の賃料釣り上げとともに、事実上、基地負担の〝皺寄せ〟を税金で糊塗してきた。米軍基地から国主導の開発へと依存相手が変わっただけで、沖縄の自治能力はかえって奪われた面がある。

そこで沖縄では、観光業を主力とする経済的な自立に取り組んできた。実際、基地返還跡地では再開発によって返還前より遥かに高い経済効果を生んでいる。現在、観光収入は基地関連収入の倍以上となり、基地依存度は沖縄県の経済全体の五パーセント程度まで減少している。アジアからの観光客も大きく伸び、二〇一九年の入域観光客数はついに一〇〇〇万人を突破した。コロナ禍でいったん大きく落ち込んだものの、趨勢が変わるとは考えにくい。新たな基地の建設に反対する県民世論が、戦争体験がある高齢者に決して限られない背景には、このような経済構造の変化が生んだ自信と、それにもかかわらず「沖縄は基地で食べている」と思い込む本土の沖縄観への不信がある。

ただし、手放しの楽観はできない。観光開発は経済の脱軍事化の面では有望視されているものの、南国イメージの消費者を本土で増やすだけで、「沖縄大好き」の声と基地問題への無関心とが併存する状態は、基地問題の全国的理解を妨げている。しかも沖縄社会自体、若い世代を中心に、本土のマスメディアが造り出した架空の沖縄イメージを肯定的に受容する転倒した現象さえ起きている（田仲 二〇一〇）。また雇用増加を牽引してきた観光・情報産業は非正規雇用率が高く、全国一とされる子どもの貧困率や離婚率の改善にはつながりにくい。そのような面からも、軍事化と観光開発の狭間で選択を強いられる沖縄の窮状は、グローバル化に直面する現代世界の縮図と言えよう。

脱軍事化・脱開発の世界的連携へ向かって

他方、復帰運動の挫折や一九八〇年代の保守県政のもとでも、脱軍事化・脱開発をめざす住民運動や伝統を活かした沖縄文化創造の運動が各地で生まれ、「琉球弧の住民運動」として島々をつなぐ連携を深めた。九五年の米兵によるレイプ事件を機に始まった、日米両政府に対する島ぐるみの異議申し立ては、そのような運動の蓄積が可能にしたものだった。基地負担軽減の要求は、普天間基地の代替とされる新基地の県内建設へとすり替えられたが、抗議の声は辺野古や高江における新基地建設反対運動となり、座り込みなどの直接行動を駆使して四半世紀以上持続している。

この間、沖縄の民衆運動は、占領下の諸運動の根底にあった「生存の危機」に抗う思想をいっそう深め、闘争のための豊かな技法を編み出し、伝えてきた(上原 二〇二二)。その動きは、プエルトリコやグアムといった米国の海外領土や、ミクロネシアや韓国・イタリアなど米軍基地を抱える地域の住民が連携し、基地の世界ネットワークに対抗する運動のネットワーク作りへと展開している。同様の連携は、基地の内外を問わず、軍隊に関わる性暴力を拒否する女性たちの国際連帯や、先住民族の集団的な権利を訴える運動にも見られる。これらの水平的な連携は、国連などの国際機関をも活用しながら、軍事と資本のグローバル化に対抗する「下からのグローバル化」を生み出している。

地域社会の変貌によって生じた差別や貧困、暴力など、人々が「生存の危機」に立たされる現状は、経済の新自由主義化でさらに拍車がかかっている。いのちの脅威に抗う(主に女性たちの)地道な活動は、性や人種による分断を越えた共同性を、沖縄でめざす動きを下支えしている。それはまた「米軍の駐留と密接な結びつきがありながら、基地縮小のために闘う」、「日本で最初の混合人種の県知事」(ジョンソン 二〇二一)を生み出す原動力ともなった。

運動が困難にぶつかる時、沖縄戦や占領の経験が学び直されることで、世代を越えた記憶の継承も続いている。二〇〇七年に起きた、集団自決における日本軍の強制性をめぐる強引な教科書検定に対して、沖縄の全市町村から非難がわき起こったように、この点ではイデオロギーを越えた一致が成立する。しかも集団自決に見られた同化の思想を剔抉するなかから、戦場を生き延びた経験や抵抗の智恵に根ざした「土地の記憶」に沖縄のアイデンティティを求め、伝統や出自を越えて「沖縄人に〈なる〉」道を展望する思想も生まれている(屋嘉比 二〇〇九、戸邉 二〇一五)。

沖縄の経験から問われる現代世界――むすびにかえて

占領下の沖縄の経験は、先進国＝旧列強の成長・発展の物語からすれば、ひどく逸脱した事例に映るだろう。なるほど基地が生み出した近代性(modernity of base)は、米軍の魅力と暴力に縁取られた、いびつなアメリカニゼーションかもしれない。だが、一見例外的な事例が、正常な近代性の進路と目される冷戦下の支配的な社会のあり方を、実は根底で支えてきた近代性(basic modernity)であり、それもまた現代世界の要を構成する普遍的な経験であったことを、沖縄の戦後は明るみに出す。そこから目を逸らした世界史認識に、真の有効性はないだろう。

復帰の挫折をバネにして深化を遂げた沖縄の脱植民地化の運動は、グローバル化が造り出す新たな窮状にも耐え、世代を越えた継承を実現している。その思潮を代表する位置にあった歴史家の屋嘉比収は、かつて新基地建設政策に「合意」した沖縄の自治体首長に、「琉球処分から現在の沖縄にまで続く被植民者の卑屈な姿勢」を見出し、「私は奴隷になりたくない。そのように声をあげることが、奴隷から脱する私たちに残された唯一の道だ」と訴えた(屋嘉比「問われる民意」『琉球新報』二〇〇六年四月一八日)。近代以来の「奴隷」の境遇から「あま世」への解放をめざす沖縄の歩みは、そこに確かに刻まれている。省みて、「奴隷」の主人に位置する日本や米国はどうか。むしろ沖縄に依存して自立できない主人こそ、植民地主義に拝跪する奴隷ではないのか。「島嶼防衛」の名のもとに自衛隊基地の建設が進み、奄美から与那国まで軍事化の波が琉球弧の離島にも押し寄せるいま、本当に問われているのは誰なのか。

参考文献

ヴァイン、デイヴィッド（二〇一六）『米軍基地がやってきたこと』西村金一監修・市中芳江ほか訳、原書房。

上原こずえ（二〇二二）「「生存の危機」にある沖縄戦後の運動史を捉え直す」『年報日本現代史』第二七号、現代史料出版。

沖縄県教育庁文化財課史料編集班編（二〇二二）『沖縄県史 各論編7 現代』沖縄県教育委員会。

鹿野政直（二〇一一）『沖縄の戦後思想を考える』岩波書店。

謝花直美（二〇二一）『戦後沖縄と復興の「異音」――米軍占領下 復興を求めた人々の生存と希望』有志舎。

ジョンソン、アケミ（二〇二二）『アメリカンビレッジの夜――基地の町・沖縄に生きる女たち』真田由美子訳、紀伊國屋書店。

田仲康博（二〇一〇）『風景の裂け目――沖縄、占領の今』せりか書房。

土井智義（二〇二二）『米国の沖縄統治と「外国人」管理――強制送還の系譜』法政大学出版局。

戸邉秀明（二〇〇六）「基地と近代性――沖縄における国民化の問題とアメリカの存在」樋口映美・中條献編『歴史のなかの「アメリカ」』彩流社。

戸邉秀明（二〇〇八）「沖縄教職員会史再考のために――六〇年代前半の沖縄教員における渇きと怖れ」近藤健一郎編『沖縄・問いを立てる2 方言札』社会評論社。

戸邉秀明（二〇一一a）「沖縄「占領」からみた日本の「高度成長」」『岩波講座 東アジア近現代通史8』岩波書店。

戸邉秀明（二〇一一b）「沖縄「戦後」史における脱植民地化の課題――復帰運動が問う〈主権〉」『歴史学研究』第八八五号。

戸邉秀明（二〇一三）「現代沖縄民衆の歴史意識と主体性」『歴史評論』第七五八号。

戸邉秀明（二〇一五）「沖縄戦の記憶が今日によびかけるもの」成田龍一・吉田裕編『記憶と認識の中のアジア・太平洋戦争』岩波書店。

鳥山淳（二〇一三）『沖縄／基地社会の起源と相克 一九四五―一九五六』勁草書房。

林博史（二〇一二）『米軍基地の歴史――世界ネットワークの形成と展開』吉川弘文館。

松岡哲平（二〇一九）『沖縄と核』新潮社。

宮城悦二郎（一九八二）『占領者の眼――アメリカ人は〈沖縄〉をどう見たか』那覇出版社。

屋嘉比収（二〇〇九）『沖縄戦、米軍占領史を学びなおす――記憶をいかに継承するか』世織書房。

【執筆者一覧】

峯　陽一(みね よういち)
1961 年生．同志社大学グローバル・スタディーズ研究科教授．JICA 緒方貞子平和開発研究所研究所長．国際関係論・アフリカ地域研究．

青野利彦(あおの としひこ)
1973 年生．一橋大学大学院法学研究科教授．アメリカ政治外交史・冷戦史．

難波ちづる(なんば ちづる)
1972 年生．慶應義塾大学経済学部教授．フランス植民地史．

川嶋周一(かわしま しゅういち)
1972 年生．明治大学政治経済学部教授．国際関係史．

南塚信吾(みなみづか しんご)
1942 年生．千葉大学・法政大名誉教授．世界史研究所所長．東欧史・国際関係史．

久保　亨(くぼ とおる)
1953 年生．東洋文庫研究員．中国近現代史．

臼杵　陽(うすき あきら)
1956 年生．日本女子大学文学部教授．中東現代史．

砂野幸稔(すなの ゆきとし)
1954 年生．熊本県立大学名誉教授．アフリカ地域研究・フランス語圏文化研究．

藤本　博(ふじもと ひろし)
1949 年生．明治学院大学国際平和研究所研究員・元南山大学外国語学部教授．現代アメリカ外交史．

竹峰誠一郎(たけみね せいいちろう)
1977 年生．明星大学人文学部教授．オセアニア地域研究・国際社会学．

戸邉秀明(とべ　ひであき)
1974 年生．東京経済大学全学共通教育センター教授．沖縄近現代史．

小阪裕城(こさか ゆうき)
1983 年生．釧路公立大学経済学部准教授．国際関係史・アメリカ現代史．

佐藤尚平(さとう しょうへい)
1979 年生．早稲田大学文学学術院教授．イギリス帝国史・中東近現代史．

大沼久夫(おおぬま ひさお)
1950 年生．共愛学園前橋国際大学名誉教授．日本現代史・朝鮮現代史・冷戦史研究．

倉沢愛子(くらさわ あいこ)
1946 年生．慶應義塾大学名誉教授．インドネシア社会史．

井関正久(いぜき ただひさ)
1969 年生．中央大学法学部教授．ドイツ現代史．

【責任編集】

木畑洋一(きばた よういち)
1946年生．東京大学・成城大学名誉教授．イギリス近現代史・国際関係史．『帝国航路(エンパイアルート)を往く――イギリス植民地と近代日本』(岩波書店，2018年)．

中野 聡(なかの さとし)
1959年生．一橋大学学長．アジア太平洋国際史．『東南アジア占領と日本人――帝国・日本の解体』(岩波書店，2012年)．

岩波講座 世界歴史 22　　第21回配本(全24巻)

冷戦と脱植民地化 I　20世紀後半

2023年7月28日　第1刷発行

発行者　坂本政謙

発行所　株式会社 岩波書店　〒101-8002 東京都千代田区一ツ橋2-5-5
電話案内 03-5210-4000　https://www.iwanami.co.jp/

印刷・法令印刷　カバー・半七印刷　製本・牧製本

　ISBN 978-4-00-011432-5

岩波講座

世界歴史

A5 判上製・平均 320 頁（黒丸数字は既刊，＊は次回配本）

全㉔巻の構成

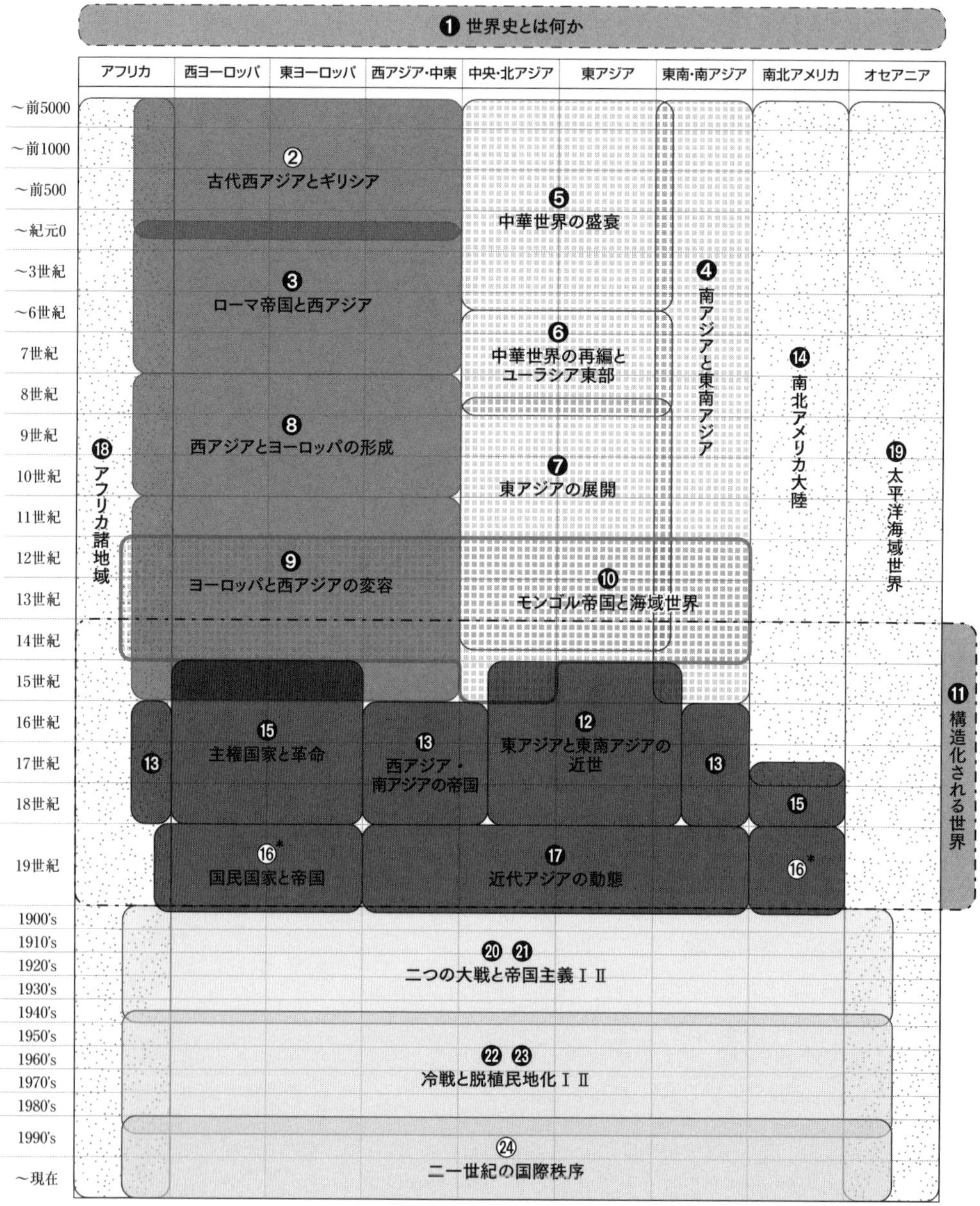

※本図は各巻の内容を厳密に反映したものではなく，便宜的に図示したものです．